スピリチュアル・ヒーリング

理解と実践のためのガイド

ハリー・エドワーズ

一般財団法人
日本スピリチュアリズム協会 訳

HARRY EDWARDS

A GUIDE TO THE UNDERSTANDING AND PRACTICE OF SPIRITUAL HEALING

国書刊行会

同僚、後継者である、
ラムス・ブランチとの共同研究に基づく

まえがき

本書のもとになる『スピリット・ヒーリングのためのガイド』（*A Guide to Spirit Healing*）は、二〇年前（一九五〇年）に書かれたものです。以後、スピリット・ヒーリングの発展はめざましいものがあります。器質性疾患はその姿を消していき、今日では、これまで反応を示すことのなかった疾病を屈服させることができるようになりました。ヒーリングの叡智（高級知性）は、ヒーラーを利用して病の原因を取り除くことに成功し、大いなる知恵と安楽を獲得しました。まさにこのヒーリングの叡智が、大いなる発展をもたらしたのだと言えるのではないでしょうか。ヒーラーシップもまた、スピリット・ガイド（指導霊）からの指示・教示を受け、ヒーリングの源泉と調和・調律《チューニング》する技術を発展させてきたのです。

本書は、そのより進化した知識までをも網羅しています。それは、ヒーラーがどのようにしてスピリット（霊）との親密性を築き上げていくのかを示しながら、スピリット・ヒーリング・サイエンスの基本原理を解説していくものとしています。その一例として、悪性癌細胞が生じる原因とその予防法、腫瘍が形成されたあとの克服治療について、記述しています（第6部参照）。

ヒーリングとは、スピリットから授けられた生まれながらの能力であり、哀れみ深い心、患者の救済を深く切望する心を備えた人々のためのものです。本書も、それから他のどんな書籍も、ヒーラーになる方法を教えることはできません。スピリチュアル・ヒーリングとは進化したスピリット・サイエンスであり、他の科学のように、教育されて得るものではないのです。

本書は、表題が示すように、これを指導するためのものです。一定の陳述と説明を繰り返すことがありますが、これは強調のためだけでなく、読者に前章までを振り返る機会を与え、その理解を再度促すためのものとなるでしょう。

スピリチュアル・ヒーリング✺目　次

第2部　スピリット・ヒーリングの理論　101

第3部　ヒーリング実践　203

第4部　スピリット・ヒーリング・サイエンス　297

第6部　癌の原因、予防、治癒の研究

スピリチュアル・ヒーリング　理解と実践のためのガイド

編集注

※本書の「ヒーリング」とは「スピリチュアル・ヒーリング」のことを指します。また、原書において「治療」となっている表現については、当時のイギリスの状況、またハリー・エドワーズの解釈を優先し、元の表現のまま、基本的に「治療」としています。しかしながら現在の日本の状況とは異なり、日本ではヒーラーが医療行為をすることは認められていませんので、ヒーラーは「治療」できません。よって、日本においてはヒーラーの行為によって「治療」することや「治す」「治る」という表現を用いることはできません。そうした違いを念頭に置いて、お読みください。

※イギリスの法律等に関して、出版当時（一九七四年）と現在では異なる場合があります。

※日本版に際して、読者の便宜をはかり、まとめの項目を付記しました。

はじめに

ヒーリングの才能を切望している人々から、「私は、ヒーラーになることができるでしょうか?」とよく質問されます。私はよくスピリチュアル・ヒーリングの講義にて「病気の治療に従事したいと考えている人は、どれくらいいますか?」と聴衆に尋ねるのですが、たいていほとんどの人が手を挙げるのです。

その答えは、こうです。「ヒーリングへの献身を深く切望している者、病に苦しむ人々の痛みやストレスを取り除いてあげたいという慈悲の心、いたわりの心を備えている者、いかなる金銭的報酬も求めずに、自らの時間を捧げられる者、心の広い者、よき動機を持ち自ら進んで奉仕できる者。以上のような人々が、ヒーリングの才能に値するスピリチュアル精神を備えていると言えるでしょう。このヒーリングの潜在能力さえあれば、あとは、ヒーリングの源泉と調和・調律《チューニング》するための技術を磨き、それを実践へと移していくのみなのです」

本書は主にこのような人々のために書かれたもので、調和技術の習得をめざし、彼らをその初期段階から援助していくものです。この調和技術を磨きながら、スピリチュアル・ヒーリングを司っている基本原理・理論について研究していきましょう。ときには、すでにそのヒーリング任務に従事している者たちの協力を仰ぎながら、スピリットと協働して患者を癒していく、そのヒーリングの手法を示していきます。それから最後に、スピリット・ヒーリング・サイエンスについてさらなる考察をし、ヒーリングが身体的な病に苦しむ人々だけでなく、精神的な病に苦しむ人々にも有効であることを証明していきます。

したがって本書は、心・身体・魂を癒すためのヒーリングに対する初期欲求から、エナジーと思考作用を二次元（物理次元とスピリット次元）で利用していく高度な科学についての考察まで、一つひとつ段階を踏んで、進行していくものとします。

本書は6部に分けていますが、それぞれに相関するものです。近年、私は「英国スピリチュアルヒーラーズ連盟」（National Federation of Spiritual Healers：ＮＦＳＨ。現ヒーリング・トラスト）にて、ヒーリングの研究コースを設置しており、各部の最も重要な要素は、ここにも組み込まれています。

第5部の末尾では、ヒーリングの基本原理をリスト化していますが、これらは各部にて説明されたものを、読者が参照しやすいように一覧にしました。

第6部では、「英国スピリチュアルヒーラーズ連盟」の癌研究プロジェクトについて説明し、私自身の解説のもと、悪性腫瘍の主因とその予防法を突き止めています。――スピリット・ヒーリングは、スピリットの導きにより正しい方向性を得て広がっていくもので、この二〇世紀の病

ハリー・エドワーズ

を予防し、最終的にはそれらに打ち克っていくものなのです。

ハリー・エドワーズ
一九七四年

第1部　アブセント・ヒーリングとスピリットとの調律《チューニング》の探求

一般観察

将来、アブセント（遠隔）・ヒーリングは、最も効能あるヒーリング要素になると言われています。アブセント・ヒーリングにより、医学的に不治である病気に苦しんでいる患者は、救われる可能性があるのです。この事実を見つめながら、ヒーリングの偉大さを示し、根拠づけていくことにしましょう。

この部のねらいは、アブセント（遠隔）、コンタクト（接触）の両ヒーリング過程を支配している基本原理を考察し、それらが示唆するもの、そして私たちがいかにしてヒーリングの可能性を広げていけるのかを読み解くものとします。

「アブセント・ヒーリング（Absent Healing）」というのは、ある意味では不適切な表現です。ヒーリングが、「アブセント＝不在」となることはないからです。より真意に近い定義は、「距離のあるヒーリング」となります。つまり遠方からのヒーリングのこと。実際にヒーラーが患者と身体的に接触するコンタクト・ヒーリングと区別されているのです。「アブセント・ヒーリング」という

シェアにあるバローズ・リーは、世界的に有名なハリー・エドワーズ・スピリチュアル・ヒーリング・サンクチュアリ（現ハリー・エドワーズ・ヒーリング・サンクチュアリ）の本拠地。下は建物の正面。

表現は、「遠方からのヒーリング」であると一般的に認識されていますので、私たちもこの言葉を使っていくことにします。「神聖なヒーリング」や「祈りのヒーリング」と定義されることもありますが、これらは一般的に宗教団体が用いるものです。アブセント・ヒーリングは、いかなる名前で呼ばれようとも、その働き・有効性の条件が整っていれば、その役割を果たしてくれるものです。

アブセント・ヒーリングの効能は以下のような場合に証明されます。患者のためにヒーリングによるとりなしが開始され、患者がその身体的・精神的な不調を乗り越えて好転、もしくは完治した、そして、その理由がヒーリングのほかに考えられないという、このような場合です。長い闘病生活に苦しむ患者の典型的な例を挙げてみましょう。長年の入院治療の末に、「医学にできることはこれ以上ない」と宣告され、「病気と付き合っていく」選択をしなければならず、コルセットや痛み止めの錠剤以外、なんの医学的治療も薬も与えられない。このような事態において、アブセント・ヒーリングが探求されて、比較的短い時間で症状は徐々にやわらぎ、痛みは消え、疾病が克服されるのです。

ヒーリングに要する時間は短く、数日、数週間といったところで、患者の状態によってはもう少し延長される可能性もあります。

今日、アブセント・ヒーリングは、世界中のスピリチュアル・ヒーラーたちの間で、共通の治療手段となりつつあります。「距離」に、なんの問題もないのです。スピリチュアル・チャーチは、ヒーリング・グループや祈禱サークルなどを支援しています。シェア、ギルドフォード、スレイは、アブセント・ヒーリングの世界的な拠点です。アブセント・ヒーリング・メソッドによるヒーリングを探求してきた人々、そして病気の治癒を経験した人々の数は、おびただしいものです。絶えず、一週間に九〇〇〇〜一万一〇〇〇通もの書簡が届き（一九四八年以来、一四〇〇万通ものヒーリング書簡が届き）、返信されたのです。* 高い成功率がなければ、手紙の数は減り、途絶えていたことでしょう。手紙を書くことが好きなのはほんとに少数で、なかにはそうすることに疲れてしまうものもいますし、元気になった人々は、ヒーラーにその理由を告げることなく手紙をやめていきますが、それでも少なくとも一年間に五〇万もの人々がアブセント・ヒーリングの有効性を証言していることになります。

より意義深い事実があります。人は、たいしたことのない病について書いてくることはほとんどありません。医学的治療が合わないときや不治の病であると宣告されたとき、もしくは緊急事態、例えば、事故で重症を負ったとき、このような場合に手紙を書いてきます。アブセント・ヒーリングは直接的に関わり合うものではなく、その実体がつかみづらいことから、しばしばヒーリングにおけるシンデレラだと言われます。ヒーラーは患者のことを知らないかもしれないし、実際に顔を合わせることもないかもしれないのです。一方、コンタクト・ヒーリングにおいては、

＊ 一九七四年、ハリー・エドワーズが本書を執筆した当時の数字。

ヒーラーの身体、ヒーラーの能力が利用されます。ヒーラーは見識ある装置であり、ヒーリング・ガイドとの協働作業者なのです。患者へと向けられたヒーリング・エナジーの流れは感知され、苦痛は緩和され、動きは楽に、痛みはやわらぎ、心は落ち着きを取りもどし、衰えた視力や聴力には力が与えられ、消耗からは回復します。その有益さは実感をともなうものです。しかし、アブセント・ヒーリングにおいて、ヒーラーがこのようなことを経験することはありません。ヒーラーが患者に会うことはめったにはないのです。せいぜい、第三者から、患者のことを知るぐらいです。アブセント・ヒーリングにおいては、言葉によるメッセージであり、ヒーラーは手紙、または電話でその任務を遂行します。

アブセント・ヒーリングにおいては、患者は直接身体的な処置を受けるわけではないので、ヒーラーと同様に、ヒーリングの実感を得にくいことでしょう。ヒーラーと面会し、その言葉を聞き、ヒーラーから患者へと向けられたヒーリング・エナジーの流れを感知するといったことはないのです。それゆえに患者は、実際の効果を実感しはじめるまでは、アブセント・ヒーリングの価値を理解することができない場合があります。最後の望みにかけて、アブセント・ヒーリングに身を委ねる人もいます。

その他の出来事として、以下のようなことがあります。多忙なヒーラーが他の患者の援助を求められた場合、ことによると、遠く離れた患者宅への来診が必要となるかもしれない場合、「その患者をアブセント・ヒーリングのリストに入れること」が提案されるのですが、患者の側に立

ハリー・エドワーズ・スピリチュアル・ヒーリング・サンクチュアリは1946年にハリー・エドワーズによって設立された。あらゆる種類の病気に苦しむ何千人もの避難所となり、医学では救えない不可能な状況から人々を救ってきた。

って考えれば、この場合、依頼が断られたかのようで、事が終わってしまったように感じられることでしょう。

一般の人々は、ヒーラーや聖職者による「とりなし」の効能をそんなに信頼していません。私たちは、この事実を受け止めなければなりません。これは同情の表現であり、患者がその利益を放棄することと同じなのです。

アブセント・ヒーリングは、もっともっと意味のあるものです。コンタクト・スピリット・ヒーリングの驚異よりもさらに進化した、**高度なスピリット・サイエンス**（スピリット・ヒーリング・サイエンス）なのです。というのも、矯正的なヒーリング・エナジーを媒介する「ヒーラー」という存在なしで、病気の原因に打ち克ち、病症を取り除くことができるからです。すなわち、アブセント・ヒーリングとは、先端科学なのです。

しかし今日、アブセント・ヒーラーは、コンタクト・ヒーラーよりも洗練されていない、二番目のものとして見なされています。ヒーリングの能力を発達させていく上では、アブセント・ヒーリングの過程が、しばしばコンタクト・ヒーリングのための準備トレーニングとして利用されます。ビギナーがこのメソッドにより調律《チューニング》技術を築くのは、以上の理由からです――スピリチュアル・ヒーリングでは、どの流派においても、調律《チューニング》が最も重要な基本要素となります。

なぜ、アブセント・ヒーリングが、人類の他のどのスピリット・サイエンスよりも進化したものであるのかは、のちほど明らかになります。アブセント・ヒーリングとそれが包含するものがより理解、評価されていくなかで、将来はこのヒーリング形態が他のどのメソッドよりも優勢なものとなり、主要な病気の予防手段となることでしょう。

アブセント・ヒーラーとしての資格

自分にヒーリングの才能があるのか、そして、それはどのようにして磨くことができるのかについて、多くの人々が知りたがります。ヒーリングとは生まれながらの資質です。一般的に述べると、病気でその痛みのなかにいる人々を思いやることができ、彼らを救済したいという深い切望心を備えている者は、ヒーリングの潜在能力を持っている可能性があります。それさえ持っていれば、あとはただそれらを磨き、実践していく機会を得るのみなのです。アブセント・ヒーリングとは、その才能が花開き、進化する機会でもあります。

よき動機を持ち、不調を訴える人々に対して愛と慈悲の心を持つことができ、今まさにその人生の潜在的ヒーリング能力を開花させようとしている者たちにとって、アブセント・ヒーリングのメソッドほど、それを呼び起こすのに適したものはありません。これは答えを与えてくれるものではありませんが、スピリチュアル・ヒーリングのあらゆる局面において必要不可欠である調律《チューニング》機能を促進してくれることでしょう。

アブセント・ヒーラーになるための能力を磨いていくことは、すなわち霊的潜在能力を高めるためのはじめの一歩となるのです。また、これが単なるはじめの一歩ではないことも強調しなければなりません。アブセント・ヒーリングとは、病人を癒すための、最も見識高いメソッドと言えるのです。アブセント・ヒーリングとは、進化したスピリット・サイエンスなのです。その実体のつかみにくさ、抽象的な性質もさることながら。人間のなせることには限界があるのです。アブセント・ヒーリングはその特有の性質により、他のどんな方法よりも自由に、自然に、スピリット領域との親密性を築いてくれるものなのです。

ヒーリング能力を磨くにあたって、いくつかの基本原理を理解しておく必要があります。それは、正しく賢明な方法で行なわれなければなりません。私たちは、科学の原理を理解すればするほど、より知的にヒーリング・ガイドと調和することができるのです。血の通わない「装置」となってはいけないのです。

†アブセント（遠隔）・ヒーリングとは

- 高度なスピリット・サイエンスで、先端科学である。
- 病人を癒すための最も見識高いメソッド。
- 思考過程である。
- 病気や心身的苦悩まで、すべての領域を網羅している。
- 期待されるような前進ではなくても、さまざまな観点で効果が現われる。

エナジーを活用したスピリット・ヒーリング

スピリット・ヒーリングは、想念力なくしては成り立ちません。ヒーリングとは、想念による要求を経て作用するものなのです。ヒーリングを患者へ届けるためには、まずヒーラーがヒーリング・ガイドへその要求を出すという過程が必要となります。

神聖なヒーリング、すなわちスピリット・ヒーリングは、あらゆる宗教において共通のものであり、原始人から文明人まで、すべての人々が、その歴史のなかで認識してきたものです。ヒーリングを起こすためには、そこにまず、想念力を用いて、命令を与えることが必要です。これはヒーリングの法則（公式）のようなもので、例えば宗教団体においては、神へと祈りが捧げられるかたちで行なわれます。それがキリストの神でも、他の宗教の神であってもです。祈禱師による祈禱にも、このような意味があるのでしょう。スピリチュアル・ヒーラーのもとでは、そのとりなしにおいて、ヒーリング・ガイドとの調律《チューニング》状態が確保され、（これからヒーリングをはじめるという）命令がなされるのです。

フィジカル・マインド

人間は**現在**、肉体を持った生き物であり、霊的な生き物でもあります。つまり人間は、肉体と霊体、そして、フィジカル・マインド（身体的な心）とスピリット・マインド（霊的な心）を持っているのです。

フィジカル・マインドは体調や感覚に関係するもので、寒さ、空腹感、疲労、体調不良による不快感などに反応します。これは経験と結びついており、情報収集をし、一つの情報と他の情報を関連させ、結論を導く能力を持っています。その「使用人」にあたるのは、偉大なコンピューターである脳です。

これらすべては、意識により受け取られます。脳のコンピューターに指示を与えるのは、意識なのです。例えば、体の感覚神経が脳を通して意識に、「体がとても冷えている」と報告すると、意識は体を寒さから守るための手段を探し、脳を通して私たちにコートがある場所を知らせるでしょう。そこから、意識からのさらなる指示により、脳は神経に足を動かすよう命じ、人をコートのある場所へと運ぶのです。フィジカル・マインドは、物質的世界つまり俗界に通ずるものなのです。

スピリット・マインド

スピリット・マインドも同じく、理由ある心です。これらは感情に関係するもので、愛情、憎しみ、思いやり、加虐愛、善と悪、志など、人間の遺伝子の性質が大きく影響しているものです。スピリット・マインドは、私たちに高い理想（道徳心）への探求心を与えてくれ、魂が成長する機会をもたらし、スピリチュアル意識を呼び覚ましてくれるものです。

思考過程

フィジカル・マインドとスピリット・マインド、この二つの心は互いに親密な関係にあり、ともに「意識」に印象づけを行なうことができるものです。これはアブセント・ヒーリングの成り立ちを考察していく上で、基本的かつ重要な要素となります。スピリット・マインドは、スピリットの領域に通ずるものです。

ヒーラーのフィジカル・マインドは、患者に関する情報を受信します。例えば、精神的ストレスや身体的な痛みなどがある場合には、その病状を把握し、必要とされているヒーリングのイメージ図を作ります。そしてこれが意識へと送り届けられ、そこからスピリット・マインドへと伝達され、そこでヒーラーと調律《チューニング》状態にあるスピリット・ガイド（指導霊）によりそのイメージ図が受け取られるのです。

「アブセント・ヒーリング」においては、「思考過程（意図的な想念力の放出）」が欠かせないものであるということがおわかりいただけたでしょうか。次は、そのアブセント・ヒーリングがどのように作用していくのかを見ていくことにしましょう。

「**今世**において、人は肉体を持ってはいるけれども、かぎりなくスピリットに近い存在（霊的存在）」。この事実からきわめて重大な暗示が浮かんできます。そうでないなら、スピリチュアル・ヒーリングなど存在しようがないのです。さらに言うと、これは、命とヒーリングを司る自然法則の研究において立証可能なことなのです。

力の排出と受領の関係には、ハーモニー（調和）が存在します。これは立証済みの自然法則です。もしもそうでないなら、この世の「科学」は無秩序なものとなるでしょう。ヒーリングの媒介者となる者たち、そして、スピリット・ヒーリングの力の恩恵を享受する患者たちは、自らが、スピリットがもたらすヒーリング・エナジーの源泉と調和状態にあることを証明しているのです。

別の視点から、この事実を証明していきましょう。

ヒーリングを司る基本原理

ヒーリングを起こすためには、意図的な思考（想念）力の放出が必要であることは前述しました。

物質内で起こるあらゆる動きや変化は、対象物に自然法則力が作用した結果です。例外はどこにもありません。私たちはそれを、物事の進化、天文学、発芽、誕生、死、元素の原子構成、周知の電力、重力の作用などのなかに見ることができます。自然科学は、一定の法則に基づいています。もしもそこになんの法則も存在しなかったら、この世は渾沌としてしまうでしょう。

スピリット・ヒーリングにおいても、これと同じ法則が適用されています。病気を克服するためには、多くの場合、「化学反応」が起こらなければなりません。スピリット・ヒーリングは、宇宙原理のもと、対象物に自然の摂理の力（自然法則力）を作用させた結果として起こるものなのです。

ヒーリングには越えられない一線というものがあります。もしもそれが自然法則に反しているものであれば、ヒーリングは起こらないのです。例えば、指が切断された場合、新しい指は生えてきませんし、老いが老衰をもたらしているのだとしたら、その若々しさを取り戻すことはできないでしょう。病気の原因が取り除かれないかぎりは、その疾病は維持されるでしょう。ただしヒーリングは、患者を可能なかぎりよい状態に保つ力添えをすることはできます。至近距離での骨の折れる作業にともなう過度な負担が原因で起こった、視力低下について考えてみましょう。もしもこのような作業が続けられるようであれば、その回復は期待できず、ヒーリング結果は得られないでしょう。関節炎患者がじめじめとした家に住み、湿り気のあるベッドで寝ていたとしたら、いくらヒーリングを施してもその関節炎は維持されるでしょう。これはもちろん、そのヒーリングが徒労に終わると言っているのではありません。たとえ疾病が維持されたとしても、ヒーリングはその条件のなかで最善を尽くしながら、患者の健康状態を整えようとするのです。

物理的な領域が物理法則に支配されているように、スピリットの領域も法則に支配されていると考えるのが論理的でしょう。秩序あるところに、スピリットの法則も存在しているのです。スピリット・ヒーリングにおいて、（高次の）ヒーリング知性（またはヒーリング・ガイド）は、霊的な法則力や霊的なエナジーを指揮して、患者を回復させるための変化を引き起こすことができるのです。これには十分な理由があります。

これら二つの結論から導かれることは、次の通りです。**スピリット・ヒーリングは自然の摂理**

力から生じるものであり、想念による思考命令が発されることによって作用します。

ヒーリングの成功記録は、さらにある共通の事実を示しています。ヒーラーが霊界の道具として働くとき、私たちは、実にさまざまな種類のヒーリングが起こるのを観察することができます。例えば、ⓐバランスを崩した心の回復、ⓑ悪性腫瘍の除去、ⓒ視覚や他の感覚の回復、ⓓ白血病における血液成分の変化などです。これは、それぞれの病気を治療するためには一種類のヒーリング力だけでなく、さまざまな種類のヒーリング力が働くことを表わしています。

†ヒーリングによる成功の記録

・バランスを崩した心の回復。
・悪性腫瘍の除去。
・視力や他の感覚の回復。
・白血病における血液成分の変化。

個々が抱える病気に適したヒーリング・エナジーを生みだすためには、診断能力、識別能力が必要となります。つまりそこには、このヒーリング・エナジーの種類の選択と決定を行なっている知性が存在しているのです。

患者が治療不能であると見なされるとき、それは人智が尽き果ててしまったことを意味しています。医学の限界なのです。しかしスピリチュアル・ヒーリングを通して、「不治の病」が治り、健康が回復した場合、それはそこに、「高級知性体」が介在したことを意味します。この知性は人間のものではなく、スピリットから生まれるもの（霊的世界から来るもの）です。

こうした知性が「人間の潜在意識から生まれるものだ」と述べる評論家たちに対しては、こう答えます。計画的な治療（ヒーリング）を行なうための詳細な知識を人間が備えている、あるいは、過去に備えていたなどという証拠はどこにもない、と。人間の持てる技能の限界を目のあたりにしてきたのです。これまでの人間の歴史において、潜在意識が、深遠で洗練された（霊的）知性を引き出したことなどありません。

スピリット・ガイドこそが、この広汎な知性を獲得してきたものなのです。この叡智の主は、人体の構造を司っている物理的な力と霊的な力の結び付け方を知っており、ある局面においては、霊的な力を物理的な作用へと変換させていくのです。この変換は、ヒーラーもしくは患者のスピリット・ボディを介在したコンタクト・ヒーリングにおいてなされるでしょう。アブセント・ヒーリングにおいては、たいてい患者のスピリット・ボディがその変換器として利用されます。

あらゆるヒーリングは計画された行ないであり、そこには目的と指示の両方が存在します。望まれる結果が得られるということは、患者の体内で必要とされている化学変化・機能的変化を引き起こすための矯正的な力が働いているということであり、つまりそこには、その矯正的な力を行使する「高級な知性（高級知性体）」が存在しているということなのです。

そこにこの知性からの指示があるからこそ、計画が実現するのです。それがたとえ、うさぎ小屋を建てるほどのことであってもです。自然の摂理の力を利用して結果を得るためには、この知性からの指示が必要です。例えば、電気を物理的な力として利用するためには、それを支配している法則と、その可能性を把握しておかなければなりません。私たちはそれらを統御してはじめて、求める効果を得られるのです。

人間の能力によって叡智を獲得していく作業には、いつの日も、長く骨の折れる試行錯誤をともないます。スピリット・ガイドが突然、無限なる叡智の所有者となるわけではないのです。スピリット・ガイドも同じ道を旅して、少しずつ霊的な法則の力への理解を深め、その適用方法、つまり、霊的な力と物理的《フィジカル》（身体的）な力をどう結び付けていけば、患者の状態に有益な変化を引き起こせるのか知るに至るのです。これに関しては、ある優れた症例において、いくつかの証拠があります。今日、ある種の病気はスピリット・ヒーリングが容易になり、数年前には起きなかったことが起こるようになりました。

ここで、前述した二つの結論に第三の概念を加えてみることにしましょう。

スピリット・インテリジェンス（高級な知性）と同調できる人間の心が、想念による要求を放つことによって、スピリット・ガイドはその要求を受け取り、患者の体内の乱調、つまり不調和を癒す「調整力」を行使できるようになります。

アブセント・ヒーリングは、その実体がつかみにくく、計量することもできません。わかりやすいものでも、確かなものでもありません。それでも毎日のように尽きることなく、多数の証拠があがってくるのです。本質的な答えを理解するに至るとき、「アブセント・ヒーリングは、その精緻な構造を備えた形をなしはじめる」のです。

調和の探求

一つ目の結論に戻ってみましょう。ヒーリングの探求においては、まず想念による要求を放つことが必要です。ビギナーは、「聞く耳を立てている」ヒーリング・ガイドにその要求をしっかりと受け取ってもらうために、自分自身の内に幸福な状態を築き上げるよう努めましょう。この「幸福な状態」とは、「調和」（調律＝チューニング）または「親密性」と呼ばれているものです（私たちは、「調和」、調律という言葉を好みます）。

これは、ⓐフィジカル・マインド、ⓑスピリット・マインド、この二つの心の状態が反映されるものです。そしてスピリットとの調和を築くためには、フィジカル・マインドが劣勢となり、スピリット・マインドが優勢となる必要があります。これははっきりとしたことです。実践的に説明をすると、肉体的な思考から精神的な思考のほうに道を譲ることにより、理想的なスピリチュアルな力が働くようになる、ということです。まずビギナーは、自分自身を可能なかぎりリラックスさせてあげましょう。そうすることで、体のストレスがなくなります。次の土曜日に行なわれるフットボールの試合について、ディナーについて、翌朝やらなければならない仕事について、考えるのはやめましょう。フィジカル・マインドが支配的になってしまいます。その代わりに、スピリチュアルな思考イメージで意識を満たしましょう。

この調和を築いていく過程を、丁寧に見ていくことにしましょう。ヒーリング過程の根底にある原理を理解すれば、発展の初期段階がよりやさしいものとなることでしょう。

ヒーリングのシンプルさ

ヒーラーシップについて学べば学ぶほどに、ヒーリングの媒体であるいち装置としての「経験」を多く得ることになります。ヒーラーの役割はごく**シンプル**です。コンタクト・ヒーリング、アブセント・ヒーリングその両方に言えることですが、ヒーラーが治療を施すのではありません。ヒーリングは、ヒーラーを**通して**生まれるものであり、ヒーラー**のもの**ではないのです。ヒーラーは、病気の原因を根絶する能力を持っていません。持っているなどと言えば、医学者たちの研究を侮ることになってしまいます。ヒーリングは「計画された行ない」であり、それを実際に作用させていくための目的と能力が不可欠です。一つひとつの症例によって病気の性質、重症度、原因が異なるため、あらゆるヒーリングは個別のものです。コンタクト・ヒーリングにおいては、ヒーラーは矯正的なヒーリング力が行使されるための媒介者（道具）となります。アブセント・ヒーリングにおいては、ヒーラーと患者の両者は、それぞれのスピリットを持っていますので、ヒーリング力は直接患者へと届くことになります。

†ヒーラーとは

・ヒーリングを「行なう者」ではなく、「経路」としての役割を持つ。
・コンタクト・ヒーリングにおいては、矯正的なヒーリング力が行使されるための道具である。

調和方法

ヒーリングの能力を磨いていくこととは、ヒーラーとスピリット・ガイド、ヒーラーとスピリット・ドクター（ヒーリング・ドクター）の親密性、および調和・調律《チューニング》を探求していくことです。

多くのヒーラーは、自宅やスピリチュアリスト・チャーチのヒーリング・サークルにて、経験あるヒーラーの指導のもとに、その準備的発展を遂げます。なかには、他の霊媒能力のためのサークル（ガイドによるトランスコントロールを含む）に参加し、ヒーラーシップを発展させる者もいます。ここでは、シッター（座する者）はガイドの存在に意識的になるので、トランス状態で起こることが、自らの「意識的な努力」による結果ではないことを知るでしょう。一方、アブセント・ヒーリングでは、トランスの必要性はありません。むしろそれは障害となります。アブセント・ヒーリングにおいて、自意識に起因するものはないのです。

本書は、既設のサークルに参加する意思はないけれど（または参加することができない）、自分のヒーリング能力を、自宅にて静かに磨きたいと考えている人を援助するために書かれたものです。

ヒーリングに偶然など存在しません。そこには**いつ何時も**目的が存在します。まずビギナーは、穏やかな期待と幸福感に包まれたメディテーションの機会を得るとよいでしょう。はじめのうちは、週に二回ほどで十分です。そのうち、それが必要な者たちには、経験を積んだヒーラーから毎日、スピリットと調和・調律《チューニング》するための時間が与えられるようになるでしょう。

アブセント・ヒーリングは想念を放っていくものですので、私たちの心がより満ち足りた幸福なものとなれば、ヒーリングもよりよいものとなっていきます。自分自身を心理的に助長していきましょう。メディテーションの時間を楽しみに待つことは、その準備の一つであり、とてもよいことです。スピリットとの調和・調律《チューニング》という極めて重要な目的のために、自分自身をリフレッシュさせ、その準備をしましょう。

ビギナーは、ヒーリング・ガイドの個々の特性や名前に無頓着なことでしょう――これについては、のちほど、コンタクト・ヒーリングのところにて紹介します。まず自分が、穏やかで心地よくいられる部屋や家の片隅を見つけましょう。そしてこの片隅を神聖な場所と決めて、生花などを置くと、心理的効果だけでなく、霊的な効果も出てくるでしょう。

背のまっすぐな肘掛け椅子に腰かけ、心地よい状態をとると、よい姿勢が保たれるでしょう。腕を支える肘掛けが、体を完全にリラックスさせてくれます。

明かりは弱く設定し、まぶしい照明は避け、目と心が落ち着いて安心できるようにしましょう。患者が望まないかぎりは、色付き電球に特別な意味はありません。

スピリチュアルな調和・調律《チューニング》を探求する者たちは、「深い『集中』が必要である」と勘違いをすることがあるようですが、残念ながらこれは最も不相応な状態です。精神的な集中ではなく、心をスピリチュアルな次元へと「手放すこと」が必要なのです。ただ、「心をからっぽにしよう」とする必要はありません。それは不可能なことです。

理想は、穏やかなメディテーションの状態をとること。一人静かに過ごすとき、ありふれたことなどをいろいろと黙想するとき、将来、休暇、願望、幸せな思い出について思いをめぐらせるとき、そこには「白昼夢」として知られる心の状態があるはずです。思考が彷徨しているとき、ほかのことは忘れられているのです。瞑想的な黙想の初期段階において誘い出すべき心の状態は、このような状態です。こうして、フィジカル・マインドが屈していき、スピリット・マインドが優勢となると、ガイドはヒーラーからの想念による要求を「聞き取る」ことができるようになるのです。ヒーラーの優れた洞察力と調和技術のもとでは、ガイドはその想念による要求にさえも作用してくるのです。

メディテーションを、想念を遠くに遊ばせる類《たぐい》のものだととらえてみましょう。これが、スピリットとの交信状態を築いていく上で、助けとなってくれることでしょう。そのときには、調和・調律《チューニング》された状態であることが条件です。

まず、一番はじめの想念は、神、つまり人類の父への祈りとするとよいでしょう。この祈りの行為が、機械的で無意味なものとならないように注意しましょう。神に対して、気どらず、ごく自然に話しかけてみるのです。そしてその祈りのなかで、「私はすべてのよきもの、理想のために、神に仕えたいのです」、「心や身体の不調を取り除いて、幸福を取り戻してあげたいのです」と、その気持ちを表現してみるのです。メディテーションをしながら、神のスピリットの使いに導きと加護を乞い、わが身に神の力やよき影響が及ぶことを強く信じるのです。

それから、心で静かに、いくつかのスピリチュアルなシンボルについて思いをめぐらせましょう。美しく咲き誇る花、宇宙の驚異、安らかな川に浮かぶイメージをし、そのゆったりとした流れ、過ぎゆく風景を意識してみましょう。夕焼けの美しさ、その色調を想像してみましょう。または、イエス・キリストによるヒーリングを思い、ハンセン病、足の不自由な者、障がいの治療を施し、彼がそれらをなしとげていく姿を心に思い描くのです（これらは、アブセント・ヒーリングによる要求を経てなされたものであることを覚えておきましょう。これは、今まさに私たちが取り組んでいることです。彼はヤイロの娘を癒したのです）。これらは一つの提案にすぎませんが、フィジカル・マインドを日常の平凡さから解放し、スピリット・マインドに意識下で優勢となる機会を与えてくれるものです。

はじめは、その違いをなかなか実感として得られないことでしょう。それが普通です。何も恐れることはありません。もしも怖くなったりしたら、そこでやめるのが一番です。**メディテーシ**

ョンはトランスするために行なうのではありません。ですから、一人で坐して、トランス状態を目指すことがあってはなりません。

しばらくメディテーションを続けたら、調子のよくない友だちや親類に思いを馳せてみましょう。おそらく彼らの病の種類、その症状が見えてくるでしょう。そうしたら少しの間、その人、その人の人柄、その疾患の種類を心に思い起こしてみましょう。このあなたの思考を、そこで「聞き入っている」誰かに伝えていくかのように行なうのです。**やるべきことは以上です。**スピリット・ガイドに意図的に話しかけたりして、状況を複雑にするのはやめましょう。あくまでシンプルにです。スピリット・ガイドが聞き入っていて、あなたが放つ思考を受け取っている、この時間を信じるのです。例えば、このヒーリングが、インフルエンザによる高熱、頭痛、胸の痛みに苦しむ隣人のブラウン氏に届きますように、と。

あなたが安らかなるものへと向けて行なったメディテーションは、病によって心を悩ませている人々に愛と慈悲に満ちたヒーリングの感触を運びます。あなたのスピリット・マインドは優勢となり、あなた自身とスピリットが調和できる状態を生みだしてくれます。病人のために放つべき要求は、これですべてです。あなたは、スピリット・ヒーリングを「作用」に変えていくために必要不可欠な第一の「過程」である、目的のある、想念によるメッセージの放出を終えたことになるのです。過剰なまでに感情的になり、神やスピリット・ガイドに嘆願するのはやめましょう。これは、心に負担をかけ、混乱を招き、調律《チューニング》を終わらせてしまうものです。絶対にしてはならない行為です。

思いをめぐらせすぎると、それが「考え」となって「心」を支配してしまいます。これもやはり調和を妨げ終わらせてしまうものです。とりなしの目的はシンプルです。病気に苦しむ人々のためにスピリットへヒーリングの要求を伝達する、それだけなのです。

†想念を送り出す方法（ヒーリングのファーストステップ）

①調子のよくない友だちや親類に思いを馳せる。
②その相手の病状が見えてくる。
③その相手の人柄、その病の性質を思い起こす。
④あなたの想念を「聞き入っている」存在に伝えるようにする。
⑤あなたが放っている想念をスピリット・ガイドが受け取っているという時間を信じる。
⑥対象の人物に愛と慈悲に満ちた感触を運ぶ。
⑦あなたのスピリット・マインドは優勢となり、あなた自身とスピリットが調和・調律《チューニング》された状態が生みだされる。

スピリット・ガイドのために、シンプルにイメージを外へ向けて放ってみましょう。これが、

あなたのスピリット・マインドを通して実行されると、スピリット・ガイドがそれを受け取ってくれます。その要求に願いを込めることもできます。「聞き入っている者」が、病人の痛みを取り除き、硬直をやわらげ、ストレスを軽減し、病人に安らぎと調和が戻りますように、と。

はじめはやりすぎたり、時間をかけすぎたりしないようにしましょう。病人のための「とりなし」を終えたら、心を引き続きリラックスさせてあげましょう。あなたが望むなら、好きな讃美歌をハミングし、神に祈りを捧げ、人の助けとなる機会を得たことに感謝したら、日常生活へと戻りましょう。

音楽が好きな人は、これを、メディテーションをはじめるための前奏曲、もしくはメディテーションを終わらせるための後奏曲ととらえて、取り入れることができるでしょう。人が感情移入する音楽が、いつも優しい音楽であるとはかぎりません。助けとなる音楽の種類・曲調は、人それぞれ、そのときどきで異なるかもしれず、そこに理由などないのです。

どれくらい坐してメディテーションを続けるべきか。これについては、特に定められた時間はありません。はじめのうちは少し長く感じられるかもしれませんが、続けていくうちにこのようにして過ごす時間が真の喜びとなり、あなたはメディテーションの時間を楽しみに待つようになるでしょう。

必要であれば、坐しているあなたが自分自身の援助を求めることもできます。

メディテーションは、一週間あたりの回数を制限して行なうのがよいでしょう。週に二、三回ぐらいでしょうか。可能であれば、曜日を決めて規則的に行なうとよいでしょう。これは必須でありませんが、想念による要求を放つ能力をさらに高めてくれるものです。何気なく思いつきで行なうメディテーションよりもよいものとなります。ただ、これを厳密な習慣にするのはよくありません。メディテーションは、その日の仕事を心地よく終えてから行なえばよいのです。決められた時間にはじめるために、あせったりするのはやめましょう。私たちはいつも時間に追われていますが、スピリット・ピープルは、時間という概念に縛られていません。自分の務めを果たしていくことのなかに、幸福を見出しましょう。すべての準備が整い、メディテーションへの意欲があふれてきたとき、「そのとき」が正しいタイミングです。スピリットとコミュニケーションをとりましょう。

懺悔や、ほかの風変わりなことをするのはやめましょう。例えば、断食、素足で座る、黙禱などです。自然体で臨みましょう。あくまでもシンプルなやさしい方法で体をリラックスさせ、寛がせてあげましょう。あなたの生活に織り込むべき、究極の目標があります。それは、真の道徳心のもとに生きることです。人を傷つけず、常に奉仕の精神でいること。あらゆる局面において、寛大、寛容で、かんしゃくを起こさず、悪意を持たず、不愉快な言動に対しても復讐心を持たないこと。そして、自分が他の人よりも精神的に上であるなどという優越感を持たないこと。確かにあなたはより高みへといくでしょうが、それはあなたの瞳、笑顔、振る舞いを見ればわかることなのです。同時に、自分自身の行ないだけを、その人生の基盤にする必要はありません。あなたは、まだまだ粋な生活を友人たちとともに楽しんでよいのです——あくまでも自然体で！　日中、もしも何かに苦しんでいる人を見かけたら、それを心に留めておき、のちほど静寂のなかで、その人のためにとりなしをはかり、援助を求めればよいでしょう。心にヒーリング要求を保っておくのです。あなたはおそらく、そのヒーリングが彼に届いたかどうか知ることはないでしょう。しかし、それでかまわないのです。大切なのは、あなたが病の害悪を克服させるための努力をしたという事実なのです。

　あるタイプの人は、他の人よりもすばやくスピリットと調和・調律《チューニング》状態を築くことができるでしょう。これにかかる時間は千差万別です。個々のうちに法則があり、完全な調律《チューニング》状態（能力の開花）に至るまでの道は果てしないのです。そこにヒーリングの目的が存在し、その探求が続けられるかぎり、（霊的な存在との）親密性は増していくでしょう。メディテーションを繰り返し、経験を積むうちに、この調和・調律《チューニング》もたやすくできるようになり、やがては「第二の天性」となるでしょう。ヒーラーは、友だちと会話をするぐらい簡単に、スピリットと通じ合うことができるようになるのです。ヒーラーはこうした修練を積んで、霊的能力を高めていくのです。

　調律《チューニング》はいつ果たされるのでしょうか。多くの人々が抱く疑問です。これは言葉で簡単に説明できるものではありません。身体的にはなんの変化も感じられないのです。これは、「内なる知覚」であり、微妙な「気づき」の状態なのです。例えば、内なる喜び、幸福、充足感などが得られるかもしれません。人の物の見方、つまり人の心が健全な状態に戻ると言えば、イメージしやすいでしょうか。そこで人は、「変化」を実感し、その「知覚」段階を経て日常生活へと戻ってくるような経験をするのです。医学的な見込みに反して、あなたがとりなしをした病人が、予想以上に早く回復を遂げた場合、それが何よりもの証拠となるでしょう。

†調和・調律《チューニング》とは

═・いつ果たされたかどうかは「内側の感覚」であり、微妙な「気づき」の状態。

宇宙呼吸

次は、「特徴づけられた呼吸」を通して宇宙の力を享受するという、自己促進法を紹介していきます。これは、調律《チューニング》に不可欠な要素ではないので、ビギナーは行なわなくても大丈夫です。これまでに提案してきたことが、必要とされるすべてです。しかしながら、ビギナーには宇宙呼吸が強く奨励されます。なぜなら宇宙呼吸は、ヒーリング能力を磨いていく上で、体の健康を維持していく上で、そして内なる力・生命力を蓄えていく上で、素晴らしく有効な手段となるからです。

「宇宙呼吸」とはなんでしょう？　宇宙エナジーとは、私たちの健康のために存在しているもので、その存在は、木々について考えてみればよくわかります。木々は、根っこから吸収する養分だけで生きているのではありません（この養分は、私たちで言うところの食べ物、飲み物にあたります）。その生命力と健康のトータルバランスは、宇宙力を頼りにしているのです。これは、葉っぱ一つひとつが呼吸をすることにより吸収されています。葉緑素はこのようにして作り上げられているのです。木々は、太陽光線とそのまわりに渦巻いている他の健康を増進してくれる力を吸収しています。木々は「多量」の栄養力を得て生きているのです。私たちもまた、多量の生命力を得て生きています。私たちは日々の生活のなかで内面的・身体的な力を蓄えるために、私たち自身のなかに多量の生命力を取り込んでいるのです。これらの宇宙生命力を、呼吸により、**意識的に**取り入れると、私たちはエナジーを存分に吸収することができます。そして、これが力の貯蔵庫を満たしてくれるのです。

加えて、海辺に行き、新鮮な空気を感知するとき、私たちは「深い呼吸をして、この生命力あふれる空気を取り入れなさい」などと言われなくても、自然にそうすることでしょう。なぜなら私たちは、これが活力を与えてくれるよきものであることを心で知っているからです。

エナジーを豊富に持っている人が病人を見舞うと、そのエナジーは患者に届きます。これはヒーラーだけに言えることではなく、よくあることなのです。病弱な人は「見舞いを受けて以来、どれだけ調子がよいか」を口にするでしょう。訪問者が意識しなくても、彼の病弱な人に対する慈悲の心、いたわりの心を通して、彼から患者へと力が流れていくのです。これは「マグネティック・ヒーリング（磁気治療）」と呼ばれており、ヒーラーは**意図的に**これらのエナジーの流れを患者へと向けることができます。これを一度にやりすぎると、ヒーラーは疲れ、消耗し、彼のエナジーの貯蔵庫が補充されるまでは消耗状態となってしまいます。「特徴づけられた呼吸」（宇宙生命力を取り入れる呼吸のこと）とは、これを遂行するための手段なのです。

すべてのことには根拠があります。人が「幸福の絶頂」を実感するような折りには、その喜びなどを飛び上がったりして表現します。これは、宇宙力の貯蔵庫があふれるほどに満ちているということなのです。

シッター（ヒーラー）は、先に説明したように、瞑想状態へと入り、しばらくして「安らぎを内側に」築くことができたら、呼吸へと意識を傾けます。鼻からやさしくゆっくりと空気を吸い込んで、肺を満たし、それから血液に酸素と力がゆき渡るように少しだけ間をとってから、ゆっくりと使われて古くなった空気を吐き出します。

シッターは確信を持って、意識的に空気を吸い込み、体に浄化と活気づけの作用をもたらす内なる力、生命力を取り込むのです。そして、息を吐き出すときには、不要物の排出を意識しましょう。

健康な体は、さまざまな要素からなる宇宙力を自然に吸収して、健康のバランスを保っています。しかし、特徴づけられたこの呼吸法により、意図的に空気を吸い込むことで、人は自らに力を与え、自らを活気づけ、内なる力の貯蔵庫をいっぱいに満たすことができるのです。

アブセント・ヒーリングにおけるメディテーションは、患者のためのとりなしに入る時間までの前奏曲のようなものです。宇宙力は物理的世界に関係するものですが、スピリット・ヒーリングの力とは通じ合っているのです。シッターは自らのなかにエナジーを蓄えていくにつれ、内側に新たな力がみなぎってくるのを感じることでしょう。そうすると心はスピリットとより調和・調律《チューニング》され、「とりなし」における思考（想念）も受け取られやすくなるのです。

この種の「特徴づけられた呼吸」は、霊的な能力を開発するためのサークルなどに見られる「不快で、強制された、すばやい呼吸」と混同されてはなりません。私がイメージしている呼吸とは、やさしく、刺激的で、満ち足りた気持ちにさせてくれるものです。この「特徴づけられた呼吸」がヒーリング実践に取り入れられれば、人は内側から強化され、すべてが平和に感じられるようになります。このときがまさに、病人のヒーリングのために思考（想念）をやさしく放つ時なのです。

ついでながら、この「特徴づけられた呼吸」は、調律《チューニング》の時間だけに限定されるものではありません。これは、日の出前、日の出後から、やかんのお湯が沸くまでの時間、仕事や買い物に出かけるとき、一日を終えて眠りに就く前など、**いつでも**、有効に使えるものです。かばの木やかしの木のような明るい葉っぱを持つ木々のそば、もしくは生垣のそばにいるときには、そこから発される生命力を自分のなかに取り入れるよう意識してみましょう。海辺の新鮮な空気と同じようにです。サナトリウムは松の木がある地域に建設されます。それは、呼吸、血液、療養のために活力を必要としている患者にとって、それらを松の木から得ることができると医学的に知られているからにほかなりません。

†宇宙呼吸の方法

・メディテーションを行ない、「安らぎを内側に」築く。
・鼻からやさしくゆっくりと吸って、肺を満たす（浄化作用と活気をもたらす。内面的な力、生命力を空気とともに取り込む）。
・不要物の排出を意識して、ゆっくりと空気を吐き出す。

アブセント・ヒーリングにおける、患者へのアプローチ方法

私たちはまだ、スピリット・サイエンス（スピリット・ヒーリング・サイエンス）の浜辺を波と戯れながら歩いているだけにすぎません。いくつかの結果は物理学用語では説明できないものですが、それらが実際に起こることであるのを知っている私たちは、それが「真実である」という事実を受け止めなければなりません。スピリット・サイエンスに対してほとんどなんの思考を持たず、理解もない人がいたとしても、咎めることはありません。たとえ彼らが、「スピリチュアル・ヒーラーを通して霊的な援助を享受できること」や、「不治の病に苦しむ人々・ヒーラーという存在から遠く離れた場所にいる人々の病気が克服され、健康が回復すること」に対して、そんなことは単なる空想だろう……と考えていたとしても。ヒーラー自身でさえも、アブセント・ヒーリングを通して、スピリット・ガイドが遠く離れた場所、世界の裏側にいるかもしれない患者を癒

すのだという実感を得ることは難しいのです。

まず私たちは、患者がどこにいようともこの「コンタクト」がなされることを認めなければなりません。そうでなければ、アブセント・ヒーリングなど起こりようがないのです。

これを、私たちが存在するこの地上における時間・距離・場所という物理的世界の原則をもとに立証するのは困難です。こうした物理的な制限は、かならずしもスピリットの次元に存在するものではないのです。

これを他の物事にたとえてみましょう。あるロンドンにいる人物が、ニューヨークにいる友人と話をしたがっているとします。けれども電話番号がわからない。そうするとまず必要になるのは、ロンドンの電話オペレーターに彼の名前やその他の有効な情報を伝えることです。すると、それを受けたニューヨークの人々は彼を探し、見つけて、その会話の時間を取り決めるなど段取りをしてくれます。こうして、あなたの声の振動は電気的刺激へと変化し、電話線を通して送り届けられます。その刺激は無線波へと変換され、そのまま、ひずみながらも大西洋を空間移動するのです。するとこのひずんだ無線波の刺激はニューヨークで受信され、ひずみは取り除かれ、別形態のエナジーへと変換され、ニューヨークの友人が聞く受話器へと送り届けられることでしょう。

人類はこんなにも複雑な方法で電話通信を可能にしているのですから、スピリット・ガイドについても、信頼の目を向けられるのではないでしょうか。より高等な知性を備え、霊界の力を巧みに扱い、患者がどこにいようとも、「コンタクト」をとることができるスピリット・ガイドたちに対してです。

あらゆる思考は、特徴づけられたエナジーの形態であることがおわかりいただけたのではないでしょうか。思考によるコミュニケーションがスピリット領域と身体領域の間でなされていることも、事実として証明されてきました。この二つの事実を関連付けて、目的ある思考力は、スピリット内で受け取られる、という結論にたどり着くことができます。このアンテナ（受信機、端末）は、患者もしくは患者の友人からヒーラーにヒーリング要求がなされたときに築かれます。ヒーラーは、ヒーリング要求を受け取るスピリット・ドクターと通じ合っています。これが、ヒーラーとスピリットの間のもう一つのアンテナであり、必要とされるのは、この二つのアンテナをスピリット内で結びつけることです。こうしてガイドは、時間や距離や場所に関係なく、患者と「コンタクト」を**とる**ことができるのです。この「コンタクト」がなされれば、スピリット・ドクターは病人を「診《み》る」ことができるようになり、救済的な治療のための診断が可能になるのです。

これらはいまだ立証されるに至っていませんが、基本的な論理を内包しているものであり、私たちがこれについてどのような概念を持ち込もうとも、ヒーリング・ガイドが患者と「コンタクト」をとること、そして、ヒーリング・ガイドが病を克服するために必要な「ヒーリング力の種類や性質の選定」をしていることは紛れもない事実なのです。

私や他のヒーラーは、ときに、アストラル旅行を通して、患者の存在のなかに自分自身を発見することがあります。ヒーラーの意識のなかで、すべてが見えていることがあるのです。例えば、(訪れたことがないはずの)患者の周辺環境が、ヒーラーに事細かに見えることがあります。これはヒーラーの意識が、あるとき、患者のなかに存在していたことを示すものです。

私はこのようなことを経験しました。自宅にて、患者のためのとりなしをしているとき、ある一瞬——意識的な旅体験をともなわず——、病室、つまり患者が過ごしている空間のなかに、自分自身がいるのを見たのです。その後、すべての詳細が確認されました。患者の状態から、病室の家具、その時刻に病室にいた人々に至るまで。そして、それらがすべて事実であったことが判明したのです。

ヒーリングとはときに、よりダイレクトに届くものです。次に患者自身とスピリットの関係について見ていきます。以前、私は何度かたまたま、ある病人のご家族にお会いしたことがありました。私はその病状について詳しく聞き、誠意を持ってその患者のためのとりなしに臨むことを約束しました。しかしそれを行なう予定の夜、私はそれを失念してしまいました。するとその翌日か二日後かに、そのご家族が私のところにやってきて、「おかげさまでヒーリングが起こりました」と私に謝意を述べたのです……。私は、患者の病状について聞くこと以外は、何もしていなかったのです。一つあるとすれば、同情心を持って、調律《チューニング》された状態で、ご家族の話を聞いたことです。

私はサマースクールにて、この経験について話をし、聴衆のヒーラーたちにこう尋ねました。「これと似たような経験をした人はいらっしゃいますか?」。すると、森のように多くの手が挙がったのです。実はこれは、ヒーリングにおいて頻繁に起こることなのです。このことについて学ぶためのクラスがあるほどです。ヒーラーに病状が告げられていたそのとき、ヒーラーのスピリット・ヒーリング・ガイドがそれを聞いていたのです。そしてすぐに患者と「コンタクト」をとり、治療へと進んでいたのです。これが、アブセント・ヒーリング特有のシンプルさです。

ヒーリングにおいてたびたび観察される次のような現象は、より直接的でシンプルであるかもしれません。患者もしくは患者の友人が、ヒーラーにアブセント・ヒーリングのための手紙を書きます。その詳細が綴られ、翌日には手紙が投函されます。ヒーラーがその要求を受け取るまでには、二日ほどかかるでしょう。そうこうしているうちに、患者の症状がなくなるのです。それが腫瘤であれば散ってしまうというかたちで。硬化した関節、ぼんやりとした視野、身体的な炎症――それがなんであっても、ヒーラーが手紙を受け取る前に症状が改善されるのです。ここでのポイントは、手紙が書かれていたときに、すでに書き手がスピリットと通じ合っていたということです。そうしてヒーリング要求が受け取られて、ヒーリングが実行へと移されていたのです。それ以外には考えられません。

覚えておいていただきたいのは、病状があまりに深刻で、医学的治療が及ばないような状況でないかぎり、人々はスピリチュアル・ヒーリングに助けを求めてこないということです。だからこそ私たちは、声高らかに唱《とな》えるのです。「スピリット・ドクターは、患者がどこにいようとも、たやすく患者とコンタクトをとることができるのだ」と。

診断

アブセント・ヒーラーに、病の性質を診断する責任はありません。それはスピリット・ドクターの仕事です。アブセント・ヒーラーが、ヒーリングのために最初の要請をする際には、まず自分が持っているあらゆる情報を提供します。例えば、「ブラックプールに住んでいるブラウン氏は糖尿病を患っており、膝と肘には関節炎もある。また、睡眠にも障害があり、頭の上部全体に痛みを感じて目が覚める」などです。するとスピリット・ドクターは、症状に関する情報を受け取り疾病の主因を特定し、その原因を取り除くため、その症状を克服するために、可能なかぎりを尽くすのです。

あらゆる物事においては経験がものを言います。ビギナーは、調和・調律《チューニング》の探求と病人の病状の報告を終えれば、満足することでしょう。ガイドに情報を伝達したあとには、その症例に関する思考の印象を受け取ることにも意識的になるでしょう。そのとき、それに関する情報を探すのではなく、意識のもとにやってくる思考の流れを感じるのです。これは直感的なものです。ヒーラーのもとにやってくる情報は、「患者がよりよくヒーリングと協働していく方法」を教えてくれることもあります。例えば、マッサージを受けること、油分や特定食品を控えること、などです。

このようにしてヒーラーは、ヒーリング過程における関与あるパートナーとなるのです。ヒーラーには、そこで起こっていることが伝えられ、患者や患者の関係者への助言方法が示されるのです。

ヒーラーはイマジネーションを高め、受け取るべきいかなる思考印象も見逃さないようにしましょう。はじめのうちは、物理的な思考とスピリットにより方向づけられた思考とを区別するのは、難しいかもしれません。しかしこれは経験を積めばできるようになります。メディテーションのなかで受け取られる思考は、概して、ガイドにより方向づけられたものであることが多いでしょう。しかし、ここで受け取った情報は、道理や良識に照らして再吟味することが賢明でしょう。もしも疑念がわいてきたなら、それをなかったこととせず、心に留めておきましょう。

ガイドからヒーラーへ助言が与えられ、ある特定の治療形態が提案される。そこでヒーラーは、その治療方法についてよいと思えば、それを親族に伝えましょう。それに従うか否かは、彼らが決めることです。患者はほとんどの場合、医学的治療も受けることになります。ヒーラーは親族に、医師に尋ねてみるよう勧めるとよいでしょう。「ヒーラーからこのような治療が提案されているのですが、どのように思われますか?」と。これが賢明な策です。ヒーラーはこれをしっかりと行なえば、患者に対する責務を果したことになり、個人的な責任を負うことはありません。

アブセント・ヒーリングは何気なく起こるものではない

ここまでの解説から、もしもビギナーが、アブセント・ヒーリングは何気なく起こるものだと感じ、患者の病はただそれについて言及されさえすれば、あとはヒーリングが起こるだけ、という印象を持ったとしたら、それは大きな間違いです。偶発性は、アブセント・ヒーリングの敵です。思い出してみましょう。アブセント・ヒーリングは、高度なスピリット・サイエンスなのです。（私たち側からの）ヒーリングへと捧げられるあらゆる取り組みは、その目的と方向性を持ったものでなければならないのです。同時に私たちは、ゆき過ぎたもの、主情主義や、不快な精神集中などを回避していく必要があります。

たび重なるとりなしは必要か？

✺この部とあとに続く部は、個人の発達と見通しに基づくものです。両方を同時に考慮していきましょう。

よく尋ねられる二つの質問があります。①（一人の患者に対して）どれくらいの時間、とりなしを行なうべきですか？　②とりなしは、どれくらいの頻度で必要ですか？　病人へのとりなしは、スピリット・ドクターにヒーリング要求や患者の病状を伝達する必要があるときにだけなされるべきです。それ以上にトライすれば、心を活動的にしてしまうことに繋がり、調律《チューニング》が妨げられてしまいます。

二つ目の質問の答えはシンプルです。アブセント・ヒーラーがスピリット・ガイドと「コンタクト」をとり、ヒーリング要求を放つときには、以下のことに確信を持ちましょう。「スピリット・ピープルは、すでに仕事にとりかかっており、患者の健康を回復させるために可能なかぎりを尽くしている」と。医師に診てもらう場合なら、毎日のように会いに行き「治してください」とお願いする必要はないでしょう。医師は私たちを診断し、一番よいと思われる治療を施してくれるものです。すなわち、私たちが毎日医師に会いに行き、その都度症状を説明し、さらなる治療を求めたりはしないように、ヒーリング要求も毎日繰り返す必要はありません。一度あなたが、「調律《チューニング》を通して、ガイドがヒーリング要求を受け取ってくれた」と感じることができたなら、もうそれで十分なのです。経験を積んだヒーラーであれば、なおさらです。

経験の浅いアブセント・ヒーラーは、自分が調律《チューニング》状態が確実に築かれなくてはならない「発展の段階」にまでたどり着けているのか、自信を持てないことでしょう。そんなときには、各患者にもう少しだけ時間をあててみるようにして、とりなしにおける調律《チューニング》に臨むとよいでしょう。

継続的なとりなしが有効なとき

重病患者には、細心の注意を払い、コンスタントなとりなしが必要となります。ヒーラーへの毎日の報告が取り決められた場合には、電話または口頭（患者がそばにいる場合）でやりとりをします。ヒーラーは患者の状態、ヒーリング・ニーズ（患者が必要としているもの）に細心の注意を払い、スピリット・ヒーリング・ガイドへ必要な情報を送り届けます。

シェアでのアブセント・ヒーリングの実践では、一定の事態においては、家族による電話での毎日の報告をお願いしています。こうして患者の様子を逐一把握することで、さらなるとりなしのための下地ができ、ヒーリング・ガイドは直近の患者の状態とそのニーズに関するイメージ図を手にすることができるのです。これは、危機的な状況が過ぎ去るまで続けられます。私たちは、この毎日の「コンタクト」のなかで、患者に関するあらゆる情報を集めます。例えば、体温、栄養を摂っているか、睡眠はよくとれているか、痛み、ストレスの程度などです。そうすることで、これらすべての情報がガイドへと届けられるのです。毎日の報告では、特定の症状に何かしらの緩和があったかどうか、別の症状が出てきていないかなどが書き留められます。このようにして、私たちはガイドに、ヒーリング治療に対する患者の**身体的な**反応を知らせていくのです。

これについて、多くの質問が寄せられます。言動が、ときに矛盾しているかのように思えるからでしょう。例えば、このようにです。「ヒーリング・ガイド自らが病気の種類やその性質を診断できるのであれば、なぜとりなしによるガイドへの進捗状況の報告が必要なのですか?」。私たちが経験してきたことを話しましょう。ヒーリング過程で、他の症状（腫れ物、別の痛み、不眠、吐き気など）が表われた場合には、この新しい情報が、調律《チューニング》状態を通して、ガイドへと伝達されます。そのことによって多くの場合、その症状が即座に鎮められ、それらが患者を苦しめることはなくなります。

スピリット・ガイドは、どのようにして私たちを「見て」いるのでしょうか。その知られざるところを解説していきましょう。スピリット・ガイドは、私たちの状態を物理的に見ることができるのでしょうか？　それとも、スピリット・マインドやスピリット・ボディを通して、私たちを見るのでしょうか？　私たちは、スピリット・ピープルのことを彼らがお互いを見るようには認識することはできません。同様に、霊界の人々も、私たちを物理的形態としてとらえてはいません。それゆえに、彼らは機能的疾患による症状を把握することはできないのです。より有効な手段が見つかるまでは、特定の手段によりヒーリングを実行していくのです。結論を述べましょう。そこにガイドに伝えるべき新たな情報があるかぎり、それらを報告するべく、アブセント・ヒーリングのとりなしは継続されるべきなのです。

ある特定の病気においては、ヒーリングの進行はゆるやかです。例えば、筋肉が消耗し、その力が奪われ組織が弱体化している場合、その筋肉運動を回復させその力や生命力を強化させるのには、ある程度の時間がかかるのです。麻痺の症例においては、その随意運動の回復のために時間が必要です。一定の強迫観念にもやはり、克服させるための時間が必要なのです。ヒーラーは、規則的な週ごとの報告を得ることによって、常にヒーリングの方向性を定めておきましょう。そして、患者がそれに反応を示しているか否かを、ガイドに知らせるようにしましょう。好ましくない報告も、安定したヒーリングの進行を知らせるよい報告も、どちらも重要なのです。

ヒーリング・レター

後述しますが、アブセント・ヒーリングは、抽象的で現実離れした取り組みではありません。そこには常に計画と目的があります。計画には、これを指揮する知性の存在だけではなく、組織の働きも必要となります。私たちの役割はこの組織を活用し、ヒーリングを作用させていくことにあります。これまで「報告」について言及してきました。これらは口頭、電話、手紙によりなされます。大半の人々は、手紙によりその報告を行ないます。時間ごと、日ごとの報告が求められるような症例（緊急事態を除く）においては、ヒーラーは頻繁で規則的な報告を必要としているのです。また、週ごと、月ごとの報告が求められる場合もあります。ここでもう一度述べますが、柔軟性を持って、各症例を一つひとつ分けて考えていくことが賢明です。例えば、「内反足」のような、ヒーリングへの反応がゆるやかな症状に対しては、月ごとの報告で十分かもしれません。一般的な病気の場合には、週ごとの報告が提案されています。もちろんこれらは、各ヒーラーに許されている時間、ヒーラーがとりなしを行なっている患者の人数によって変わってくることでしょう。（このあたりのことは）実践方法を調整していく必要があります。

報告を受け取ることも大事ですが、その返信をすることもヒーラーの大事な仕事です――過度の遅れがないように。病人はヒーラーからの返事を気にしています。そのことを忘れないようにしましょう。ヒーリングがうまくいっており、回復に向かっている患者は、ときどき手紙による報告を行なうぐらいで大丈夫でしょう。病気が完治した患者も、ときどきヒーラーと連絡を取るとよいでしょう。そのことが、よき結果をより確固たるものにしてくれます。

　ヒーリングレターが綴られる際に、そこで何が起こるのかについて見ていきましょう。手紙が綴られている間、書き手の思考は、特定のヒーリング・ニーズに向けられています。書き手が、患者の病状や必要とされるヒーリングについて、思いを巡らせているということです。そして、ヒーラーがその返信をする際には、ヒーラーの想念が「ヒーリングの目的」へと向けられます。このヒーラーの想念による要求を経て、ヒーリングが実際に作用していくのです。これについては、「スピリット・ヒーリング・サイエンス」（第4部）で論じます。ここでは一つだけ述べることにしましょう。スピリチュアルな性質のヒーリングの想念を放つ行ないは、調和・調律《チューニング》能力を高めてくれるものなのです。

　患者もしくは患者の友人が手紙を綴ることにより、ここでもまた想念による要求が放たれることになります。ヒーリング・ガイドと患者が通じ合っているときには、この想念による力はより強化されたものとなり、ことによると、ガイドからすぐに利用されることになるかもしれません。

　ヒーラーが手紙（報告内容）を読んで、その返信をすることにより、ヒーラーのスピリット・マインドは、患者の状況を事細かに把握します。そうして、ごく自然にとりなしの状態が築かれるのです。

　患者がヒーラーからの返信を受け取った際には、患者の心に「ヒーリングの目的」が伝えられ、新たな精神力が与えられます。そして、「身体のヒーリング知能」が活性化され（第4部「スピ

ジョーンとレイ・ブランチとともに患者からの手紙をチェックするハリー・エドワーズ。アブセント・ヒーリングは彼の時代から今なお、シェアのヒーリング・サンクチュアリにおいて主要な仕事であり続けている。

リット・ヒーリング・サイエンス」参照）、事態が進展していくのです。手紙は、ヒーラー、患者、スピリット・ドクターを繋ぐものなのです。

手紙の綴り方

アブセント・ヒーリングをうまく進めていくためには、手紙による通信が必要です。こう言うと、手紙を書くことが嫌いな人たちは、アブセント・ヒーラーになることを思いとどまるかもしれません。しかしその必要はありません。

患者や患者の家族は、医学用語で綴られた学術論文を求めているわけではありません。大半は、率直な言葉でわかりやすく表現されたフレンドリーな手紙を求めている普通の人たちです。

患者と、ヒーリング・ニーズやヒーリング意図について話をするのが難しいことではないように、手紙も同じです。ヒーラーはただ、患者に話しかけるように書けばよいのです。決まり文句、仰々しい文句、あいまいな表現は避けましょう。希望や、ヒーラーのいたわりの心が表われたフレンドリーな手紙にし、自分の兄弟姉妹に手紙を綴るかのように、ヒーリングの意図を伝えればよいのです。「恐れや緊張、痛みやストレスをなだめましょう。力や生命力を与えて、弱点を克服しましょう。身体を緩め、動作を解放しましょう。身体の調整・制御作用を回復させましょう」などですね。これはその症例において、どのようなヒーリングが必要とされているのかによって変わってくるものです。

患者や患者の関係者と実際に、話をしているかのように綴ってみましょう。そうすると読み手は、それが書物からの引用ではなく、あなたが「心」で書いたものであることを感じ取ってくれるでしょう。作為なく、どうぞ手紙を綴ることを楽しんでください。そのうち手紙があなたの一部であるように感じられることでしょう。あなたは患者に寄り添って、善き調和を得られるのです。

もう一つだけ加えるならば、手紙を安価な便箋に綴るのはやめましょう。あなたの手紙は価値のあるものです。気品ある体裁で、ほどよい品質の便箋に綴りましょう。宛名印刷をし、品位と風格を感じさせるようなものが理想です。

文通者には、返信用封筒（切手を貼付し、住所を記載したもの）を同封することが求められます。これは妥当な要請でしょう。ヒーラーの手間を省き、返信がかならず文通者のもとに届くようにするためのものです。またこれは、ヒーラーの郵便にかかるコストを抑えることにも繋がります。こうした費用も積み重なると、かなりのものになるのです。

面会と同様の意味をなす文通

アブセント・ヒーリングは、必然的に手紙による通信をともなうものですが、これを単なる「文通」だととらえるのは間違いです。これらの手紙は、人間について綴られた文書なのであり、人の痛み、苦悩、悲哀の物語を包含しているものです。同時にこれらの手紙は、ヒーラーを核としたヒーリングに託された希望の一つでもあります。これら個々の手紙（報告文書）は、ヒーラーにとって、面会（患者が医師に診察室で会うような）と同様の意味をなすものなのです。返信は、ヒーラーが患者や患者の友人たちと話をしているかのような、自然な言葉づかいでなされるべきなのです。

返信方法

これらの手紙は、とてつもなく重要な意味を持っています。ヒーラーと患者の繋がりだけでなく、彼らと彼ら自身のヒーリング・ガイドとの繋がりをも与えてくれるものです。手紙を読む際には、内容をうわべでとらえることなく、患者の状態・病状を感じ取るように読んでいきましょう。後日、ヒーラーはその手紙を手に、特別なとりなしを行なうことになるかもしれません。その患者個人のヒーリング・ニーズについて思い起こし、必要であれば手紙を再読し、ガイドに情報を伝達するのです。ヒーラーが経験を積み、調和・調律《チューニング》状態をより容易に築けるようになれば、**手紙を読んでいる最中、あるいは返事を書いている最中に**、ヒーリング・ガイドへその情報の伝達がされるようになります。この状態はとらえがたいものでしょう。経験によってのみ得られるものです。この目的あるとりなしは、夜の静かなメディテーションのなかで設けるとよいでしょう。

各手紙に綴られている「ヒーリング・ニーズ」が、とりなしの間の「指針」となります。次の手紙が届けば、そこでまた新たな情報が得られます。

ヒーリング・ガイドを、あなたの親友のように思ってみましょう。手紙で、「回復の兆しあり」と報告されたときには、その感謝と喜びをガイドに表現してみましょう。

患者には、病状とヒーリング・ニーズを「簡潔に書いてみる」ようにアドバイスしましょう。「病状はよいのか、悪いのか」など、ヒーラーは簡潔な「言葉から得られるイメージ」を欲しているのです。なかには、それはそれは長い手紙を書いてくる病人もおり、ヒーラーの忍耐力が試されることもあるでしょう。それを忍耐強く受け入れましょう。患者は、事を詳細に綴ることによって、ある種の安心感を得ていることが多いのです。患者は何かに追いつめられているかもしれず、手紙がその心の緊張をやわらげる手段に、その心の重荷を下ろす手段になるのです。ある患者は孤独な生活に苦しんでいるかもしれず、ヒーラーからの手紙が幸福な日々への前触れとなりうるのです。彼らには話し相手がいないかもしれず、友人やヒーラーに訴えるように思いを書き綴ることで、彼らはそこから心の慰めを得ているのです。

とりなしを継続する必要性

ヒーラーとしての立場から申し上げます。アブセント・ヒーラーへの電話、口頭、手紙による規則的な報告が途切れれば、それにともないヒーリングは不十分なものとなっていきます。その経過が知らされないかぎり、ヒーラーは何もわからないのであり、その関心も薄らいでいきます。

患者からの手紙や報告がない場合も、一定期間は、とりなしのなかにその患者の存在を置いておきましょう。しかしそれはいつまでも続けられるものではありません。のちにとりなしを繰り返しても、そこに有効性はないのです。

アブセント・ヒーリングに従事している私たちは、よくこのようなことを経験します。一回目の手紙以降、ヒーラーへの報告を行なわなかった人たちが、目覚ましい回復を遂げるのです（そのほとんどは医師から見放された人々です）。その理由を説明しましょう。いったんヒーリングがはじまると、たとえヒーラーと患者の関係性が維持されていなくても、ヒーリングは、スピリットを通して実行されるのです。私たちは、人間的な弱さと、あやうさについて覚えておく必要があります。患者は不快感が消え、調子がよくなれば、ヒーラーへの報告の動機を失ってしまうのです。ときに、ヒーラーへ謝意を述べることも、その感謝の気持ちさえも忘れてしまうのです。これらは、ヒーラーが達観して受け止めなければならないことの一つです。

文通における注意点

返信のなかでは、慎重に言葉を綴っていきましょう。前向きな姿勢を保ちながらも、しかしはっきりとした約束や請負いをしてはなりません――たとえ直感的に、患者が回復することがわかっていてもです。どんな干渉が入り、ヒーリングが妨げられるかわからないのです。患者はヒーラーの言葉を重要視し、ときにその解釈を誤ります。希望的観測のもとに、その意味を取り違えるのです。

覚えておきましょう。患者は「よくなることを期待して」、ヒーラーに手紙を綴ります（またはヒーラーのもとを訪れます）。そして患者は「治療を受けるため」に、医師のもとを訪れるのです。これに関して、世界には多種多様な考え方があります。アブセント・ヒーリングに対しては、特にそう言えるのではないでしょうか。アブセント・ヒーリングにはたびたび、「残された最後の希望」が託されます。患者や患者の家族は、ヒーラーからの返答に慰めや期待感を求めています。ヒーリングに自信を持つことはよいことですが、その回復を保証したりしてはなりません。たとえヒーリングがうまく進行していたとしても、他の要素が干渉してくることがあるのです。例えば、感染症、風邪やインフルエンザ、精神的ショック、転倒などの自然法則に関係した出来事が、有効なヒーリング結果を損なうことがあるのです。

前向きな返答を

ヒーラーの返答は後ろ向きであってはなりません。ヒーラーは、回復へのヒーリングが起こっている、もしくは、回復をもたらすヒーリングが目下**探求されている**、そんな前向きで確信に満ちた展望を伝えるべきです。ヒーラーは事実、楽観主義者でなければなりません。常に改善へ向けた探求をし、患者には、それが起こることを待ち望むように伝えましょう。

具体的な助言を与えるよりも、あらかじめ準備された文言を使用するほうがよい場合もあります。陳述（ヒーラーが言葉で綴るメッセージ）とは、実に誤解されやすいものです。回復への「希望」がいつしか確約に変わり、ヒーリングの価値がその手紙のなかで誇張して表現されてしまうことがあるのです。

患者はときに、ヒーラーに病の診断を求め、病の原因について尋ねてきます。このような問いに対しては、決して明言をせずに、一般的に答えられる範囲内で返答しましょう。直接の診断は絶対に避けましょう。これにはしかるべき理由があります。診断結果そのものに、患者が気落ちしてしまうことがあるのです。それらは患者の心を重くし、新たな心配の種となり、ついにはヒーリングの努力を無効にしてしまうことでしょう。アブセント・ヒーリングにおいては、病気の診断や原因には触れないことが望ましいでしょう。そうすることで、ヒーラーが「当て推量」という落とし穴にはまることもなくなるのです。

極めて深刻な事態の手紙

その返答が容易ではなく、定まった対処法のない手紙が、二種類ほどあります。ヒーラーは筆の執り方をよく理解した上で、いたわりの心を持って返信しなければなりません。

一つ目は、土壇場で、最後の望みにかけて嘆願されるヒーリングのことです。「医師になす術《すべ》はなく、患者が極めて深刻な状態にある」、そんな事態においてのヒーリングです。例えば、試験手術により手術不能の状態が明らかとなった場合の癌の症例が、それにあたるかもしれません。

家族には「死は時間の問題」であると宣告されます。家族は、医師になす術がないと知ると、スピリチュアル・ヒーリングに最後の望みを託して、奇跡にかけるのです。

ヒーラーは、家族の思いを聞きます。ヒーラーは、スピリットのヒーリング・パワーに上限を設けません。同時に、ヒーリングが、命を支配している自然の摂理には逆らうことができないことも知っています。ともすると患者は衰弱しており、体力維持のための栄養摂取すらできず、病の原因を克服するための時間さえないかもしれません。患者はすでに病に支配されており、常識的観点からは回復が見込めないかもしれません。

そのような手紙に対するヒーラーの返信は、それゆえに、慎重に綴られるべきです。状況にそぐわない希望を与え、回復への期待感を煽ってはいけません。一方で、私たちにできるありとあらゆることが尽くされることを保証してあげましょう。ヒーラーは手紙のなかで、極めて深刻な病状に対する慈悲の心を表現し、ただちに祈りによるとりなしに入ること、そしてヒーリングを通して、患者に平安と安楽がもたらされるよう探求することを保証してあげましょう。もしかしたら残された可能性のなかで、患者に力が、精神力が、ヒーリングが与えられるかもしれません。

私たちはこのような究極の事態において、事実、ヒーリングが助けとなることを知っています。痛みがやわらぎ、眠りが与えられ、負担なくスピリットの命（つまり死）へと移行していくのです。ヒーリングの依頼書（手紙）から、患者が重篤であり、その生命の維持が難しいと推察される場合には、ヒーラーはその手紙のなかで、このようなことが言えるのではないでしょうか。

「もしも常識の範囲内での回復が見込めないのであれば、病人は、内なる平安と安楽を与えてくれるスピリットと交わりを結ぶこととなるでしょう。これは患者をありとあらゆる方面から救ってくれるものです」

患者の家族の心情を慮《おもんぱか》りながら、このような表現によって、可能なかぎりが尽くされることを保証し、慰めるのです。一方でヒーラーはそのとりなしにおいて、ヒーリングの可能性を限定することはしないのです。あらゆる可能性を信じて、スピリットを通したヒーリングを探求するのです。

死が訪れたとき

これが二つ目の種類にあたる手紙であり、最もつらく難しい手紙です。これは、摂理への理解を促すというしかるべき目的と、遺族への慰めのために綴られるべきものです。

ヒーラーは自分自身の言葉でお悔やみを述べ、このような言葉をかけることができるのではないでしょうか。「安心してください。○○さんは今、すべての痛み、苦悩から解放され、豊かで満ち足りた新しい世界への入口に立ったのです。彼のあなたへの愛は永遠で、彼はあなたを悲しませたくないのです。彼はこの上ない愛に包まれていました。あとは時が満ちて、来るべき再会の時を待つのみなのです」

家族からの手紙はときに極めて痛ましいもので、「なぜ神は彼を苦しませたのですか?」、「なぜ彼を連れ去ってしまったのですか?」と尋ねられることもあるでしょう。また、神を愛する信念までをも失ってしまったなどと綴られることもあります。ヒーラーの任務は、この悲嘆に暮れている心を落ち着かせることなのです。私がたった今提案したような表現は、慰めを与えるだけでなく、心を正しい方向へと導くものです。それからヒーラーは、このようにも綴るとよいでしょう。「この悲しみの日々において、ご遺族に内なる力が、慰めが与えられますようとりなしを続けてまいります」

そして、こう述べればよいのです。「人の苦しみは、神の意によるものではありません――私たちの病は神が与えたものではなく、この世の理由によるものです。とりなしは、嘆き悲しんでいる者たちに慰めを与え、その苦痛をやわらげ、心にふたたび安らぎをもたらしてくれるでしょう」

手術へのアドバイス

ヒーラーは、「医師から勧められた手術を受けるべきかどうか」について尋ねられることがあるでしょう。これはヒーラーの職分ではありません。「はい」や「いいえ」と答える立場にはないのです。一般的に述べると、ヒーラーが手術の意図や特性を知ることはなく、ヒーラーは外科医が行なうことに対しての責任はとれません。おそらく医師たちは手術を行なうのに十分な根拠を持っており、患者の幸福のためにはそれが必要であると考えているのでしょう。これは医師の責任であり、ヒーラーの責任ではありません。ヒーラーは手紙のなかで、患者に手術をやめるように助言すべきでしょうか？　いいえ。その後、患者の状態が悪化し、さらには死を迎えてしまった場合、ヒーラーはその誤った助言のために非難され、責任を問われることになるのです。

手術を回避するのは、アブセント・ヒーリングの目的の一つです。患者には、手術に同意するかどうかの判断の責任は患者、または患者の関係者にあると告げましょう。そして同時に、もしも手術が決まった場合には、ヒーラーは、患者に一刻も早く力と生命力が与えられるように、患者が手術にともなう弊害から守られるようにとりなしを行なうとの旨を、患者に伝えましょう。

医学的見解を得る

アブセント・ヒーリングに全幅の信頼をおき、医者にかかるのを拒む患者がいます。これらは、乳癌の疑いがある女性に多く見られます。手術への恐怖から、医師に自分の状態が明かされることを恐れているのです。彼女たちは、ヒーラーに不当な重荷を背負わせます。もしもこの胸の症状が悪化し、それが慢性的な状態にまで進行すると、ヒーラーはたちまち咎められてしまうのです。

手紙により、患者の症状が深刻であること、医学的治療を受けていないことが見受けられる場合には、ヒーラーはその返信のなかで、患者に「医学的見解を得ること」を助言すべきです。患者が医師の診察を受けることにより、ヒーラーの立場も守られるのです。

患者には以下のことが言及されるべきです。医学的見解を求めるのは常識であり、スピリチュアル・ヒーリングと医学的治療は互いに補い合うものである、と。患者への返信のなかでは、医師の批判をせず、患者が担当医の助言や治療法とうまく付き合っていけるように励ましてあげましょう。

アブセント・ヒーリングにおいては、患者がヒーリングの限界を理解していない場合がありま す(この部の後出の「失敗にはかならず理由がある」の節を参照)。したがってヒーラーの返信は、患者の意気込み、改善への期待感を維持させるものでありながらも、叶わぬかもしれない完治への期待を煽るような不当な希望を与えるようなものであってはなりません。

アブセント・ヒーリングの喜び

アブセント・ヒーリングは、人の悲しみや心の問題、病や痛みに関係するものです。このような問題の克服を見届けること、そしてその報告や手紙を受け取ることは、大いなる喜びにほかなりません。

完治に至るまでの漸進的な緩和、回復を告げる手紙を読み、ヒーラーは大いなる幸福感を得ることでしょう。とりなしを行なった特定の症状が好転し、自らがヒーリング実現のための「装置」として機能したとき、ヒーラーはヒーリングの満足感、達成感を得ることでしょう。

しかし残念なことに、悲しい出来事もあるのです。期待される結果が得られない場合です。これに関しては、他の特異な事例もあります。それらについては、のちほど少しだけ言及しましょう。アブセント・ヒーラーは失敗例ではなく、その成功例をもとに、ヒーリングの有効性をはかります。覚えておいていただきたいのは、病気が根深く難治であり、医学的治療に効果が得られない場合を除いては、人々は基本的に、アブセント・ヒーリングを嘆願してこないということです。このような条件のもとでは、たった一つの成功でさえも歓喜に値するのです。あえてもう一度述べましょう。アブセント・ヒーリングは、その成功例をもとに評価されるのが妥当なのです。

期待されるヒーリング結果が得られないとき、そこにはかならず理由があります。その理由はことによると、ヒーラーや患者にとって明らかなものではないかもしれません（この側面におけるヒーリングについても、のちほど触れることにします）。このような事例において、ヒーラーはアブセント・ヒーリングの効能を疑うべきではありません。自分が価値のある、有効性のある装置となれなかったことに対して自分自身を咎めるべきではありません。またこれが、ガイドの失敗であるのだと思ったり、他の言い訳をしたり、誰かや何かのせいにするべきでもありません。

ヒーリングが成功してもしなくても、ヒーラーは、ヒーリング・ガイドが実行してくれたすべてのことに対して、心からの感謝の意を表現しましょう。

心理的アプローチ

アブセント・ヒーリングとは心理への働きかけである、と言われるのを聞いたことがあります。

手紙に関する私の発言からも、そのように思われるかもしれません。事実、心理はヒーリングにおいて重要な役割を果たしてくれます。医師たちも、回復への意欲と意志を維持していく実践において、この心理の役割を認めています。私たちの取り組みにおいては、それは**心理とヒーリング**を意味します。

多くの病気は、精神的なストレスと因果関係にあります。私たちは、患者の最初の手紙が綴られて間もなく、患者が「心が上向きになった感覚」、「新たな力と生命力」、「具合のよさ」などを実感することを心待ちにしています。つまりヒーリングは、そのはじめのステップから効果が生じるということです。神経や心の緊張状態を鎮め、心を上向きにし、よりよい健康状態の再構築へと道を開いてくれます。これらは、アブセント・ヒーリングにおいて見込まれている変化です。患者への最初の手紙のなかで、ヒーラーは患者にそれらを心待ちにするように伝えても問題ありません。これは、心理に働きかけることにあたるかもしれません。しかし、「働きかけること」だけでは、健康を改善する効果は生みだせないのです。つまりそれは、実際に起こることなのです。

これらはヒーリングにおける準備段階です。原因が克服されれば、身体的な症状は好転します。これらのよき兆候は、特にアブセント・ヒーリングにおいて観察されるものです。これに関しては、「身体的な疾患」のほうにより焦点が当てられるコンタクト・ヒーリングを上まわるものです。

ある病人が、アブセント・ヒーリングを受けるために手紙を綴るように勧められたとします。おそらくこのような場合には、患者の「状態」は悪く、彼は意気消沈し、前が見えずにいることでしょう。言うまでもありませんが、患者を「幸福の絶頂」を実感するような状態へと導いてあげることはよいことです。まずはこの取り組みがストレスや痛みをやわらげ、病気を克服させていくというヒーリングの目的を達成するための第一歩となるのです。

アブセント・ヒーリングに限界はあるか？

「〇〇さんの病気はアブセント・ヒーリングで治りますか？」は、よくされる質問です。アブセント・ヒーラーは、それがどのような病気であっても、自らの心で、スピリットによるヒーリング・パワー（霊的なパワー）の可能性を限定してはなりません。また、どの症状が治り、どの症状が治らないのか、それらを判断するのは、私たちの職分ではありません。

ここで、ヒーリングの基本原理を一つ紹介します。ヒーリングとは、私たちを司っている自然の摂理のもとで作用するものであり、そこに限界はありません。あらゆる症例は個々のものであり、その病気の原因にも個々の根源があります。つまり、ある患者に成功したヒーリングが、他の患者においても有効であるとは限らないのです。たとえ彼らが同一の症状で苦しんでいるようであってもです。

ときにヒーラーは、悲惨な状況にさらされます。医師からは、生命の存続も絶望的であると宣告され、患者の死が差し迫っている、このような事態のことです。通常の理論でいけば、このような症例には希望がなく、なす術《すべ》がないとなるでしょう。しかしヒーラーは、ありとあらゆる方法で、スピリット・ヒーリングを探求するのです。

患者が自分自身を奮い起こし、痛みが消え、食欲が回復し、やがて元気が戻るという、「奇跡」のようなことが起こる場合があります。もしもヒーラーがそこに「希望はない」と考え、前向きなとりなしを行なっていなければ、回復は起こらなかったのです。

不調和の原因、その身体的な症状を取り除くのは、スピリット・ガイドの仕事です。アブセント・ヒーリングの調査を行なった同僚たちによるシェアでの記録によると、アブセント・ヒーリングを受けたおよそ八〇%の人々には回復の兆候が表われています。そしてそのなかの三分の一の人々が、完治を報告しています。アブセント・ヒーリングはあらゆる病気や心身の苦悩にまで及ぶものであり、この数字は、ヒーリングの可能性には、いかなる制限も課されるべきでないことを示唆しています。

根深い病気においては、期待される結果が得られないかもしれませんが、さまざまな角度から（霊的な）援助が与えられます。例えば、患者の健康状態の回復、神経や心のストレスからの解放、痛みの緩和、病気の進行が食い止められることなどが挙げられます。これらは、ヒーリングの取り組みが意味あるものであることを証明しています。それがどのような症状であっても、患者は何かしらの方法で救われることでしょう。私はこのように考えています。

読者には、このあとに、効果が表われない二〇％の人々について考察していくことにしましょう。この局面における私たちのヒーリング任務について、さらなる理解をしていただければ幸いです。

失敗にはかならず理由がある

これはすべてのヒーラーに関わる、最も重要な事柄です。あらゆるヒーリングに道理に適《かな》った過程があるように、その失敗例にもかならずその理由があります。あらゆる症例は個々のものであり、それらは個別に研究されるべきものなのです。そこに一般的な回答は存在しません。ここで、一九六〇年の私の著書『スピリット・ヒーリング』（*Spirit Healing*、邦訳〈新装版〉『霊的治療の解明』国書刊行会、二〇一四年）より、ある一章を丸ごと引用して解説をしていきたいと思います（翻訳は訳者による）。

なぜヒーリングが失敗するのか

ある日、ある母親が生後数か月の赤ちゃんを連れてきました。足が内側に曲がっていることを除いては、健康な赤ちゃんでした。足とつま先の付け根が下を向いていたのです。医師は母親に、手術や矯正治療などは子どもがもう少し大きくなるまで待つのが賢明であると助言していました。この症例のポイントは、両足がまったく同じような状態であったことです。私は片足を手に取り、

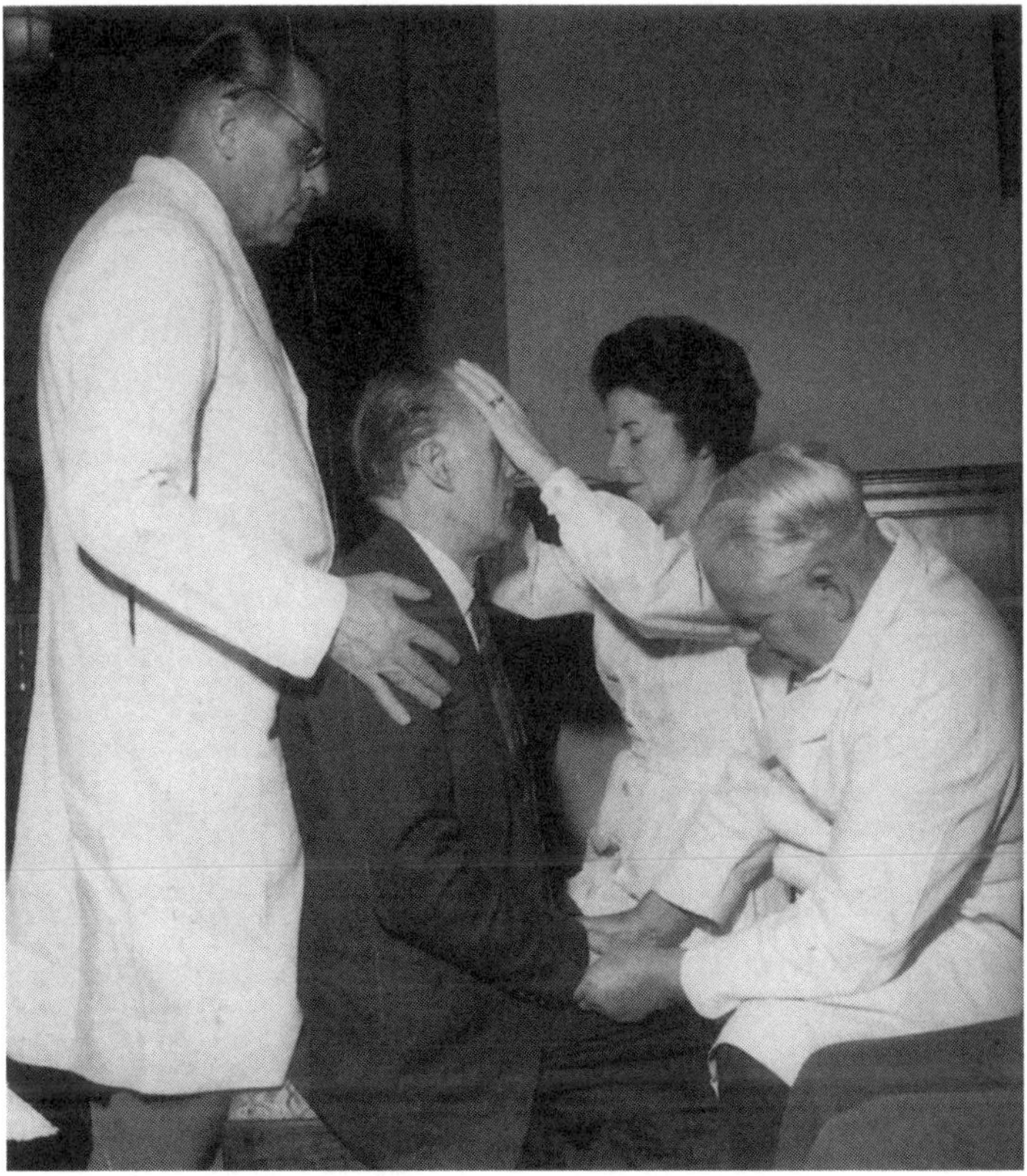

ヒーリングをするハリー・エドワーズと、オリーヴとジョージ・バートン。

ヒーリングの援助を探求し、足をそっと上に上げたり、回したりしました。私は手のなかで、ある変化を感じました。私が手を離すと、足は前方を向き、普通に上げ下げできるようになりました。そしてもう片方の足へと移ったのですが、こちらはなんの変化も得られず、曲がったまま、動作に制限が残ったままとなりました。私はこれに非常に興味を持ったのです。それから二度、その子に会ったのですが、やはりなんの反応も得られませんでした。そして四度目の訪問の際、その子がまもなく一歳になる頃になってその足は反応を示し、両足でしっかりと立つことができるようになったのです。この症例における注意点は、「子どものそれぞれの足は、見かけは同一であったのに、なぜ片方はすぐさまヒーリングに反応し、もう片方は繰り返しの努力が重ねられたにもかかわらず、六か月後まで反応を示すことがなかったのか?」というものでした。

二つ目の症例は、一九四〇年代の傑出した物理霊媒の一人であり、私の友人であるジャック・ウェバーの死に関係するものです。私たちは二年以上にわたり、同僚でした。私は彼の霊媒を後援し、彼の活動のサポートをして、私たちの間にはなんの悪意もありませんでした。あるとき彼は、突然病気になったのです。私は直感的に、その病が極めて深刻なものであるとわかり、痛切に思いました。その病を私が代わりに引き受けてあげたい、と。今なら、そのようなことを求めるべきではなかったことはわかります。そのようなことは起こるはずがないことなのです。しかし、私はそれほど彼に対して深い情愛を持っていたのです。ジャックは、悪性の脊髄膜炎に侵されていたことが判明し、三日後、彼はスピリットの世界へと旅立ちました。特筆すべきは、彼には一時も身体的な苦痛がなかったことです。通常この病気では、死の数日前が著しい痛みをともなう最も悲惨な時間なのです。私と彼の最後の思い出は、彼がこの世から去る直前の夜のことでした。私は彼のベッドのそばに腰掛け、私たちは彼の大好きな歌「ダニー・ボーイ」（Danny Boy）を一緒に歌っていました。そして夜のうちに、彼は意識を失いました。彼の身体は硬直し、病院へと搬送されました。ほどなくして、最後の変化が訪れたのです。この話の重要な結末は、この続きにあります。

翌週、私の店に、ある母親と父親が訪ねてきました。北イングランドからポーツマスの道程で途中下車をしてです。彼らは、脊髄膜炎で重篤な状態にある息子に、私がスピリット・ヒーリングを施すことが可能かどうか確かめるためにやってきたのです。彼らは息子が危篤で、ただちにポーツマスに来るよう呼び出されていたのです。彼らは、病院に到着したころにはもう息子の息はないかもしれないと覚悟していました。そこで一縷の望みにかけて、途中下車をしたのでした。

つい先頃のジャックのこと、そして同じ脊髄膜炎。私は、この患者のことを非常に気の毒に思いました。そして静かな場所へ行き、この若者のため、霊界にとりなしを求めました。すると両親が病院へと到着し、病室へと入った瞬間、信じられない光景が目の前に広がっていました。息子がベッドで上体を起こし、それを四人の医師が囲み、そこで何が起こったのかを検証していたのです。まさに「奇跡」としか言いようがなかったのです。病の痕跡はまったくなくなっていました。医師は、「いったい彼は、どこから力を得たのだろう？」と不思議に思ったのです。数日後、彼は帰宅しました。のちに、彼が騎兵連隊の兵士だったことを知りました。彼は完治したために、その任務に復帰できたのです。合併症を併発しやすいこの病気の特性を考えると、このヒーリングがいかに優れていたかがわかることでしょう。

こうして私は、ある問いに直面したのです。ジャックの死の悲しみはいまだほとんど癒えておらず、何事もつらく苦しいものに感じていました。いったいなぜそれが私の親愛なる友人であり、スピリット・ガイドと深い調律《チューニング》状態にある、病のヒーリングそのものの媒介者であった彼であったのか？　そしてなぜ、私が心からヒーリング・ガイドにその援助を願ったにもかかわらず、彼は回復に至らなかったのか？　一方で、見ず知らずの他人にはあれほど効果があったのに？　私は理解に苦しんだのです。

そして私は、これらの経験から学んだのです。「どんな症例も、他の症例の参考にはならないのだ」と。それは、同じ人物の一本の足と、そのもう片方の足との関係においても言えることなのです。

この結論を得た私たちは、医学的な協力を得ることが難しい立場にいることになります。医師は、先例を参考にして、あらかじめ結果を予測していくことに慣れています。彼らは、身体の化学的、解剖学的構造に全幅の信頼をおいており、ある特定の薬を投与する際には、ある予測された変化を見越しているのです。スピリチュアル・ヒーリングはそうではありません。私たちが事前に、ヒーリングの結果が得られるという約束や請負いをすることはありません。ヒーリングを、

「その要求に応じて見越す」ことはできないのです。たとえそのヒーリングが現実になるさまをありありと心に描くことができたとしてもです。

私たちのヒーリングの結果分析によれば、およそ「二〇％」の人たちには、回復の兆候が表われませんでした。原則として、スピリチュアル・ヒーリングを求めている人々には、それが表われるのです。なぜなら彼らは医師への信頼を失くしているか、医学的診断や処置を恐れているからです。もしくは、大半の症例において病気が医学的治療に反応を示さず、医師からは「不治の病」であると宣告されているからです。有益な結果が得られない人々が全体の二〇％。これはよく考えてみると、なかなか喜ばしい数値ではありますが、私たちはこれについてしっかりと考察していかなければならないのです。あらゆるヒーリングに道理に適った過程があるように、その反応が得られないことにも理由があるのです。それは、他のあらゆる事態においても同様です。

すでに言及してきましたが、ヒーリングは「自然の摂理」に逆らうことはできません。この自然法則は、その受胎（受胎前も含め）から死に至るまでずっと、私たちの健康を司っているものなのです。この摂理の一つに、物質の原子構成からなるエナジーは、時間の経過とともにやがてその力を失いはじめるということがあります。あらゆる動物の命においてもこれは明らかで、加齢による機能低下は、生まれたことに対する報いの一つなのです。ただ、「人が永遠に生きることを願ったとしても、それは叶わない」ものであるので、これは「報い」とは言えないかもしれません。加えて大いなる次元で考えるなら、肉体を持ち続けるということは、今生を終えて入っていく新たな領域（霊界）での喜びから遠ざかることになるのですから。イモムシからさなぎへ、そして最後に蝶の段階へと至る、種の保存のための変態は、命の法則に則っています。私たちが変容していくのもやはり、この命の法則によるものなのです。ヒーリングが起こってこないとき、そこには理由があり、この自然変容の時が来ていることも多いのです。

これもまた自然法則です。「原因があるから結果がある」のです。身体的な不調の原因になることを続けていると、ヒーリングの実現は難しいでしょう。これを、本書（『スピリット・ヒーリング』のこと）前半で記述した弱視と関節炎における症例で証明していきましょう。要約すると、毎日の仕事における至近距離での作業が原因で視力が弱くなっている場合、その状態が持続されれば、当然視力回復は妨げられます。たとえヒーリングが、その環境が許す範囲内で、その状態を底上げしていたとしてもです。リウマチ、関節炎、結合組織炎の患者が、屋外での仕事を悪天候のもとでしなければならなかったり、湿ったベッドで寝たりすれば、ヒーリングへの取り組みは、その大部分が無効となるにちがいありません。このように、多くの症例において、申し分のないヒーリングが起こるかどうかは、その健康の法則に従っているかどうかにかかっているのです。

関節炎にひどく苦しんでいた患者のことを思い出します。私は、彼女にかなり状態の悪い虫歯がいくつかあったことに気がついたのです。その歯が中毒状態を引き起こし、血流に悪影響を与えていたようでした。私は思い切って、その虫歯をすべて抜くことを提案しましたが、彼女は歯科治療を恐れて同意しませんでした。ヒーリングによって彼女の関節炎はやわらぎましたが完全には消えず、彼女は「失敗」と記録されてしまうところでした。最終的に、その彼女は勇気を奮い起こして、義歯となりました。すると、その日を境に彼女の関節炎は徐々に消えていき、とうとう症状から解放されたのです。

病気の原因の根源が心や内面の乱調にあるとき、そのヒーリング結果は、スピリットからの矯正的な作用がどれくらいの速さでその不調をやわらげ、落ち着かせることができるかにかかっています。人によっては、精神的フラストレーションがかなり根深いものとなっており、それがいよいよ日常生活に表われてきている場合があります。このような人々におけるヒーリング結果は、おそらく私たちが望むものとはかけ離れたものとなるでしょう。

スピリット・ヒーリングの援助は、たびたび、死の直前、その危篤状態において得られます。医師からは「もう何日も生きられないだろう」と、その余命がいくばくもないことを宣告され、疲弊した家族は、最後に必死の思いでヒーラーのもとを訪ねてくるのです。ときおり、このような慢性的状態からの回復が起こることもありますが、これらは通則ではありません。ヒーリングは失敗とみなされるのです。その回復が自然の摂理の範疇にないときにも、スピリットからの援助は与えられるのです。苦痛をともなう困難な死を経験するかわりに、患者の痛みはなくなり、心にやすらぎが、内なる力が与えられ、平安が訪れます。患者は睡眠薬なしで眠れるようになり、死の瞬間も苦痛をともないません。このような症例が、実際には「失敗」と記録されるのですが、果たしてその分類が正しいのかどうかは疑問です。

これとの関連で、ここで、私の母の健康歴を紹介したいと思います。数年前、悲しいことに、彼女はめまい症状と心臓疾患に襲われました。医師は彼女を、「いつ心臓発作が起きて死んでもおかしくない状態」であると診断しました。私たちは自然の流れで、彼女にヒーリング援助が与えられることを探求しました。そうすると、めまい症状だけでなく、心臓疾患に関係するあらゆる症状がなくなったのです。母は九二歳になっていましたが、聴力以外のあらゆる機能を正常なままに保っていました。彼女は丈夫で、なかなかよい健康状態でした。聴力が落ちていくにつれて頭に雑音症状が出はじめたので、私はそれらを取り除こうと探求しましたが、その成果は得られませんでした。そしてある日、母は、私の当時の協働作業者であった妻に、この雑音を克服するための援助の探求が可能かどうか、尋ねました。そうして、さらなる援助が探求されました。するとその後まもなく雑音は治まり、数年間はこの問題で悩まされることがなくなりました。しかし耳の遠い状態は続き、私たちがヒーリングを行なったにもかかわらず、解消されることはありませんでした。その理由はおそらく、加齢により聴覚能力は衰え、老齢期へと入っていたからです。ここで、「ヒーリングは聴力回復に失敗した」と言われるかもしれません。おそらく「失敗」の一例として記録されるのでしょう。しかし、他の多くの観点から見てみると、彼女は十分に癒されているのであって、「失敗」とまで言うのは、明らかに誤った表現なのです。*

「失敗」を議論する上で、もう一つ重要な要素があります。すでに指摘してきたことですが、すべてのヒーリングは、自然の摂理の範囲内で、矯正的ヒーリング力を知的に適用した結果、生ずるものです。「知的に適用した」というのは、スピリット・ガイドの叡智の広さを意味するものです。だからといって、ヒーリング・ガイドが「全知全能」なわけではありません。彼らもまた、「経験」から知恵を獲得する必要があるのです。彼ら（ガイド）は、ヒーリング力の可能性と私たちのニーズをより学んでいくことにより、少しずつその知識を獲得していくのです。一定の病気におけるヒーリングのなかに、その証拠があります。強直性脊柱炎のように、今日、以前に比べるとずいぶんとやさしく、そして早く、ヒーリングの効果が得られるようになったものがあります。例えば、十年ほど前に比べてもそう言えます。これは、ガイドが特定症状に対処するその知識と能力を発展させたことを証明しているものなのです。白内障や腫瘍を散らすことなどにおいても、同じようなエピソードがあるでしょう。このようにスピリット・ヒーリングは、今でも進化し続けているのです。今日、その反応が得られていない症状も、未来ではそれが可能になるかもしれないのです。

成功しなかった症例について、その失敗の理由をつきつめる上で、考慮に値する他の要素がいくつかあります（すでに言及した事柄ですが）。

それらの一つに、患者が病気による有害な作用に慣れすぎてしまっていることがあります。永続化している症状が体に定着し、習慣となってしまっているのです。何年もお尻や膝の関節

＊　この段落は、一九六〇年に書かれたもの。

が痛み、動かない場合、患者には硬直した足で歩く頑固な癖がついてしまい、ことによるとそれらが骨盤を前後に動かしているかもしれません。そこにヒーリングを施すことで障がいは取り除かれ、ヒーラーの指示のもと、患者はなんの痛みもともなわずに、関節を自由に動かすことができるようになるのです。患者が正常に歩けるようになるのを目のあたりにすることでしょう。しかしこの問題が示すように、それが「癖」であることにより、ふたたび硬直した足で歩く以前の歩き方に戻ってしまうことがあるのです。そして、「ヒーリングが合わなかった」などと言われてしまう可能性があります。もしも、体が自由に動かない原因が関節炎であり、取り戻した「自由な動作」を維持するための便宜がはかられないようであれば、関節はまたもや硬直してしまうことになるでしょう。

患者がヒーリング結果の承認を拒絶するもう一つの原因に、「恐れ」があります。彼らは、ヒーリングから得られる効果を享受し続けなければ、またいつか痛みが戻ってくるのではないかと恐れているのです。彼らは、元の制限された状態、習慣化されなんとか耐え忍んできた状態に戻ることを避けたいのです。

ヒーラーは、疾患により心を固く閉ざしてしまっている彼らに会う必要があります。それが彼らの生き方の一部になってしまっており、「それはできない」という言葉が、かなり根深いものになっている状態。そういう場合、ヒーリングでその弱点やストレスを取り除くことはできても、患者自身が自分の体をより自由に使おうとしないのです。

また、こういうようなタイプもいます。それは、疾患が続いているほうが他人から同情を受けられるため、すすんでヒーリングされようとはしない人たちです。このような人々は、スピリット・ヒーリングを求めてはいるけれども、実際にはそれに反応する気がないのです。

また、ヒーラーは、常に想像の上に問題を作りだす心気症患者にも対処しなければなりません。実際はそうでなくても、患者は自分が病気だと思い込んでおり、ヒーリングが失敗していると言ってくるのです。これらすべての要素を考慮すると、「よい報告が上がってこない」二〇％にあたる人々の数も、実際にはもっと少なくなるでしょう。

ヒーラーは、ヒーリングが成功しなかったとしても、自分自身や自らのヒーリング能力を咎めるべきではないことを学ばなければなりません。患者、そしてもちろんヒーリング・ガイドも咎めてはなりません。

原子内に存在するエナジーの性質について少しだけ理解していただくことができたのではないでしょうか。スピリチュアル・ヒーリングとは、合理的な説明のつく範囲内で生じるものです。ヒーリングが成功するか否かは、自然の理《ことわり》に適《かな》うか否かにかかっているのです。消耗した組織を修繕し、神経力を回復させ、病気から体を浄化させ、傷ついた心を治し、ゆきづまった知能に新しい光を運ぶのは、ガイドの計画に基づいて施される力によるものなのです。

私たちはこれらの事柄に迫れば迫るほど、よりいっそうスピリチュアルになっていくのです。つまり、自然の力やスピリットに関する知識を増やしていくことによってのみ、倫理、道徳、生命について、真理の境界内に並べることができるのです。私たちが、司祭や他の者たちにより長年にわたり掘られてきた無知という深い穴から少しずつ上昇してきたからこそ、今日私たちは、イエス・キリストによるヒーリングの奇跡が、「霊的な力」の顕われであることを理解できるのです。これは、今まさに私たちが目撃しているヒーリングの原理と同じなのです。こうしたキリストの教えから学習しなかったことは、使徒を遣わす神の過ちではありません。彼らは彼らにできることをしたのです。私たちが物事の性質や、その存在、スピリットとの協働について十分に学び理解するまでに、二〇〇〇年近くが経過した、ということなのです。

傷ついた体のヒーリングとその原子エナジーの秘密を理解するまでの道のりは、まだまだ遠く果てしないものでしょう。しかし、最後には、すべてはよきように編み合わせられるのです。現代のラジオ、電波探知法、原子エナジーの知識なしには、魂、スピリット・ヒーリングの驚異と実在を説明することはより難しくなります。ことによると、真の宗教が長い間低迷していたのは、それが理由であるかもしれません。スピリット・ヒーリングを信頼に値するものとする十分な知識がなかったのです。かつて教会では、無知で支配に貪欲な者が独裁し、無知な大衆を奴隷にしていたことがありました。スピリットの発露は芸術の領域だけに存在し、長く痛みをともなう改革と忍耐の歩みのなかにいたのです。

今日、私たちはヒーリングの可能性と限界を理解するためのさらなる知識を持っています。スピリットの働きは、これからはさらに先を行くものとなるでしょう。ヒーリングの努力において、それが現実的に「失敗」と言われるものであったとしても、スピリットがなんらかのよい働きをしてくれるのです。ヒーリングにおいては、進行の順序があります。それは、よきものからよりよきものに、そこから、さらによきものにするために作用します。いつか、遠い未来において、人類が自身や自身のスピリットそのものについて熟知し、自らを真に癒すことができるようになる日まで。

†アブセント・ヒーリングの効果が現われない場合

- 自然の摂理による限界がある。
- 現われないことにも理由がある。
- 身体的不調の原因であることを続けている場合。
- 失敗とみなされても、多くの観点から見るとヒーリングされている。
- 想像上の病気を作りだしている場合。

即時のヒーリング

ヒーリングにおいて、即時にヒーリングがなされることはそう多くはありません。まず原因が克服されないかぎり、ヒーリングは起こりえないのです。ただ、その原因が単純に器質性であれば、ヒーラーすなわちスピリットはすぐに対処できることが多いでしょう。症状を取り除き、すぐさまヒーリングがなされるのです。一般的に述べると、原因の克服には時間を要しますが、とりわけ、それが内面的なフラストレーションや長年にわたる根深い恐怖心に端を発している場合にはなおさらです。矯正的な変化を促すのには時間が必要で、機能性疾患の場合は特に時間がかかります。消耗が原因で生じる、例えば麻痺においては、その疲弊した組織を取り替え、細胞を再生させるのに時間を要するのです。つまり、ヒーリングは、基本的に徐々に進行していくものなのです。すべては、その原因と病の性質次第であり、ヒーリングの受容力も患者によりそれぞれ異なります。

前段を解説するため、二つの例を挙げてみます。これらはともに極端な例です。ヒーラーは腫瘍除去のとりなしを依頼されました。それは純粋に器質性疾患であり、腫瘍の原子構成を解体するという直接的な方法により、散らすことが可能です。数時間のうちに消えてなくなるのを観測することができるでしょう。二つ目の例は、心と感覚が休止状態にあり、運動器官の連動がほとんど見られない未熟児のケースです。このような症例においては、まず、心の意識を目覚めさせるためのたゆみない努力が必要です。そして、それが得られたら、神経（の働き）が連動するように助長します。後者は、徐々に進んでいくものですが、一度進歩的な改善がはじまれば、（成果も）期待できるものとなるでしょう。

このように、アブセント・ヒーリングでは、ヒーラーは辛抱強くなければならず、回復に時間がかかっても、それに立ち会うべきなのです。ヒーリングを行なうあいだには状態の浮き沈みも見込まれますが、ヒーリングがその目的を達成していくことにより、それらはかならず克服されるでしょう。

寛容さ

ときおり、手紙のなかで、アブセント・ヒーラーはその宗教的根拠の違いによる反対意見と向き合わなければならないことがあるでしょう。彼らはヒーラーがスピリチュアリストであることを知り、それ以上の奉仕を望まなくなるかもしれません。その場合、ヒーラーは寛容になり、「返答をしない」ことが賢明です。すべての人々に宗教的またはその他の意見を持つ権利があり、私たちはそれを尊重すべきなのです。私たちが、自分たちに同意しない人々に対して、私たちの権利を尊重してほしいと願うのと同じように。

このような異論に対して返答をする際には、あらゆるヒーリングは神から来るものであり、それが神聖な意図であることを、やんわりと伝えればよいのです。スピリチュアル・ヒーリングは、**すべての**人間に対する、神からの贈り物であり、人種や宗教とは無関係である、と。ヒーラーの返答は常に丁寧なものでなければならず、他の悪しきことを運んではなりません。

宗教的信念に反することが理由でとりなしの中止を求められた場合は、そうするべきです。私たちは他人の望みを尊重するべきであり、彼らの「自由意志」に干渉すべきではありません。そして、その責務は他の者のもとへと移され、ヒーラーのものではなくなるのです。

ついでながら、これは推量の類《たぐい》ですが、すでにヒーリング・ガイドが病のヒーリングを開始していたとして、その有益な働きを些細な人間の弱点のために中止するということはないでしょう。

これとの関連において、私はある事情を抱えていました。近しい親族がこのような言葉を残していたのです。「スピリチュアリストからの治療を受けるくらいなら、私は親愛なるあの子が苦しんで死ぬ方がいい」。このような冷酷な意見に対処するのは時間の無駄ですが、ヒーラーは要求された希望に従う旨を告げ、前記した内容を付け加え、最後にこのように締めくくるのがよいでしょう。「もしも将来、お役に立つことができてまいりましたら、そのときはお申し出ください」と。これがそのドアを開けておくことに繋がり、よき印象を与え、ことによると依頼者にさらなる思考の機会を与えることになるかもしれないのです。

寄付

ヒーラーは金銭的報酬に期待せずに奉仕を行ないます。彼らは、患者への愛と慈悲の心を通して、ヒーリングにあたるのです。彼らは、ヒーリングが「買うことのできないもの」であることを知っています。ゆえに、通常スピリチュアル・ヒーリングにおいてその費用が請求されることはありません。

信条として、ヒーリングに対する一切の金銭的報酬を受け付けないヒーラーも多く存在します。

しかしながら、いくつかの考慮されるべき要素があります。おそらくそれらの最も一般的なものの一つは、患者や周囲の人々が、具体的なかたちで感謝の気持ちを表現したいと思うことではないでしょうか。もしもそれが拒まれたら、道理に反すると感じるのではないかと。謝意を表わすための自由意志を持つことが、彼らに喜びを与えるかもしれないのです。それから、お返しのことを考えずにサービスを受けることは意に染まないという人々もいます。一方、アブセント・ヒーラーの出費というものもあります。それがよい便箋を使い、手紙の返事を送るための切手代だけであったとしても。

提案しましょう。ヒーラーが、謝意を込めて送られた自由意志の寄付を受け取ることは、なんの間違いでもありません。そのような申し出によるいかなる私的な利益も受けたくない場合、または受け取ってしまった場合には、それをとっておき、共感を抱く善き人たちのために随時それらを寄付すればよいのです。

患者へのアドバイス

患者が正しく生きること、そして自分自身を支えていくシンプルな措置を講じることが必要である場合には、多くのことがしてあげられるのではないでしょうか。患者と「ヒーリングの目的」を強く結びつけてあげるのです。ただ、これらについてヒーラーが言いたいことをすべて手紙に書くには、時間がかかりすぎます。それゆえ、症状ごとに印刷した文章を用意しておき、それを使用するのがよいでしょう。そうすることで患者は自分自身でそれについて学べます。必要に応じて、ヒーラーからの返信に同封すればよいでしょう。

まとめ

この部が、患者への実践的な奉仕を学ばんとする、よき人々を援助するための手段となることを、そして、アブセント・ヒーリングがただの抽象的な実践ではなく、スピリット・サイエンスであることを理解するためのものになることを期待します。アブセント・ヒーラーに正しい見解と自信を与え、スピリット・ヒーリングの可能性についてのよりよい理解への道を開き、神の使いであり、神聖なる目的を実行し、人の命はスピリットの一部であるという意識を呼び起こしてくれるスピリット・ヒーリング・ガイドと、これらの気高い個性から得られる手法を、より発展させていくためにならんことを。スピリチュアルな進化は、無限であるということとともに。

第2部　スピリット・ヒーリングの理論

✺ヒーリング研究をさらに進める上で、繰り返しの説明を行ないますが、これは補足的説明と前部の参照の手間を省くためです。この部ではその一例として、ヒーリングを統治する前提条件について、より詳細な説明を行ないます。

第1章　ヒーリング・スピリット

多くの人々が、どのようにしてヒーラーになれるのかを知りたがります。またその能力を磨くことに成功した者たちは、どうしたら**よりよい回路**となれるのかを知りたがるのです。この部では、これらがどうすればなしとげられるのかを説明します。

スピリチュアル・ヒーリングは、人種、信条にかかわらず、神からのすべての子どもたちへの贈り物です。それは、人類全体のスピリチュアルな発展を促進する神聖なる計画なのです。ヒーラーシップとは、この計画に不可欠な役割を担うだけでなく、その先鋒となるものなのです。ヒーリングとは、授けられうる最も偉大な贈り物であり、間違いなく最もスピリチュアルなものなのです。

私たちは、スピリット生活におけるそれら気高きものとの調和を心から喜びます。私たちがヒーリング・ガイド、または、ヒーリング・ドクターと呼ぶ者のことです。それらもまた神聖なる計画の役割を担うものであり、ヒーラーシップを通しての任務遂行により、さらなる目的に近づくものです。すべての人々はスピリットと同種であり、さらには神とも同種なのです。

ヒーラーが、自らの時間と奉仕を病に対してすすんで捧げる理由は、彼らが苦難や痛みのなかにおり、健康と幸福を切望している者たちへの神聖なる属性を持っているので、愛とあわれみ深い心そのものを示すからです。

ヒーリング過程とうまく調和するために、ヒーラーは基本的な前提条件とそれらを統治する法について理解をする必要があります。それらは、ヒーリング・メソッド委員会の報告書に含まれており、以下の通りです。

スピリット・ヒーリングを司る基本原理

スピリチュアル・ヒーリングの源泉は神です。命を統治する完全なる法を生みだした神です。病とは、それら法に対する「罪」なのです。

スピリチュアル・ヒーリングの目的は、人の持つ潜在的霊性を刺激することで、それは神の法との調和のなかで生きることを可能にし、おのずとよい結果を導き、この地球での生を満たしてくれます。

このようにスピリチュアル・ヒーリングとは、その神聖なる計画を実現するためのものであり、また、人々のヒーリング発展のためのものなのです。

前提条件とは、この神聖なる目的の達成に関することです。

宇宙のあらゆる変化は、自然の摂理の力の結果です。偶然に起こったり、その理由なしに起こることはないのです。つまり私たちの体は、一定の法のもとに在るのです。この法が、私たちの健康をその誕生から墓場まで司っているのです。

スピリチュアル・ヒーリングとは、自然の摂理のもとで働くヒーリング力の結果であり、それは変化をもたらしてくれるものなのです。目的ある変化をもたらすためには、知的な方向づけが必要です。目的に向けて、自然の摂理の力を正しく生かすためにです。

例えば、人類は電気力を活用し、**しかるべき**結果を生みだします。その力を支配する自然の摂理においてです。

ヒーリング力を有効利用していくには、知的な方向づけが必要です。

スピリチュアル・ヒーリングは、「不治」の患者を治癒することができます。「不治」という用語は、これ以上薬の力が及ばないこと、この世の知恵が使い果たされたこと、回復の希望がなく患者が苦しむことが余儀なくされることを意味します。スピリチュアル・ヒーリングがこの「不治」の症例において成功するとき、それは、（医学よりも）より頭のよい知能がそこに働いており、

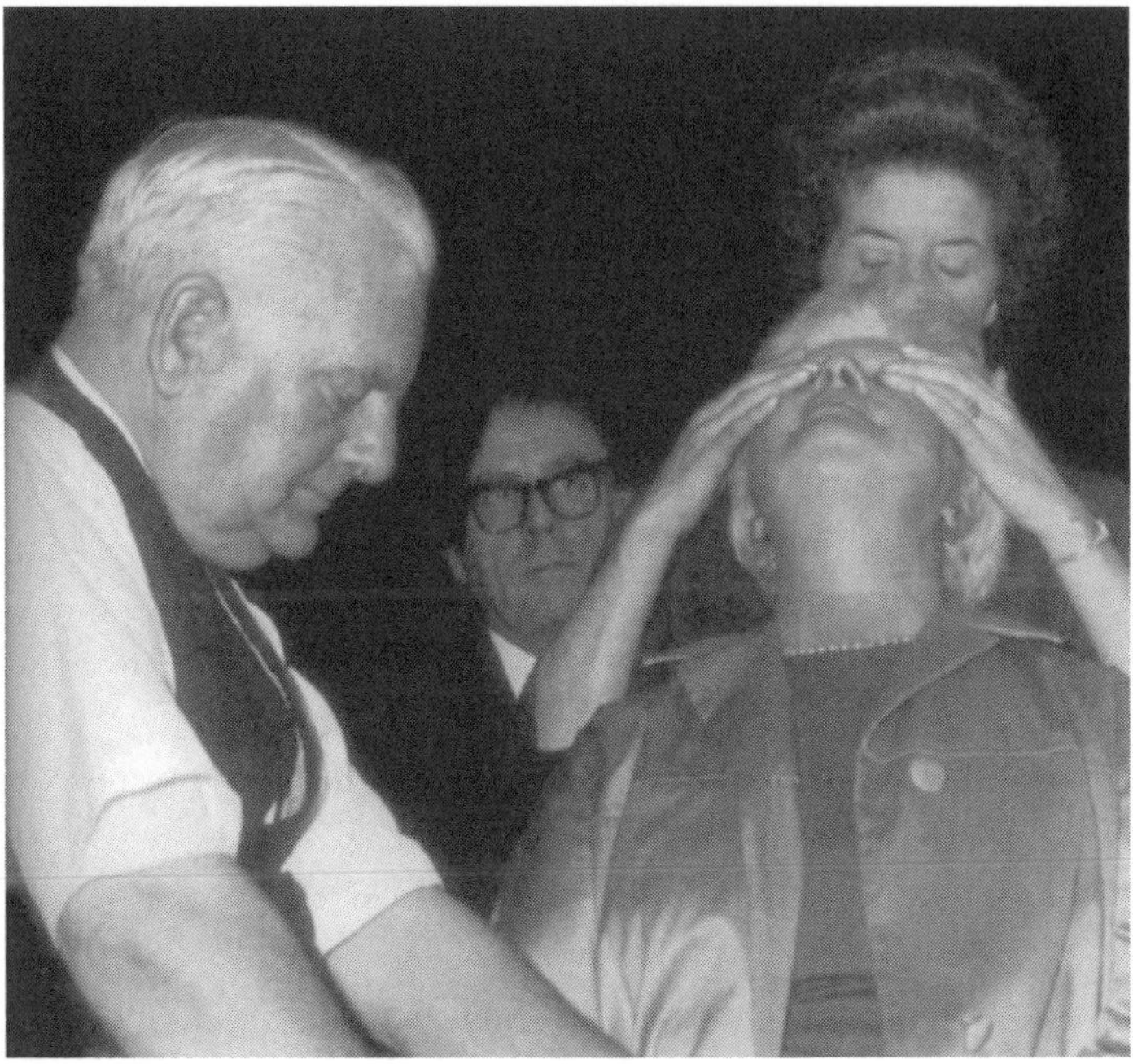

スピリチュアル・ヒーリングの公開デモンストレーションでのハリー・エドワーズと、ジョージとオリーヴ・バートン。

自然の摂理に基づいた変化をもたらしていることを教えてくれます。もしもこの知能がこの世のものでないのなら、それはスピリットのものであるに違いありません。

ヒーリング力の知的な方向づけは、スピリットの領域から発生しているものです。

人間のさまざまな病気、心の病による癌、神経衰弱による白内障、青色児〔チアノーゼ〔血液中の酸素濃度が低下した際、皮膚や粘膜が青紫色になる状態〕の症状を持つ幼児のこと〕による関節炎などには、スピリチュアル・ヒーリングがよく効きます。この事実は、方向づけを行なっている知能が、心身の苦悩の原因を診断し、個々の症状を治癒するにふさわしいヒーリング力を選定していることを示しています。

成功したヒーリングにおいて、方向づけを行なう知能は、病の原因をつきとめ、患者に有益な変化をもたらすための正しい救済力の執行方法を知っているのです。

スピリット・ヒーリングを司る法則

この現世は物理的な法則に統《す》べられているように、霊的世界にも法則があります。スピリチュアル・ヒーリングは、そうした霊的な法則のもとに働くものなのです。

現世の法則と霊的な法則は、いずれも自然の摂理のもとに起きるものです。

ヒーリングは、自然の摂理の範囲外では起こりません。

スピリットとヒーラーと患者における調和がなされたときに起きるものなのです。

この法則のもと、想念力を放つ者とその力を意識的ないし無意識に受け取る者との間で調律《チューニング》がなされるものなのです。さらに、その想念力を受信する者と伝達する者は、調律《チューニング》状態でなければなりません。

知的に方向づけられたヒーリング力は、ノンフィジカルな領域（霊的な領域）から生じるものです。しかし、このノンフィジカルな力（霊的な力）は、ヒーラーを通して、（患者の）身体に変化をもたらすフィジカルな効果へと変換されるのです。コンタクト・ヒーリングにおいては、ヒーラーが受信者となり、スピリット・ヒーリングの力が、患者に伝達されることになるのです。

ヒーラーの役割の一つとして、必要とされる場合には、ノンフィジカルなエナジー（霊的なエナジー）をフィジカル（身体的）なものへと変換させるための「手段」となることがあります。

患者のスピリットそのものは、コンタクト・ヒーリングであれ、アブセント・ヒーリングであれ、受信者として、またヒーリングの力の「変換者」としての役割を担っています。

なお、アブセント・ヒーリングが有効な際は、ヒーリング知性と患者との調和が築かれています。

ヒーラーの役割は、遠隔の患者とヒーリングの源をつなぐ、通信手段としてです。

すべての人々は、スピリット知能と調和できるスピリットそのものを持っています。それゆえ、スピリットの指示やヒーリング力を受信することができるのです。

アブセント・ヒーリングにおいて、患者のスピリットそのものは変換者としての役割を担い、

ヒーリング力を受信するのです。

患者のスピリットそのものは、彼を正しい方向に導き、病の根本的原因を克服する高級知性体から発される、矯正思考と指令を受信できるものなのです。

†スピリチュアル・ヒーリングとは

・源泉は神である。
・自然の摂理のもとで働くヒーリング力の結果。
・「不治の病」を治癒することができる。

ヒーリング力

身体的疾病の症状緩和のため、ヒーリング力は、患者の体内において、化学変化を起こします。これは、科学とエナジーに関する高級知性体の働きを示唆しているのです。

計画された化学変化を引き起こすスピリット・ヒーリングの力は、その変換が起こる前段階ですでに、身体的なものからなるエナジー構造と変わらぬ状態となっているはずなのです。

これらのヒーリング力は、一定形態のエナジーを適用させることにより、化学変化を引き起こすことができるのです。

有益な化学変化は、身体知能を通しても、もたらされます。

このヒーリング力は新たな要素を持ち込み、有害な状態を変化、もしくは分散させる有益な変化を引き起こすための特性を具《そな》えているのです。

分散を導く、または、化学変化を促す場合、その効果は不調和そのものに向けられ、健康な組織やその構造にはなんの干渉もしません。

これが指し示すのは、高級知性体は他の健康的な機能を乱すことなく、病気の細胞や構造にだけ働きかける、正確な過程を生みだすということです。

このハーモニーの状態を築き上げることが、「調律《チューニング》」と呼ばれるものです。

ヒーラーが調律《チューニング》されたよい状態である場合とは、高級知性体がヒーラーの想念を受け取り、そしてまた、考えをヒーラーの意識に届ける役割を担うヒーリング・ガイドとも同調しているということです。これは、微妙な「トランス状態」と関連することであり、ヒーラーが「よい状態」となり、ヒーリング・エナジーが流れる場所の回路となるのは、調律《チューニング》がなされた状態においてのことなのです。

ヒーラーのなかには、高度なトランスコントロール下でのヒーリングに慣れている者たちもいます。心において支配的な影響力を行使するために、ヒーリング・ガイドの存在そのものを、強くヒーラーの人格に引き込むのです。

ヒーラーのなかには、この方法でヒーリングの職務を開始した者たちがいます。しかし彼らはヒーリングの経験を積んでいくうちに、これらのトランス状態になくても、ヒーリングは可能であるとわかるのです。

ヒーラーがガイドと密接状態で任務を遂行しているとき、ヒーリングは、ガイドの知識の範囲内のことしかなされないものです。どれだけガイドが賢くとも、人間の心・体に関わる幅広い（病のヒーリングに必要である）すべての知識を持っているとは考えられないからです。

人間の心が医学知識をすべて所有できなくても専門的な知識は必要なように、霊的な治療においても、まったく同じルールが適用されると考えるのが論理的でしょう。

ヒーラーがガイドの個性に支配されていなくとも、それと調律《チューニング》状態にさえあれば、彼は特定症状の治癒に長けた、他のスピリット・ドクターから働きかけられる自由な状態にあるということなのです。

調律《チューニング》によるヒーリングは、ヒーラーがガイドの個性に支配された状態で行なうヒーリングと比べると、さらなる利点があります。一つ目は、ヒーラーがトランス状態になくてもヒーリングができること。二つ目は、直感力が養われること。三つ目は、ヒーリングの目的において、知力あるパートナーとなれること（ある程度の）。最後に、症状が出た際の、「気づき」の感覚を持つことができることです。さらに調和は、ヒーラーにしかるべきレベルのスピリット・コミュニケーションを実現する力を与えるのです。患者の問題の「原因」や「症状」を直感的に知らせることができるということです。

ヒーラーの調律《チューニング》能力が経験や活用を経て、「第二の天性」となれば、彼はより自由に簡単に診

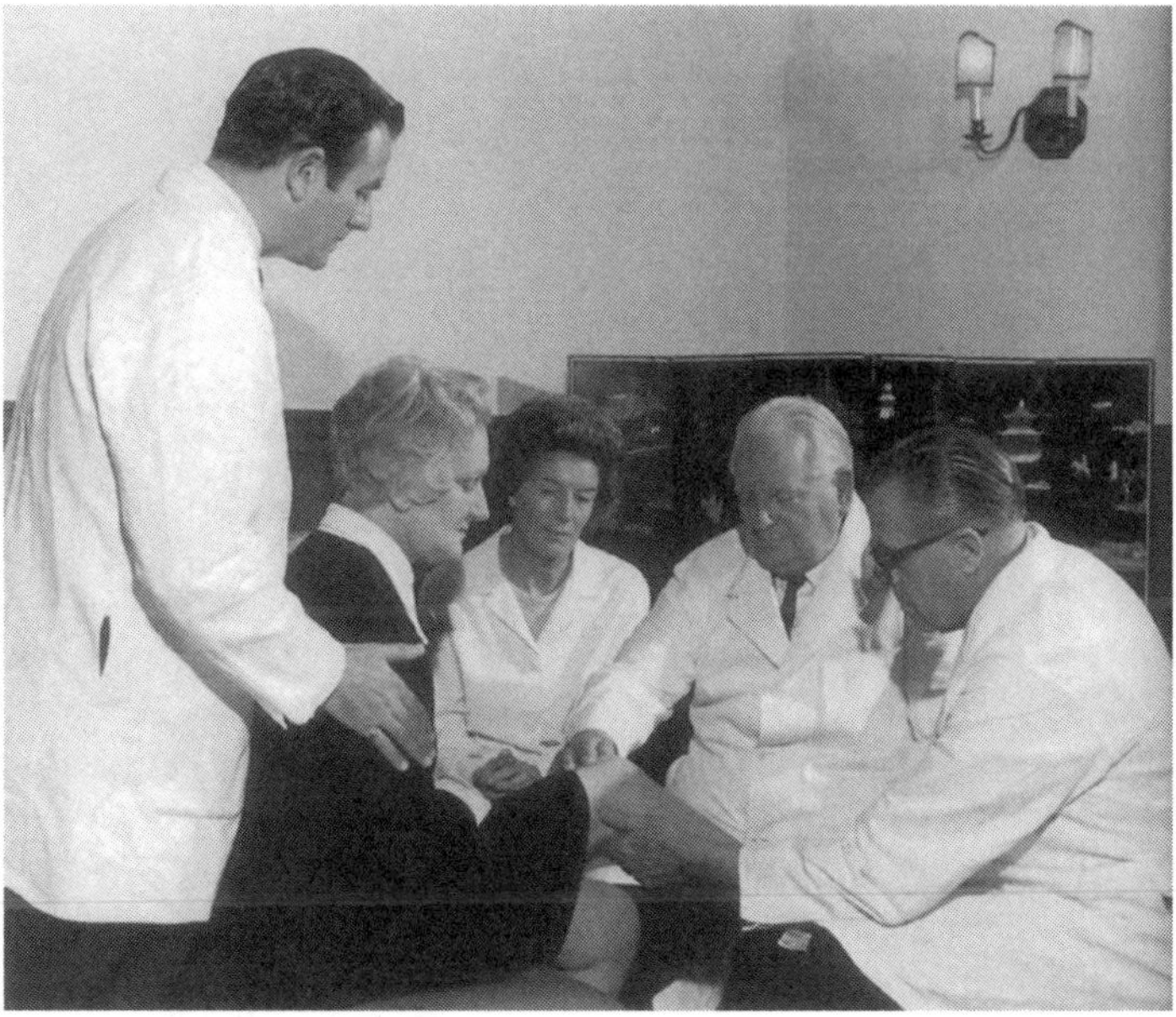

ハリー・エドワーズと、同僚のオリーヴとジョージ・バートン及びレイ・ブランチ。

断内容を受信し、必要とされるヒーリングについての理解もできるようになり、患者のカウンセリングができるのです。

ときおり、このようなことが起こります。トランス状態でのヒーリングを行なっているヒーラーが、トランス状態を起こせない患者の治療を依頼されたときです。すると彼は、シンプルで自然な方法でヒーリングを探求し、一般的によい結果が得られます。それは、病院にいる患者を訪れた際にも同様です。

本書では、トランス下でヒーリングを行なっているヒーラーに、調律《チューニング》を基本としたヒーリング方法に挑戦してみることを提案します（経験としてでも）。

先述したように、ヒーラーシップとは「神聖な計画」の一部なのです。これは真にスピリチュアルなことであり、ヒーラーは霊的な法則の価値を彼らの生活に適用させるべきです。これは、見せかけで「聖人ぶる」ことではありません。ユーモアを楽しみ、自然なままであり、心で歌を歌い、自分自身にも人生の道で出会う人々に対しても、笑顔であるべきということです。恨みを抱かず、人を傷つけず、助けを必要とする人々や隣人、老いた人々への奉仕に尽くすことを楽しむべきなのです。それによって、一般的によき結果がもたらされます。また、人を傷つけるゴシップに関与せず……すべての生きとし生けるものを愛し、敬い、それらを残虐なものから守り、それらを「かけがえのないきょうだい」そして、神の創造物の一つであると認識することが重要なのです。スピリットからの贈り物を所有し、反映させることで表われてくる美しきもの。それがヒーラーの顔つきから自然と放たれると、そこに道が拓かれるのです。

ハリー・エドワーズ・スピリチュアル・ヒーリング・サンクチュアリのシンボルマークの意味
ヒーリングは、人種や信条に関係なく、すべての神の子への神からの贈り物です。いかなる宗教の特権であってはなりません。したがって、円は人類家族全体を表わし、十字架はその内にあるキリストの霊の影響を示しています。

第2章　調律《チューニング》の技術

　はじめに、すべてのヒーリングにおける基本的な一般論について考えてみたいと思います。私たちは、命におけるすべての変化は、その事象における自然の摂理の結果であるという真実を認めなければなりません。それゆえ、スピリット・ヒーリングがなされるときも、これは自然の摂理への適応の結果なのであり、ヒーリングの場においても、ある意味、世界の事象と対峙していることになるのです。しかしながら、身体的な法則における作用とスピリットの法則における作用との間には、決定的な違いが存在します。

　人が身体的な力を扱うには、スピリット力を方向づけるスピリット・マインドが不可欠であり、スピリット力は霊的な領域に存在するもので、地球に属するものではありません。それはスピリット・ヒーリング力に関わるもので、すべてのヒーリング行為は、それぞれに異なった知的な指示（とりなし）を要するのです。

　これらは簡単に説明できます。それぞれのヒーラーのもとで、非常に広範囲なヒーリング例があります。それは、バランスを崩した心の回復、腫瘍を散らすこと、視力や聴力の矯正です。今挙げた三つの症例においても、明らかに、異なった性質のヒーリング力が必要となるのです。

　肉体に変化をもたらすヒーリング行為は、霊的な力を取り扱うための知識だけでなく、人間の構造を統《す》べる身体的な力との調和を要するのです。

　私たちはそれゆえに、こう結論づけます。ヒーリングにおいて作用する心は身体的なものではなく、スピリット・マインドであり、それは人知を超えた偉大な叡智を獲得するものだと。これらスピリットの操作者のことを私たちは「ヒーリング・ガイド」と呼んでいます。

　受信者としての能力を発達させるためには、私たちがヒーリング・ガイドとともにヒーリング力の調和技術を養うことが第一の準備となるのです。

（ヒーリング・ガイドへと）要求が伝達されるとき、伝達者と受信者は調律《チューニング》状態になければなりません。もしも私たちが霊的な力の伝達者となるなら、それ相応のスピリットを持っていなくてはならないのです。親密性とは、スピリット・マインドの質のこと。ヒーリングとは自然的な行為であり、ヒーラーは単にヒーリング・パワーを媒介する者となるということなのです。

　ヒーラーは、自分自身がただ「ヒーリングを行なえる状態であること」に満足しません。ある意味これは自然なことでしょう。彼らは、自分自身で何かもっと行ないたいと思うのは当然で、さらなる個人的な努力は必要ないと考えることは難しいのです。自分はただ、このごくシンプルなヒーリングのための「手段」であると納得すること。ことによると、それがヒーラーにとって最も困難な学びとなるかもしれません。

私たちにできること、これは第一に重要なことですが、まず「スピリットと調律《チューニング》するための訓練をすること」です。そうすれば、スピリット・ヒーリングの操作者として、より有能な「楽器」となれるでしょう。ヒーリング・パワーは、私たち（ヒーラー）を介してやってくるのであって、「私たち自身」ではないのです。

調律《チューニング》とは、スピリット・ガイドとの親密性を築くことです。ビギナーにとってはこれが難しいのですが、経験あるヒーラーのもとでは難しいことではありません。もっとも、調律《チューニング》状態になければ、ヒーリングは起こりえないのですが。

経験を重ねるうちに、調和は「第二の天性」となってやってきます。最も高度なヒーラーシップのもとでは、さらにこの実習によって、自分自身の進化向上にも役に立つのです。

より完全なスピリットとの親密性を得るために、規則的に、目的を持って探求することはよいことです。ヒーリングの目的を達成するだけでなく、ヒーラー自身に霊的な癒しをもたらしてくれるものでもあります。これらをなしとげるための一つの道があるわけではありませんが、以下の提案は、助けになるでしょう。

調律《チューニング》状態を得ることは、シンプルな自然の行ないです。ですから、（意識的に）「実演する」という感覚は、避けられるべきことです。それはちょうどまどろむという行為に近いと言えるでしょう。それを内面に注意深く意識が向けられた状態で行なうのです。

ヒーラーは静かで乱されない場所に二〇～三〇分ほど身を置くべきです。この時間は慣れてくればしだいに延長されるかもしれませんが、初めのうちは、週に二～三回、三〇分ほどで十分でしょう。

体をまっすぐにして、心地よい状態をとります。ウィンザー肘掛け椅子が、ちょうどぴったりでしょう。椅子に腰かけ、腕の力を抜き、身体が完全にリラックスできる状態をとります。明かりは薄暗くしましょう。弱い明かりだと視神経を刺激しないので、意識が乱れるのを防ぎます。

霊的な感性を磨いていく上では、一般にはよく「集中」という言葉が使用されますが、ヒーリングの観点から言うと、これは必要な心の状態と**正反対のもの**です。私たちは精神的な集中を探求しているのではなく、精神を「手放す」ことを目指しているのです。ただし、心を空っぽにする努力はやめましょう。これはうまくいきません。人は、精神集中や努力によっては、心から思考を分離することはできません。しかしながら、心を穏やかなメディテーションの状態にすることはできます。スピリットの人々との交流について思い、調律《チューニング》が必要とされる理由、そして患者の痛みを取り去り、病の原因を取り除くこと、すなわち病の治癒について思いましょう。思考を静かにそれらに向けることによって、心はスピリットそのものから得られる直感的想念を受け入れやすくなるのです。心を張りつめることもやめましょう。いかなるときも、緊張状態は避けるようにし、変化をつけるために、心に美しきことを思い浮かべましょう。精神的休息をとるのです。美しき庭、そこに咲く花の香りや色とともに、花々の美を思い浮かべてみましょう。または、聖書に描かれた理想的な世界をイメージし、メディテーションをするのもよいでしょう。これらは一つの提案にすぎませんが、日常の単調な出来事から心を解き放ってくれる方法なのです。

私たちは、日常生活のなかではフィジカル・マインドを持っていますが、同時にスピリット・マインドも持っており、後者は私たちがより高みに行きたいと願う、それのことです。

はじめは、自分自身のなかの変化を実感することが難しいでしょう。**しかし、あなたの自我のなかに、あなた以外の存在の意識が入ってきて支配するということはありません。トランス状態になることを目指して、メディテーションするわけではないのです。それは最も賢明ではないことです。このような目的（トランスする目的）で一人坐してはならず、よく指導された能力開発者が指導するサークルで正しく行なわれるべきです。**

メディテーションは、霊的存在を引き寄せ、一体となること（憑依）ではなく、あくまでも心をスピリット（霊）と調律《チューニング》させるために行なうことが目的なのです。

坐する際、最初の想念は、神への祈りのようなものであるべきです。しかし、お決まりの文句で暗唱するのではなく、まるで神に語りかけるかのようにシンプルに、自然な状態の想念でいることが最適です。仰々しい文句や不自然な文句は避けるのです。例えば、「夕暮れ」ではなく「今夜」というように。あなたが善なるものを求めて神に仕えたいという気持ちや、それが心であれ体であれ、不調和や害悪を取り除きたいという気持ちを表現するのです。メディテーションをしているあいだ、スピリットを司る長に、あなたを指導し、保護してくれるように嘆願するのです。そして、よき影響だけがあなたに与えられることを強く信じるのです。

体が心地よい状態になり、心は楽になり、そして調律《チューニング》状態に達したと感じたときには、あなたの患者のことを想ってみましょう。おそらくその病の性質がわかるでしょう。そうなれば、少しのあいだ、心に患者を思い描き、彼の性格、彼のいる場所、病の原因である苦悩の質について考えをめぐらせてみましょう。

これを行なう際は、これらの想念を、「聞き入っている」誰かと意志疎通をはかるつもりで行なってみましょう。シンプルに自然に、状況を大げさにせず行なうのです。心のなかの画像を外へ投影するように、受信をするスピリット・マインドとの関係を意識して行なうのです。なぜならあなたのスピリットそのものはスピリットに対して開いているものであり、あなたが協働作業をしている者を通して、それは受信されるはずだからです。

そしてこの状態を続け、再度やさしく、自然に、「聞き入っている」者に対してとりなしの要求を行ないます。痛み、凝り、ストレス、どのようなものであってもそれらを取り除き、安らぎと完全さが患者に戻ってくるようにと伝えるのです。それら想念は何気なく助けを求める行為とは区別し、意図的に想念を放つ指示的なものにしましょう。例えば、患者が腕に痛みを訴えていたとして、「腕から痛みがなくなり楽になるように」という想念をはっきりと外に向けて放つのです。

これらはもちろん、アブセント・ヒーリングの能力を発達させるものです。一人の患者へのとりなしを終えたあとは、もうその想念を放つことはやめ、次なる患者のための探求へと進みましょう。ヒーリング・ガイドとは、そこにいる「聞き入っている者」であることを知っておきましょう。それぞれの患者について考える時間は、その症状と必要なヒーリングについて考えるための時間のみで十分です。長いとりなしの時間を持っても、それでヒーリングの効能が上がることにはならないのです。

ヒーラーがコンタクト・ヒーリングに着手した場合、または、一人、それ以上の患者を治療した場合、彼はメディテーションもしくはアブセント・ヒーリングにより、心のなかで患者が必要とするものについて思い返すことができ、それぞれのヒーリング目的において、問題の記憶を新たにすることができるでしょう。一般的には、ヒーラーが次にコンタクト・ヒーリングを施す際には、ヒーリングはよりやさしくなり、患者はより進んで反応を示し、患者とスピリットとの調和もより親密なものとなるでしょう。

とりなしを行なったあとは、心をリラックスさせましょう。メディテーションのためにリラックスしているあいだは、あなたにとって魅力ある曲や讃美歌をハミングしたりしましょう。リズムやメロディーに合わせ心を踊らせ、平和で幸福なイメージのもと、メディテーションするのです。水、木々、丘など、気持ちのよい風景を心に思い描いて、そのメディテーションの状態を存分に楽しみましょう。または、あなたの一番好きな花、その形、花びら、色、香りについて想像してみましょう。平和で穏やかな森を散歩するのを、お日様の光が木々を抜けて差し込んでくるのを想像してみましょう。自分がどのようにしてヒーリングを施せるのか、人間性というもの対して、立派に奉仕することができるのかを心に描いてみましょう。そして、そのようにしながら、真善美の備わった想念によって、自らの霊的な面を促進させましょう。

よく言われる「白昼夢」として知られる心の状態があります。他のことをすべて忘れて、想念が遊んでいるような状態です。これがメディテーションの際にたどり着くべき、心の状態なのです。

どのくらい坐するべきかについては、特に決まった時間はありません。はじめは、時間が経つのが長く感じられるかもしれませんが、続けていくうちに、そのようにして過ごす時間が真の喜びとなり、あっという間に過ぎていくことでしょう。そして、日中、その時間を楽しみに待つようになります。

さらなる提案としては、メディテーションのための時間を厳密に決めたり、決まりきった習慣にしないことです。一日の仕事を満足に終えたあとに行なえばよく、急いだりせず、むしろその仕事の達成の喜びを感じながら行なえばよいのです。そのあとで、自然にスピリットたちとの交わりに意欲が湧いてきたとき、そのときがまさに坐するための正しい時間なのです。

メディテーションにふさわしい時間帯は、夜だという印象があるかもしれません。しかし、そうではありません。日中に働いている人々にとっては、仕事が終わり、平安と寛ぎの機会を持てる夜の時間帯が一番ですが、一日の他の時間帯にその機会が持てる人は、坐したいと思ったときならばどの時間でも大丈夫です。もしもあなたが散歩で外出中であるならば、静かな場所でのんびりと歩き、想念をスピリチュアルな方向に向けてみましょう。

　真理に生きることが理想的で、他人を傷つけず、常に奉仕の心を探求していきましょう。すべてに対して寛容であり、望んでいないような行為を自分自身にまねく気性や悪意を持たないこと。不愉快な行為を行なえば、それにともない起こる出来事がいかにつまらないことかがわかるでしょう。わざわざ心に不調和をもたらすことに、なんの意味もありません。

　どんな方法でもよいですから、親切心を持って隣人を助けましょう。特に、病に苦しんでいる人々、慰めの言葉を必要としている人々、またその役目を請け負った人々を。もしも一日のうちに苦しむものを見かけたなら、彼を心に留めておきましょう。そしてのちほど、静寂のなかで、彼のためのヒーリングを行なうのです。

　ヒーラーがともに働くスピリット・ガイドについての知識を持っていれば、とりなしのために坐してほどなく、ガイドへと想念は向けられます。ガイドの個性を上手に心に描くことができるのです。坐してガイドと調律《チューニング》の状態がとれたと感じたなら、想念をそのまま直接患者へと向けましょう。「想念を通してガイドと話をしている」かのように、自由に、自然にです。

　ガイドの個性をよく知らない者も心配することはありません。「誰か」がそこにおり、あなたの内面的想念が受け取られることを確信しましょう。最上の自信を持って、そうであることを信じるのです。あなたはスピリット・マインドを使い、スピリット・ガイドはそれを聞くことができる、率直に言えばそれだけのことなのです。
ただ、スピリットと親密な関係を築くための欲求がないときには、それを行なってはなりません。あくまでも、あなたのスピリット・マインドの産物であり、霊的な要求がそこになくてはいけません。それゆえとりなしのために坐するときは、まずスピリットとの調律状態《チューニング》を築くこと、そして、あなたのスピリットの師があなたを気遣ってくれていることに対する、心からの自信を持つようにしましょう。

これは、ヒーラーとしての成長過程において、調和を築き、その第一歩を踏み出す精神的な準備段階といえます。急がず――ゆっくりと確実な歩みこそ、急激な成長よりも強いものです。このように時間を過ごせば、後悔はしないでしょう。心に静寂と幸福を与えてくれることでしょう。ヒーリングの能力が育つにつれ、あなたは病を治癒するよき「道具」となっていくのです。それは物質的価値では測ることのできないギフトとなるのです。調和がもたらされる時というのは、意識とスピリット意識の間における敏感な状態のことであり、一言では表現しがたいものです。十代の若者向きの言葉ですが、いくぶん説明的な言い方をすれば、人の意識がどこか「遥か彼方」へ「放たれた」ような恍惚状態とでも言えるでしょうか。

調和とは、自然な状態で起きるため、認識されうる身体的な症状などはめったにありません。暑くなったり、寒くなったりといった身体的な感覚を一切ともなわないのです。しかしながら、普段とは違う意識状態が存在しているはずで、調和状態から元の意識状態に戻った際に、それはたやすく認識されるのではないでしょうか。

ヒーラーはこの調律《チューニング》された状態というものにより敏感であり、コンタクト・ヒーリングではその兆候として、痛みが取り除かれ、苦悩が減り、克服された際に内面的な充足、大いなる喜びが感じられるものです。このような種類の内面的充足感は、実際の幸福な経験にも勝るものでしょう。それはまさに「スピリット自身」の喜びであり、調律《チューニング》状態が築かれないかぎり、実感できないことなのです。

コンタクト・ヒーリングに従事する前に、ヒーラーは一時のあいだ、静かに坐してスピリットとの親密性を高めましょう。他のさまざまな活動が同時に行なわれていたとしても、患者が次の患者へと代わっても、経験を積むことによって、調律《チューニング》状態はヒーラーに保たれるのです。

座っている患者に対して、立って仕事を行なうヒーラーがいますが、それに理由はありません。いずれにしても、ヒーラーは自分自身もリラックスしていなければなりません。かならず調律《チューニング》状態を獲得しなければならず、これらは立っているよりも座っているほうがはるかに得やすいのです。

患者がヒーリング治療を受けるためにやってきて、ヒーラーは彼・彼女らに同情心を持ち、それから調和、もしくは患者と「寄り添って理解を深める」ことを探求していきます。

患者にリラックス状態が訪れたあと、ヒーラーは一時、もしくはもう一時、スピリットと患者両方との調和を深める時間を過ごすとよいでしょう。これにより、私たちは完全なる状態になります。ヒーラーはスピリット、そして患者と調和し、それら三つから「それぞれの存在」を生みだします。患者との調和の必要性は、そこまで強調されるべきではありません。その理由は、ヒーラーの体からヒーリング力が得られるものではないからです。ヒーラーは、ヒーリング力が通過する道具にすぎないのです。「ライクは、ライクのみと接触が可能」（ヒーリング・エナジーは患者のためのものだから）なのです。スピリット力は、ヒーラーのスピリット組織を伝い、彼を通して患者のスピリット・ボディへ、そして患者のフィジカル・ボディへと流れており、これらはヒーラーのフィジカル・ボディと密に結びついているのです。

それゆえ、患者との最初のコンタクトは、ヒーラーと患者との間に満ち足りた同調の感覚を得るためのものとなるのです。

調和・調律《チューニング》とは芸術であり、質です。ヒーラーが、ヒーリングの源泉とその受取人とに信頼関係を築くことは、不可欠な要素なのです。ヒーラーは病に対して、愛と同情心からくる強い動機を持っています。スピリットからのヒーリングもまた、これら二つの偉大な特性を持っているのです。つまり、スピリットの愛と同情心を伝い、この同じ特性をヒーラーのなかに溶け合わせ、調和を現実に生みだすのです。このような調和は技術を必要としない、自然な行ないです。

想念を発し、ガイドに対して要求が発せられないかぎり、何も得ることはできません。ガイドは神聖なる計画へ向けて、病気の害悪を乗り越えるための奉仕の機会を与え、スピリットと神性力との近親関係を明らかなものとするのです。ヒーラーはまた同じ方法で奉仕を行なうのであり、ここに類似が見受けられるのです。スピリット・マインドは、ヒーラーのスピリット・マインドと関係しており、それらが同種となることにより、調和がもたらされるのです。

スピリットの調和欲求は常に存在しているものですが、私たち人間は一つの道具として意志を持って、スピリットに繋がる探求を行なうことが必要です。この意志がより高まれば、調和はよりやさしく得られるようになるでしょう。それが「第二の天性」となるまで、ヒーリングの想念を外に放ち、（ガイドに）要求を伝えるのです。

†調律《チューニング》技術を養うためには

・スピリット力の伝達者となるなら、それ相応のスピリットが必要。
・ヒーラーはヒーリングのための手段であると納得する。
・スピリットと調律《チューニング》するための訓練をする。
・スピリット・ガイドとの親密性を築く。
・メディテーションを行なう（調律《チューニング》が必要とされている理由、病の治癒について思う）。

第3章　診断

すべてのヒーリングは計画された行ないで、患者に対してそれぞれ個々の治療を必要とするものです。

それぞれの異なった病に対しては、それぞれ異なったヒーリング・エナジーが必要であるのは言うまでもありません。関節炎による疾患、その悪化を防ぐために散らす（消散させる）エナジー、ほかには、血液のバランスをとるための刺激、その力を供給するもの、神経の緊張を解《ほぐ》す緩和的効果などがあります。ヒーリング・エナジーは病の質や深刻さにより、その構成要素や力の性質を変化させると考えるのが、論理的でしょう。これについては、第4部第2章「ヒーリング・エナジー」にて、詳しく述べたいと思います。

ヒーリング・ガイドは、ヒーリング・エナジーの管理者です。したがって、患者が必要とするヒーリング・エナジーの質について正しい診断が行なえるのは、ガイドなのです。このように、診断はガイドの責任であり、ヒーラーの責任ではありません。

つまり、ヒーラーは診断を行なう必要がないのです。同時にヒーラーは、ヒーリングにおいて知能的な役割を果たしたいと願うでしょう。そこでの提案が、これを獲得するための手段を与えてくれるかもしれません。

ヒーラーが病の性質や原因についての情報を得る手段は、ガイドがどのような方法でヒーラーを使うかによって違ってきます。患部を診断する一般的な方法は、ヒーラーが疾患症状の現われている部分に手をかざし、ヒーラーと患者の両方がヒーラーから発される強い熱、患者の体を貫く熱を意識することです。

手が疾患症状の場所から離れると、この熱い感覚は消え失せ、手は元に戻っていきます。手が局所からほんの少しだけ離れた程度であれば、その熱はまだ、ヒーラーと患者、両者によって感知されるでしょう。

その熱が臨床的にみた熱ではない、ということはとても興味深いことです――つまり、もしもヒーラーの手と患者の間に温度計をセットしたとしても、温度が上がることはないのです。熱い感覚が存在するにもかかわらず、です。この熱は、意志や願望で生みだされるものではありません。体のどの部分でもよいので手をかざしてみましょう。熱を感じるか、何も感じないかは、ヒーリングの才能を示す本質的な証明となるでしょう。

このことから、この熱は身体的な熱ではないという結論が導かれます。これはヒーラーの体内における、付加的な循環活動から生まれるものではないのです。これらが示すのは、熱とは**ヒー**

リング・エナジーの顕われであるということ。スピリットの指揮下でヒーラーを伝い顕われるものなのです。したがって、この熱が感知された場合には、しばらく手を局所に当ててみるとよいでしょう。

多くのヒーラーにとって、この熱は特定の症状の手当てを助けてくれるものであり、例えば、**散らす効果**が求められる根深い関節炎やリウマチ、線維症や腫瘍に対処する場合などです。散らせる必要性がないかぎり熱は感じず、胸または消化器系の問題のときには効果を感じることはめったにないでしょう。

ヒーラーのなかには、熱の代わりに冷たさを、もしくはその両方を感知するものもいます。すべての感覚、すなわち飢え、痛み、疲れ等は、精神的な経験であることを覚えておきましょう。それゆえ、この熱の経験も精神的な経験であり、この熱が身体的な熱でないように（身体的に感知されるのであるけれども）、これはヒーリングの指示により発生する力の「精神的な経験」であるはずなのです。

そして、診断の理想のかたちは、「直感的に」受信することであるでしょう。このような診断は、調律《チューニング》が築かれた際になされるものです。ヒーラーの心がそこにあり、問題の原因に関する想念的な印象をガイドから受け取るのです。ただ、ヒーラーも人間である以上、そうして受け取る印象が本当にスピリットから来ているものではなく、ヒーラーの心の想像の産物である危険性も常に存在しています。それを見極めるのは、経験を積むことにおいてのみです。ヒーラーは、直感的にどんな印象を受け取るか、試してみればよいでしょう。

原則として、ヒーラーに診断を求めることは賢明ではありません。第一に、彼が間違っているかもしれないから——医学的診断もまた、たびたび間違っているように。第二に、患者がヒーラーの言葉に過剰に影響を受け、心理的不安に陥る可能性があるから。第三に、ヒーリングが成功した場合に、診断の信頼性を傷つけることになるかもしれないからです。言うまでもないことですが、ヒーラーは患者に診断上の印象を伝えることを控えるべきです。これらは取り違えられやすいのです。ヒーラーはなるべく言及しないほうが好ましく、未来の結果を予知・予言するべきではありません。

ヒーラーの直感的な印象が事実に基づくものであるかどうかを証明する一つの方法として、痛みの核が、ある特定の箇所にある印象を受けたかどうかがあります。なので、患者にこれが確かかどうか尋ねてみましょう。これはなんの害にもなりません。覚えておきましょう。スピリットからの直感的な想念は、通常の想念と同様に自然にやってくるものなのです。

患者から得られるすべての情報をガイドに伝達することは、よいことです。私たちがスピリット領域でスピリット・パーソンを見る以上に、ガイドが患者を**身体的に**「見る」ことができるかどうかは疑問です。ガイドは、病や問題の原因と性質を把握する手段を持っています。そうでなければ、彼らはヒーリング・エナジーを届けるための診断を受け取ることができないでしょう。彼らがそれらをどのようにして得るのか、私たちは明確には知りません。彼らはもしかすると、すべての感覚を刻み、肉体的な組織と交信して伝言を受け取ったり、患者の心を把握したりすることで、不調和状態を知覚するのかもしれません。心耳の発露によって、病気の性質等を観察することができるのかもしれません。

患者に症状や、その問題について説明してもらうことは、ヒーラーへの助けとなります。ヒーラーの心がこれを知ることで、調律《チューニング》状態にある「聞き入っている」ガイド自身もその情報を受信し、身体的状態について知らせることができ、これがガイドによる診断の助けとなるかもしれないのです。

アブセント・ヒーリングと同様、病の性質を知ることは有益であり、定期的報告（または別の方法で）にて進捗状況の詳細が記されていれば、この情報がガイドへと届けられるのです。このようなことから、「調律《チューニング》」と「診断」が密接に関係していることがわかるでしょう。

もう一つ、「診断」に関連する側面があります。それはヒーラーが、患者の状態を「自分自身のなかで引き受ける」ようにみえる場合です。一般にこれらは確立されたヒーラーシップには影響を与えませんが、これらはまさにヒーリングの聖職に就こうとしている者たちに見受けられる行為です。これによるしかるべき結論としては、ヒーラーは調律《チューニング》状態を患者とともに築いた、ということです。

すべての感覚は心による経験です。患者の心が、痛みや悲しみの強い印象を受信し、ヒーラーの心が患者のそれと同調したとき、これらと同じ印象を彼（ヒーラー）は受信します。ときおり、それらは非常に強くリアルなものであり、ヒーラー自身がその問題を被る結果になる場合があります――例えば、激しい胃痛であったりです。こうして彼は、病を「引き受けて」しまったことを実感するのです。もちろんこれらは単純に「精神的影響」にすぎません。

ヒーラーの能力が発達するにつれ、ガイドもヒーラーシップを使うことがうまくなり、そのような印象は防ぐことができるようになるでしょう。ヒーラーが受け取る印象の性質を理解できるようになれば心はそれらを正しい見解へと位置づけて、ストレスの多い印象と認識しないのです。

ヒーラーのなかには、自分は「千里眼的な診断能力」を持っていると言う者がいます。彼らが言うには、患者の内側、つまり問題がある場所を透視できるというのです。例を挙げると、彼らは、胆嚢にある石が「見える」、あるいは、患者の体の問題のある部分に「明かり」が見える、と。これらは個人的な印象であり、このことについてここで議論はしません。これらは非常に例外的なことなのです。

もしもヒーラーが心の印象を受信することができず、問題の原因や性質を知覚することができなくても、落胆すべきではありません。調律《チューニング》状態において、ガイドに症状を知らせることができるなら、あとの実際の診断は彼（ガイド）にまかせればよいのです。

もちろん、多くの病気の性質は自明でしょう。例えば、関節炎、麻痺、脊柱状態などです。また、貧血もそうで、これらは精神的なストレスの一種で、患者のやつれた顔や疲れ、「傷ついた」目つきから、簡単に認識できるのです。実践を積んだヒーラーは、視診で、すぐに患者の状態に気づくものです。

ヒーラーには以上のことが提案されます。患者を同情心とともに受け入れ、彼・彼女らをリラックスさせたあとに、まずは最初に、患者にどこが悪いのか、その症状はどんなものであるのかを説明するよう求めるべきです。それらはたいていの場合、ヒーラーの受け取った印象を確証させるものとなるでしょう。

さらには、初めに患者のヒーリングについての十分な計画を探求しておくとよいでしょう。患者を「少しずつ」治療していくよりも、よいことです。体の他の部分の問題は、主要な原因からの「影響」であることが多く、全体図としての一部にあたります。これの典型的な例としては、胃潰瘍などに関しては、常に「精神的なストレス」が原因の一つと言えます。

ヒーラーは患者の状態を把握するために、自分が受け取った印象について優しく質問することに、ためらう必要はありません。このような質問は、彼のヒーリングの経験から生ずるものであり、それはガイドから直感的に受信した要求であるかもしれないのです。

†ヒーリング・ガイドとは

・ヒーリング・エナジーの管理者である。
・患者の病や、問題の原因と性質を把握する手段を持つ。
・患者が必要とするエナジーの質について診断を下す。

第4章　ヒーリング・エナジー

この章では、心身的な病気についてというよりも、ヒーリングの組織的な状態に関連した内容について述べます。

ヒーリングにおいては、「バイブレーション」とか「光線」というものについて多く言及され、「青い光線」や「金色の光線」などと描写されることがあります。しかし、私たちはこのような用語を使用する代わりに、「ヒーリング力」の真の描写として、「エナジー」という言葉を活用しています。

身体的薄弱や病気のために施されるすべてのヒーリングは、患者のなかに化学変化を促進するものです。関節炎の本質そのものやそれを散らせるのは、化学変化によってなのです。私たちは、スピリチュアル・ヒーリングをスピリットによる魔術的かつ抽象的な行ないとしてではなく、スピリット・サイエンスの応用であると理解するべきです。

ヒーリングにおいてよくある、シンプルな症例について考えてみましょう——関節炎によって凝り固まってしまった関節を解くケースです。関節がまったく動かない、もしくは部分的にしか動かないのは、関節炎が靱帯と腱を固めた、もしくは収縮させてしまったからです。この状態に陥ってしまうと、どれだけ強い身体力でも関節を自由に動かすことはできないでしょう。医者が力を加えて措置を行なうと患者に痛みがでるため、ほとんどの場合、麻酔薬が使用されます。関節炎の治療は、「操作すること」ではありません。はじめにまず、関節炎の「本質」そのものを取り除かなければならないのです。これが化学変化にあたります。

「エナジー」というものを理解するために、私たちはまず物事の構造について簡単に学ばなければならないでしょう。

あらゆる物理的な物質は、原子により構成されており、そのそれぞれの原子は特徴づけられたエナジーの形態なのです。各要素は、同様の法則のもとに組み立てられています。ある形態の原子エナジーが他のものと連合すると、第三番目の物質が生まれます。このようにして化学変化がもたらされるのです。

特定の状態で存在する物質に変化を及ぼすには、なにか他のエナジーが付加されなければなりません。例を挙げると、私たちは水を沸騰させるのに、熱エナジーを活用します。スピリチュアル・ヒーリングにより関節炎の症状が消えた場合、それは、関節の構造上に化学変化を起こすために、なんらかの他の種類のエナジーが適用されたことを意味しており、それによって不具合を散らすことが可能になったのです。例えば医学においては、エックス線治療がその基本的な臨床治療にあたります。

関節炎は医学的には治療不可能であり、医学は根深い障害を解決するための力やエナジーを発見できていませんでした。

しかし、科学者は今日、原子を分裂させ、その構造を変化させ、それを包含している特性づけられたエナジーを解消させることができるようになりました。

ヒーリング・ガイドも同じことを行なうのですが、その進化した叡智と、スピリットにより形成されたエナジー、そして身体的に形成されたエナジーのその両方の知識を携えて、患者の関節に定着した疾患そのものに化学変化をもたらせるエナジーを向け、根深い関節炎を起こしている「原子を分裂」させ、それらをもともとの状態のエナジーへと分散させるのです。このように、成功した関節炎のヒーリングにおいては、ガイドが、関節を固めている化学物質を分解し分散させるための治癒エナジーを適用させていることになるのです。

同じ原理が、身体的トラブルにおけるヒーリングにも適用されるのですが、患者の状態によって、異なった種類のエナジーが活用されます。

つまりこういうことです。ヒーラーが手をかざし、関節炎により肩関節が凝り固まっていることが判明します。すると、これら関節炎の本質そのものを分散させるために、選定された特性あるエナジーがスピリットから送られます。そうすると関節炎はスピリット・エナジーの力に屈していくのです。肩の、他のどの組織にも害を与えずにです。

このような変化はほんの一瞬で起こり、明らかに関節は自由になり、固まり根付いていた疾患は、まず分散させられます。ねじくぎで締め付けられたドアは、ねじくぎが引き抜かれるまで開かないのと同様です。

スピリット・ガイドは、エナジーの操作技術における「長」であるに違いありません。なぜなら、彼らはそれを使い、多くの異なる病の原因を克服し、身体的不調を解決するのですから。

これらの分散エナジーは、必然的に多様であり、腫瘍の細胞組織を破壊するために使われるもの、白内障を解消するもの、奇形部分の構造を分散させるものなどがあります。

また他の目的のため、別形態のエナジーもあるはずです。例えば、刺激です。死を目前にした患者へのヒーリングにて、医者が驚嘆し、なぜそのようなことが起きたのか理解できないほどに、患者がその力と生命力を取り戻した症例を、どのぐらい聞いたことでしょうか？　大多数の患者が、一般的なヒーリング治療において、なんらかの改善を実感しているのは、なぜでしょうか？　それは単純に、彼らが活性エナジーを受信しているからなのです（精神的向上が得られるのもそうです）。

細胞組織の栄養状態が悪く、組織の損耗または極めて重要な器官の不調が生じている場合、それは、患者の消化器官、循環器、または呼吸器が、細胞が必要とする栄養を供給していないことを意味します。いくつかの細胞グループは、他のものからの別の栄養を欲し、体内の特定機能に役立つ特殊エナジーを必要とするのです。

なぜなら私たちは、そのような患者がヒーリング治療を開始し、よくなっていく姿を見ているからです。

医学にそれ以上の救済ができない場合、その欠乏状態を知るガイドが患者に、健康のために細胞が取り戻すべき良質なエナジーを向けます。

ここで強調しておかなければならないのは、ヒーラーのシンプルな役割についてです。彼はこれらスピリット・エナジーを操作する知識も能力も持ち合わせていません。ヒーラーは、ヒーリング・エナジーが患者へと流れるための「経路」にすぎないのです（細胞ヒーリングと、他のエナジーの欠乏については、第4部「スピリット・ヒーリング・サイエンス」にて詳細に説明します）。

これらはどのようにして起こるのでしょうか？　それではヒーラーの機能について、より詳しく見ていきましょう。

スピリットに指揮されたエナジーは、ノンフィジカルな次元（つまり霊的な次元）からやってきます。それらはまさにフィジカルな（身体的な）エナジーと対比するものであり、ノンフィジカルな形態なのです。

これらのエナジーが、ノンフィジカルな状態からフィジカルな状態に変換されることがあるはずなのです。この変化は、スピリットがフィジカルな状態と合わさるとき起こるのです。ヒーラーが持つスピリットとの調律《チューニング》能力を通して、彼は実験室のように変化をもたらす役割を果たします。霊的な力が身体的な力に変換され、ガイドによってヒーリングが必要とされる場所へと届けられるのです。

頑固かつ安易な考えは、持つべきではありません。患者へと流れるヒーリング・エナジーの最後の担い手が、ヒーラーの手である必要はないのです。それらは患者へと直接届くかもしれないのです。事実、化学変化とは、ヒーラーとガイドと患者が調和したことの結果として、患者へともたらされるものです。

アブセント・ヒーリングにおいて、ヒーラーが患者の近くにいないときには、これと類似した変換の過程が、患者のスピリットそのものを通して起こります。

覚えておくとよいでしょう。どのような状態、身体的な力、生活の種類、いかなるものの間にも、確たる境界線は存在しません。したがって、エナジーにおいては、私たちの身体領域からスピリット領域を区別する厳密な区分はないということです。事実、すべての生物において区分はないのです。

ヒーラーはこの前提条件を受け入れることによって、よりよいスピリットの「楽器」となり、「それそのものを治癒」しようとすることなく、シンプルに実行できるのです。病に対する愛やあわれみの心を持ち合わせ、ヒーラーがヒーリングにおいて、自分のできる以上に重要な役割を果たしたいと望むことは自然なことでしょう。しかし、私たちは、これら必要でない技術や過去の習慣を手離すことを学んでいるのです。ガイドから、よき努力をだめにするヒーラー技術を学ぶ代わりにです。これは、ヒーラーがガイドの消極的な楽器となって、それに満足しているのとは違います。

†ヒーリング・エナジーとは

・ヒーリングの力（ヒーリング・パワー）のこと。
・患者に向けて向けられるエナジーであり、そのエナジーは患者の状態によって異なる。
・スピリットに指揮されたエナジーは、ノンフィジカルな（物理的ではない）次元からやってくる。

第5章 「力を与える」

はじめに述べておきましょう。私たちの手に、ヒーリングの効力があるわけではありません。私たちは、手をヒーリングの意図を表現する心の一部分として使うのです。

例えば、患者に痛みがあり、私たちがその緩和を探求するとします。そうすると私たちの手は、まるでその痛みを取り去るかのようなやさしい動作へと入ります。手はヒーリングの意図を表現しているのです。一片のいとおしい木彫りや柔らかい物質に触れるとき、私たちは触覚を使って、その手工品や生地の美を心に伝えます。また私たちは、愛する人々の手に触れずにはいられません。それから、愛情表現として顔に触れたりもします。これらは、私たちの手が感受性を備えており、これらが心の作用と実に深く結びついていることを教えてくれます。

このように、手に備わっている感受性は、心の認識を手伝ってくれるものです。手は、心の使いであると言えるでしょう。指のなかに脳があるようなものです。ヒーリングという行為ほど、手と心の結びつきが強いものは他にはないでしょう。

覚えておきましょう。ヒーリングは、手や心を通して起こるものではありません。あらゆるヒーリングは計画的な取り組みであり、病を克服するために、矯正力あるヒーリング・エナジーを知的に適用させることが不可欠なものです。

ヒーラーが患者のためにヒーリングを探求するとき、彼の手はヒーリング計画の一部となり、痛みをやわらげ、患者との関係性を築きます。これを経て、ヒーリング・エナジーが、身体の疾患がある部分へと向けられていくのです。

ヒーラーがヒーリング・サークルにて、他のヒーラーをサポートする場合、彼は本能的にヒーリングの目的と調和、融合しようとします。彼の手は、精神的な指令の一部となり、それが指へと広がり、さらにはヒーラー、患者へと届けられて、「救済」が表現されるのです。この一連のことが彼のもとで、自然と起こります。

ここで観察されるのは、手をかざすことがヒーリング行為**なのではなく**、これは単にヒーラーをサポートする役割を担う潜在意識の顕われであるということです。

ヒーラーは、その任務上、道理に適《かな》った存在でなければなりません。そして、**特殊な作法**のもとで手をかざすという行為は、協働を強く望む潜在意識の顕われではあるけれども、ヒーリングそのものに貢献するものではないと理解することが、望ましいのです。**そうすると、それがまったく必要でないことが理解できるでしょう。**

この論理は以下のようにまとめられます。一定の病気を癒すには、一定の特質を備えたヒーリング力やエナジーが必要です。例えば、患者が関節炎を患っており、関節が石灰化している場合には、固着したカルシウムを分散させる特定のヒーリング・エナジーが必要となります。それゆえ、ヒーラーが腰かけて「パワーを与える」際、**彼ら自身が**、患者の病を克服するための特質あるエナジーを指揮するわけではないのです。しかしながら、ヒーラーの「パワーを与える」行為を支える上で、考慮すべき、他の重要な要素がいくつかあります。

病を治したいという願望のもと、彼らは愛や同情心を捧げ、ヒーリングを助力する正しい「状態」を築き上げます。まず先へ進む前に、「状態」が意味することを理解しておきましょう。私たちは日常生活において「よい状態」を望みます。私たちは、暖かかったり、心地よい状態が好きでしょう。物を書く際には、静かで、乱されない環境を好みます。これらは物理的な状態、つまり環境のことです。

ヒーリング・サークルにおいて有効である「状態」とは、愛やあわれみの心、ヒーリングの意図であり、ぬくもり、慰め、静寂もまた、間違いなく、真のそれにあたります。このように、ヒーラーの「パワーを与える」行為を支える上で、彼らは力を放射する愛や同情心を捧げており、こうしてヒーリングがよりやさしく、幸福に起きるための状態を創り上げているのです。

もう一つ言及されるべき要素があります。それは、ヒーラーが築き上げる患者のスピリットとの同情的な調律《チューニング》状態において、患者のスピリットはその助けに気がつき、積極的に受容し、そこから力と自信を得るということです。患者のスピリットは、協働するヒーラーとスピリットとの親密性を通して慰められ、安心するのです。

協働するヒーラーと結びついているスピリット・ガイドも存在しており、ここが重要です。この視点は、「パワーを与える」行為のうちに、見失われがちであります。

このようにヒーリング・サークルでは、①患者、②管理能力のあるヒーラーと彼のスピリット・ドクター、そして③協働しているヒーラーたちと彼らのスピリット・ドクター、以上が存在していることになります。こうして私たちは、ヒーリングの目的のために一つとなり、見えるもの、見えざるものを合わせたいくつかの存在をもとに、相互の協働関係図を思い描くことができるのです。公のヒーリングサービスでは、多くのサポートヒーラーたちのもと、素晴らしい図が描かれています。

つまり、私たちは互いに集まり、病を乗り越えるのです。スピリット・ガイドの集まりもそうであると間違いなく言えますし、そう考えるのが論理的でしょう。実際の本質的なヒーリングの努力においては、一つのスピリット・ドクターが指揮をとっています。このスピリット・ドクターは、管理能力のあるヒーラーのヒーリング・ガイドである場合が多いようです。

思い出してみましょう。ヒーリングは、一定の病気を克服するために、一定の力、知的な方向づけが必要です。そして、実際のヒーリングの努力は、**一つのスピリット・ドクター**によって実行されます。

スピリット・ドクターたちが所有する知識や経験の度合いは多様であると考えるのは、道理に合わないことではありません。特定の病気治療において、誰かが他の者よりも、広い知識を持っているかもしれないのです――言い換えれば、その道の「スペシャリスト」がいるかもしれないということです。人間の世界にいるように、スピリットの世界にもいるということなのです。もしもそれが本当なら、協働しているヒーラーのスピリット・ドクターが、その折りにおいて、主治医となりうることもあるのです*。

ヒーラーはみな、当然、自分のヒーリング・ガイドを誇りに思っています。私たちはその弱さゆえ、その誰かが持つヒーリング・ガイドが、ヒーリングを実行してくれようなどとは思えないかもしれません。しかし心配することはないのです。そのような弱さは、スピリットのなかには存在しません。特に、その誰かが、管理能力のあるヒーラーであった場合にはです。

要約すると、それゆえ、私たちが互いに協働する際、私たちは「手」から個人的なヒーリング・エナジーを送り出すのではありません。与えられる援助は、ある条件下にあり、絶対のものではありません。ヒーラーがこのことを理解すれば、道理をともない、真の観点からの協働作用がもたらされるでしょう。

---

* 「ヒーラーのスピリット・ガイド」について言及している。知っておいてほしいのは、トランスコントロールのもの、ヒーラーがただ一人、一つのガイドと協働している場合を除いて、かなりのスピリット・ドクター・ガイドたちが、多くのヒーラーたちと結びついているということです。

第6章　手の使用

これまで、診断のためにヒーラーの手がどのように使用されるかを見てきました。手を伝い、ヒーリング・エナジーが変換され、伝達される方法のことです。そして、ヒーラーと協働してのヒーリング・クリニックでの手の使用方法の説明をしてきました。また、手は心の延長であるという前提を基に、ときに、手はスピリット・ヒーリング・エナジーから身体的な矯正力への変換機能を持つことも見てきました。

ヒーリングにおいて、ヒーラーが患者に手をかざす必要があるかどうかは、議論のあるところでしょう。これについてはアブセント・ヒーリングについて熟考するときに、見えてくるものがあるのではないでしょうか。

「ヒーリング処置」について論じるこの一節に関して、ヒーラーは自分の心を制限するべきではありません。手はヒーリング・エナジーの流れる絶対的な道具であるという考えのもとにおいてもです。これはある意味真実ですが、かならずしもすべてにおいてではありません。

スピリチュアル・ヒーリングにおいて重要な役割をもつ調和（調律＝チューニング）が、ハリー・エドワーズの大規模な公開デモンストレーションの場で現われる。

「私たちはヒーリングの意図を表現するために、私たちの心の一部として手を使うのです」

ハリー・エドワーズ

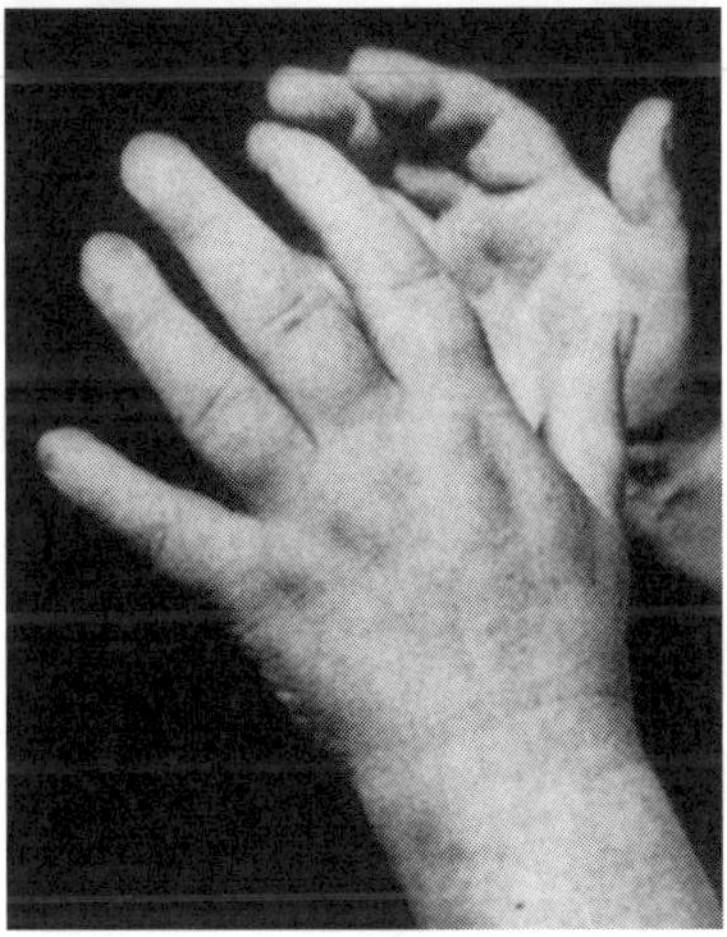

ハリー・エドワーズの表情豊かな手。

手は、ヒーリング目的のために、その焦点となる箇所として差し出されるものです。私たちは、患者の精神的な心構えについても考慮しなければなりません。患者は当然、ヒーラーが問題症状のある部分に注意を向けてくれることを期待するでしょう。もしも目にヒーリングが必要ならば、ヒーラーから目を触られることによって治療が施されることを患者は期待するでしょう。

ヒーラーによる治療においては、患者が安心している状態を維持することが不可欠であり、ヒーラーの手は、疾患のある部分に置かれることが望ましく、これによって心理的効果も得られるでしょう。

私たちは今、ヒーラーが、患者が与えてくれた情報、または得られた診断をもとに、スピリット・ガイドまたはスピリット・ドクターと調和し、患者と交わっている図を思い描いています。スピリット・ドクターは、ヒーラーの心に「耳を傾け」、患者の苦しみを通して、その病気の身体的な性質を把握します。そして、彼が習得している方法で病の原因や症状を「診《み》て」診断へたどり着き、それを克服するための正しい性質のヒーリング・エナジーを決定します。そしてここで、ヒーリングの時間がやってくるのです。

ヒーラーの手が患者の体の疾患部分近くに置かれている場合、その手はヒーリング力の伝達のための最終手段となります。もしも例えば、関節炎で肩が凝り固まっている場合、ヒーラーはその部分に手を置き、「この肩関節が固着状態から解放される」というヒーリングの目的と内側で通じ合い、「固着」物質を分散させるヒーリング力をゆき渡らせるのです。

このヒーリング意図を探求する行為は、長い時間をかける必要はありません。固着物質を散らすためには、ほんのひと間かふた間あればよく、それ以上にはなりません。そしてヒーラーは、患者と一体化した状態で、そっと上腕を動かし、現在可能である状態の緩和、改善の余地を探るのです。なお、関節炎のヒーリングなどに関する詳細は、このあとの章の主題とします。

一般的には同様の方法が、たいていの身体的な問題において適用されます。はじめに、ヒーリングの意図が、次に、結果の査定がなされます。この肩関節治療にて、**いかなる種類の「力」も加えられることはないのです。**手は、調和した心の延長であり、ヒーラーは経験を積むと、どんな動きが可能であるか、直感的に察知できるようになります。もちろんヒーラーは、関節が自由になるよう探求します。ときには関節の血行をよくするために、痛みをともなわない範囲で徐々に動きをつけていく手法がとられ、腕を上方に伸ばすこともあります。もしも患者が痛みを訴えたならば、これはヒーラーがゆき過ぎたことを意味します。そして、そのときに関節が完全に自由にならなくても、ヒーラーはそのときの状態に納得することを学ばなくてはなりません。そしてそれ以上の動きを探求してはならないのです。状態の緩和を探求する上で、ヒーラーの手は、実際もそうであるように「心の一部」であり続けるものなのです。このことに、極端に重きを置くことはできません。

患者と交わり合う行為において、手を利用することは大いなる助けとなりえます。ヒーラーは患者と（きちんと）関係を持とうとしているのです。患者は、彼の前に座ることが好ましいでしょう。ヒーラーが患者と会話をしているあいだ、患者の手を取り、優しく、しかししっかりと握り、彼を安心させて、必要とされるヒーリングを探しましょう。これが患者との調和を築くのです。ヒーラーは、病気の知識やそれが位置する場所（患部）から直感的に得る診断から、改善策を得るためのヒーリングの意図を探ります。例を挙げると、その病気が甲状腺腫や腫瘍であれば、ヒーラーは片手もしくは両手をその箇所にかるく当てて、心でその分散が起こるよう探求するのです。場合によっては、甲状腺腫を消し去るようにその上で指を優しく動かしたりもするでしょう。やわらげるように、分散させるように。ヒーラーは手を利用することで、ヒーリングの分散力がゆき渡るようにしなければなりません。スピリット・ドクターは、ヒーラーと親密な状態にあり、ヒーラーは直感的にヒーリングの指示を受け取ることになるかもしれません。とりわけ彼は、意識的にではないかもしれないですが……。次に、「結果の観察」も大切です。甲状腺腫において、もしも腫瘍が目に見えるものであれば、腫瘍が小さくなったかどうか、もしくは根深い腫瘍が和らいできているかどうかが、確認できるでしょう。

私たちができるヒーリング行為はシンプルです。しかしたびたび、ヒーラーはそのシンプルさに満足できず、より貢献したいと願うのです。その場合、ヒーリングは次なる段階へと手渡されるのだと理解しましょう。望まれる結果がすべて得られておらず、ヒーラーがまだ心のなかにヒーリングの意図を抱えている状況で、ヒーラーがその治療の続行を望むことは、ごく自然なことなのです。その場合は、さらに病を落ち着かせるために、手で「取り除く」身ぶりを行なうことがあるかもしれません。

これまで見てきたように、手による身体的な動作は、ヒーリング行為そのものの構成要素ではありません。ヒーラーのなかには、手かざしなどの表現の実践を新たな技術とするものもいます。これは、このメソッドを通して、ヒーリングが起こることを否定するものではありません。ヒーリングの意図は生きており、ヒーリングは起こるのです――ただし、手かざしそのものによってではなく、ヒーリングの**意図**が生きているために、ヒーリングが起きるのです。

このような手かざしによるヒーリングを行なうことによって、手を洗い清めたくなる欲求が生まれ、「ふり払う」かのような動作に至ることがあります。このような誇張表現が誇張表現を招き、ヒーラーが病の痕跡を壁に投げつけるような、手を使ったこのような「ふり払う」動作は、はなはだしく常軌を逸したものであると、過去の事例から観察されています。加えてこれもまた不合理なことですが、ヒーラーのなかには、患者に対して自分のすぐ近くに立たないよう警告するものがいます。まるでさもなければ、自分が感染し、病気を引き受けてしまうかのように！

これはさらに馬鹿げたことです。

患者が不安がっており、緊張している場合は、心を落ち着かせるように手でかるく触れ、リラックスさせてあげましょう。もしも頭痛があるなら、指でおでこを優しくなでて和らげてあげると、頭痛が取り除かれることが多いのです。まるでヒーリングの意図の一部がそうするかのようにです。

この章のねらいは、いかにしてヒーラーの手を論理的に有効な方法で使用できるのかを示すことです。スピリット・ドクターの指揮下にあり、ヒーラーの心の延長である手（の使い方について）を。触れ合いによるスピリチュアル・ヒーリングは行きあたりばったりではなく、思考過程に則っています。ヒーラーは彼のスピリット・マインドとコンシャス・マインドを調律《チューニング》する技術を備えており、スピリット・ガイドが使用する楽器となります。ガイドは、スピリット・マインドを経由してフィジカル・マインドへとヒーリング計画を送りこみ、**経験を積むほどに**、ヒーリング行為において意志を持った楽器となることができるのです。手は最終段階として利用され、そのことによって、ヒーリング・エナジーは変換され、患者のもとに届けられます。一般的には非常に短い時間のあいだ――ことによると数秒で届けられるのです。

あくまで、ヒーラーのヒーリングのための意志表示のために、他の方法で手を使うこともありますが、ヒーラーが、ヒーリングそのものの能力を備えているわけではないのです。

†ヒーリングにおける手の存在

・手を動かすなど身体的動作によってヒーリングをしているのではない。
・ヒーリング・エナジーが流れる絶対的な楽器ともいえる。
・心の一部であり、調律《チューニング》した心の延長でもある。

第７章　ヒーリング倫理

この部のほとんどの内容は、すでに熟練したヒーラーたちに理解され、遵守されているものです。ここにあえてこれを含めるのは、この最も重大な側面の言及なしには、どんなスピリチュアル・ヒーリングの本も完全なものとはならないからです。英国スピリチュアルヒーラーズ連盟（ＮＦＳＨ）のすべての会員は、ヒポクラテスの宣誓が裏書きされている会員規約に署名をします。それは以下の通りです。

ヒポクラテスの宣誓

私は患者の利益のために、この能力と分別のもと、摂生に努めます。それは、彼らを傷つけ、誤った行ないをするためのものではありません。たとえ求められても、どんな薬剤も与えず、勧めることもせず、また、女性の中絶には一切加担しません。どのような家に足を踏み入れようとも、それは患者の利益のためであり、誤った行ない、堕落、特に、その繋がりや解放を求めた男性・女性への誘惑行為は行ないません。患者治療において、またそこから離れた場所においても、そこで知り得た私的情報を他人に漏らさず、沈黙を保ち、それらを厳粛な秘密として遵守することを誓います。

この古くからの厳かな献身のなかに表現されているのは、ヒーラーがヒーリング奉仕の生活を安全に築く上での、基準となるものです。

一般的にヒーリングに関する倫理は、三つに分類されます。

① ヒーラーと患者の関係
② ヒーラーと医師や他の開業医との関係
③ ヒーラーの能力に対する責任

それゆえ、これらを順番に考えていくのが一番わかりやすいでしょう。

ヒーラーと患者の関係

患者からヒーラーへと伝達された情報は厳粛な秘密であり、**いかなる状況下においても**漏らしてはならないものです。この点に関しては、ヒーラーは医者や司祭と同じ立場です。例えば、ヒーリング過程において、患者はヒーラーを困らせるような無思慮で、さらには犯罪行為にまで及ぶことを話題に出してくるかもしれません。ヒーラーは導かれ、問題を解決するための方法を提案する立場であるなら、与えられたすべての情報を絶対に漏らしてはならないのです。特に、家族内の者がヒーリングを受けている場合には、ヒーラーがその職権により知り得た情報を漏らしてしまわぬよう、細心の注意を払わなければなりません。

ヒーラーはスピリチュアル・ヒーラーとして、自らの範囲を超えて、彼らの両親にアドバイスをしてみたくなるでしょう。しかし、これは最も危険な行為です。ヒーラーは自分自身に常に問いかけ、確認しておかなければなりません。与えているアドバイスが外の源泉からではなく、エゴから生じているものでないか、と。このようなアドバイスがスピリット・ガイドやドクターから直接与えられたものであると確信している場合でも、どんどん先へと進み、患者の命を生きようとしていないか、本来は患者自身がしなければならない解決を試みてはいないかを、明らかにしておくべきなのです。一般的に言われるのは、患者へのアドバイスについて考える上で、ヒーラーの最も重要な目的とは、患者自身に問題の解決を探求させることです。自分自身で自らの事柄や精神的問題を解明するためにです。他のどんな療法よりも、スピリチュアル・ヒーリングが尊く偉大な点は、言葉をかならずしも必要とせず、言葉を超えた深い領域で働きかけることです。例えば、精神療法における療法士が、患者の問題へ直接的に関与するのと同じようにです。

ヒーリングの礼儀作法

ヒーラーはいついかなる場合においても、患者に衣服を脱ぐよう求めてはなりません。快適な（リラックスした）状態でいるために、男性はジャケットを、女性はオーバーを脱ぐことはあっても、それ以上、脱衣する必要はないのです。過去に、ヒーラーがなんの悪気もなく患者の服を脱がせて治療を探求しようとして、混乱が生じた例がありました。それゆえ、ヒーラーはいかなる場合においても、これらを避けるべきです。

ヒーラーが異性を治療する際には、付添人を同席させることが望ましいでしょう。もちろんこれが不可能な場合もあるでしょうが、基本的には、必要な場合に備えていつも誰かがすぐそばにいるべきです。これは特に、患者の自宅を訪問する際に言えることです。男性ヒーラーが女性をベッドまたは寝室で治療する機会には必要で、そのような場合には、彼女の夫、女性の親戚や友人が居合わせることが大事です。患者を病院にて治療する資格ある医学療法士でも、診察を行なう前には看護師を呼び、立ち会わせているのです。このことは覚えておくとよいでしょう。厳格で絶対の規則が存在するわけではありませんが、このような倫理規定が、ヒーラーの名声と立場を守る上で、とても有益なものとなるでしょう。

ヒーラーと医師の関係

患者に関わるすべての療法士との間に、完全なる理解と協力があれば、それが最も望ましい状態です。以下のことを、ヒーラーは心に留めておかなければならないでしょう。資格ある医学療法士から見れば、ヒーラーは無資格であり、耳障りな言葉を使用すれば、「偽物」ということになります。今日、多くの医師が、ヒーラーの仕事に、ヒーラーが誠実に理に適った支援を試みていることに対して理解を持っていますが、他の者たちは大いに疑っているのです。医師は資格を得るために、最低でも六年間の訓練を受けます。ですから、彼らがそのように感じるのも理解できます。他の療法士との公正で誠実な協力関係を探求することは、すべてのヒーラーにとって義務なのです。そうすることによって、ヒーリング・ワークにおいてもさらなる高みへ行くことができ、より多くの人々にスピリチュアル療法とフィジカル療法の両方の利益を並行してもたらすことが可能になるのです。

スピリチュアル・ヒーラーへの訪問を許可する医師、あるいは、スピリチュアル・ヒーラーへと患者を送り出す医師は、次第に増加してきています。病院においても、患者を、ヒーリング・サンクチュアリにてヒーリングを受けさせるために移動病院へと送り込むことがあり、英国スピリチュアルヒーラーズ連盟の会員であるヒーラーは、一五〇〇以上の国立病院にて、患者を治療する許可を与えられています（医師の同意のもと）。一方、公認の医学組織である英国医師会（The British Medical Association）及び英国医事委員会（The British Medical Council）は、スピリチュアル・ヒーリングを承認していません。彼らはこれを見て見ぬふりをしており、彼らの名声と、むしろ絶対に侵されてはならない立場、法廷での裁きにて発言権を持つ立場を守るために、平信徒が病を治癒するなどということを認めることができないのです。彼らは言います、その栄誉は承認された医師だけに与えられるものである、と。

病の治療において、スピリチュアル・ヒーラーを支持している医師は、懲戒処分を受けているか、医師登録簿から除名されている場合が多いのです。したがって、医師とヒーラーの連帯においては、最上の信頼関係のもとで行なわれなければならず、患者の情報を外部に漏らしたりしてはなりません。よき医師の人生が、ヒーラーの手にかかっているかもしれず、私たちはこのような医師を軽率な言動により苦しませてはならないのです。

ヒーラーが医師と協働する最もよい方法の一つは、いちスピリチュアル・ヒーラーとして立場を越えないことです。薬剤や医薬に関するアドバイスをするのは、ヒーラーの職分ではないのです。また、患者が医師から与えられたアドバイスに対して、口出しをすることも違います。このような行ないが、他の医師との衝突を招きやすいのです。

薬剤と手術に関するアドバイス

処方された薬は患者にとって有害であると、ヒーラーは思いがちであるかもしれません。また同じように、医師によって提案された手術も、結局は有害であり、患者にとって致命的なものとなりうると思うかもしれません。このような心情のもとには、それと反対の助言をするという、大きな誘惑が存在します。これはどんな状況下においても避けなければならないことです。ヒーラーはスピリチュアル・ヒーリングで患者を治療し、その後、患者には医師のもとへ行き、このあいだに起こった状態の変化を知らせるように助言しましょう。ヒーラーは患者に、医師に何が起きたのかを告げるように指示し、医師の協力が得られるよう努めるのです。身体的な治療が施される前に、もう少しだけ時間がもらえるようにと。この一連の行ないは、たびたび成功するでしょうし、ことによると、ヒーラーシップの目的のもと、医師も協力者となってくれるかもしれません。しかしながら、そのような協力が得られなかった場合には、患者自身が選択しなければならないときが来ます。たとえヒーラーが介入したいと思っていても、どの方法を選択するのか、患者に自分自身で決断する余地を与えなければならないのです（第3部第7章「内臓障害、機能障害、血液と循環状態、腫瘍などのヒーリング」を参照）。

子どものヒーリング

一六歳未満の子どもの治療を行なう際には、特別な注意を払わなくてはなりません。**資格のない療法士が、子どもに対して、必要である医学的な手当を受けないよう仕向ける行為は、法律に反します。**したがってヒーラーは、常に親御さんに、子どもに関しては医師の見解を聞くように助言し、親御さんがそれを拒否した場合、特に子どもが末期的病状に苦しんでいる場合には、ヒーラーは彼らに事実を記すよう一筆求めなければなりません。ヒーラーは医学的助言を仰ぐよう指示した、と。

覚えておくべき二つの黄金律があります。一つは、どんな症例においても、医師にかかるのも、スピリチュアル・ヒーリングを受けるのも同様であるとヒーラーが患者に告げることです。二つ目は、極端な食事療法や身体的治療に関する助言を避けることです。ヒーラーはこのような助言をする直接的資格を持ってはいないのです。これらを心がけることで、ヒーラーは他の医師との協力関係をより気持ちよく築くことができ、最終的に他の医師との完全な協力関係ができあがるのです。スピリチュアル・ヒーラーは、どのような種類の症例も治療することができます。彼らの療法はスピリチュアルであり、スピリチュアルレベルで実行されるのです。物質に及ぶパワフルなスピリットの性質について思い出せば、このような行ないのもとに、なんの制限もないことが理解できるでしょう。そして、時の経過とともに、救済治療の在り方において、この療法に真の展望をもたらしてくれるでしょう。

ヒーラーの能力に対する責任

スピリチュアル・ヒーリングは、神からの贈り物であり、それを探求するものみなに有効です。ヒーラーには、人種、肌の色、信条の偏見なく、公平で、注意深い警告と、知能ある手段を提供する大きな責任があります。ヒーラーは自分自身が、神の愛が流れる場所、神が人類奉仕のために人間性と献身について思う場所への経路（道具）であることを知っているかぎり、その能力に対する責任を果たすことができます。

†患者との関係において注意すべきこと

・患者からの情報を漏らしてはならない。
・患者へのアドバイスを行なう目的（問題の解決を探求させること）を忘れてはならない。
・患者に衣服を脱ぐことを求めない。
・異性をヒーリングする場合には付き添い人に同席してもらう。
・子どもへのヒーリングでは法律を遵守する。

第8章　ヒーリング・クリニックの運営

ヒーリングの手法に確固たる規則がないように、ヒーリング・クリニックを運営する上でも決められた一つの方法というものはありません。しかしながら、防ぐべき陥りやすい誤りや、適用するのに有効と思われる一般的な実行方法は存在します。

クリニックがどこにあろうとも、部屋のなかであっても、公の場所であっても、ヒーラーの自宅では特に、シンプルで複雑でない手順に従うことが最良です。クリニックは、ヒーラーの地位強化のためでなく、患者の幸福のためにあるのだということを、常に覚えておきましょう。

次のアイディアは一般的に適用されるものでありますが、もちろん、クリニックの特別な機会、個人の好み、ヒーラーの考えにより、その都度、変更、修正されるものです。

ヒーリング・クリニックの内装と家具

これはまったく個人の好みの問題です。ただ一般的には、シンプルであることが一番効果的でしょう。飾りや装飾をしすぎることは危険であり、ヒーラーの説得力を低下させ、患者の心を難しくしてしまう可能性があります。平安、光、清潔さを表わす環境が、最良の心の状態を患者にもたらすことを、多くのヒーラーが経験上知っています。カーテンで完全に暗くした部屋や、赤い照明環境で患者のヒーリングを行なうのは古い考えで、もはやどこにも見られません。

白衣

今日、大多数のヒーラーは白い上着（白衣）を着用しており、清潔で、きれいで、真新しい白衣は患者に安心感をもたらし、汚く、しわしわの茶色い上着は、逆の効果をもたらすでしょう。ただ白衣を着ればそれでヒーラーになれるのではありません。白衣を着用する目的は、衛生上にあるのであり、ユニホームを意味するものではないのです。

手洗い

各患者の診療のあいだに手を洗う行為は、かつて身体的感染を防ぐ手段であると信じられてきました。おそらくこれらは、かつてヒーリングにおいて頻繁に利用されていた手かざしからきているのでしょう。これらは「オーラを浄化する」と信じられてのものです。これらの行ないは、今日では、より一般的でなくなってきており、必要でないと信じられています。しかし清潔さという観点から見ると、ヒーラーが手洗いなど洗浄設備を整えておくことは望ましいでしょう。

カルテ

カルテをつけることには、二つの目的があります。これはヒーラーが患者の状態を思い出すために、そして、スピリチュアル・ヒーリングが身体にもたらした効果を実際に記すために利用します。英国スピリチュアルヒーラーズ連盟のショートエーカー、チャーチヒル、ロートン、エセックス（それぞれイギリスの地名）の本部では、ひな型としてのカルテが存在し、最もシンプルな形の見本とされています。

受付

もしも受付係を配置することができるなら、症例記録をつける上で大いなる助けとなるでしょう。受付係は、静かで信頼でき、患者に安心感を与え、患者がヒーリングを受ける前に抱えている不安や問題を拭い去るような人物であるべきです。

「ヒーリングは、待合室からはじまる」とよく言われます。素晴らしい受付係を持てば、これが疑いなく、事実であることがわかるでしょう。

ヒーリングのグループ組織

こちらはもちろん、ヒーラー間の事前協定に基づくものです。ほとんどのヒーリング・グループには、まず新規患者全員と接見し、患者の状態を見極め、それぞれに最もふさわしいヒーラーを割り当てるリーダーが存在します。ここでは、協働するヒーラー間に調和があることが最も重要であり、自分の所属するグループと調和して協働することが不可能なのであれば、我慢してヒーリング計画をだめにしてしまうよりは、奉仕の場所をほかに移したほうがよいでしょう。

クリニックの宣伝

これをすることになんの間違いもないのですが、一般的には、ヒーラーが自分のサービスを宣伝することは望ましくありません。患者がヒーリングを受けようとする際には、彼らが自分自身で探すか、連れて来られるかなのです。しかしながら、ヒーラーのなかには、宣伝を必要とするものもいます。特に、クリニックをオープンしたときです。この場合は必要であるかもしれません。ヒーラーの広告は、「かならず結果が現われる」などといった確約を含むものであってはならず、ヒーリングに関する広告は、ヒーラーシップの威厳を映すものである場合に、もっともその目的を果たします。一番よい宣伝のかたちは、満足した患者からの推薦です。結果を得ていれば、人々はそのヒーリングを受けたいと集まってくるもので、宣伝は必要なくなるのです。

メディアとの向き合い方

ヒーラーはときおり、出版物やテレビの取材を受けることがあるでしょう。多くの場合、扇情的に報道するのが彼らの仕事です。彼らがそれに務める上で、ヒーラーはヒーラーシップについて話すように求められることがあるかもしれません。この場合に常に心に留めておくべきは、自分について話しているのではなく、ヒーラー仲間、みなについて話しているのだということです。誇張表現はいかなることがあっても避けなければならず、ヒーラーシップのイメージが疑わしく、「怪しげ」なものとならないように、最大限の注意を払うべきです。**いかなる状況においても、事前の許可なしに、患者の名前や住所を報道陣に漏らしてはなりません。**医師の治療を受ける場合と同様に、ヒーリングの患者もプライバシー保護の権利を与えられているのです。

医薬品の販売

ヒーラーがクリニックにて、いかなる種類の医薬品をも販売することは、法律に反する行為です。これは、薬草及び同毒治療薬（ホメオパシー）も含みます。

まとめ

クリニックにて、ヒーラーシップの最善が尽くされている場合、ヒーリング・クリニックの未来は、病気治療における一般的実践方法のなかで、正しい立ち位置を獲得できるでしょう。ヒーリング・クリニックは、ヒーラーシップが実践される場所であり、快適で思いやりのある環境のもと、患者に最良を施すことがヒーラーとしての私たちの責務なのです。

第9章　患者のヒーリングとの向き合い方

患者はどのようにしてヒーリングの努力を積むことができるのでしょうか。それらは個々のものであり、規定に従うことができないものです。なぜなら、患者はそれぞれの症例を持っており、その性質・症状によって、個々のヒーリングが必要ですから。しかし、患者とヒーラーの相互間において助けとなる、いくつかの一般的方法は存在します。

まず治療が施される前に、その原因を特定しなければなりません。今日、私たちの苦悩のほとんどは精神性、神経性不安にその原因があり、多くの場合、そのことに患者が気づいていません。

患者のなかには、幸せな性質を持ち合わせ、家庭生活においてほとんど不安や心配事がない者たちがいます。このような例においては、確実にその苦悩の原因が精神的ストレスではないと考えられます。患者が寛大でオープンで、よい人の場合は、彼のその寛大さと他者への思いやりのゆえに、彼は他人の重荷を自分の心に背負い込み、無意識のうちに心を苦しくしていることがあります。これは心のストレスの一例ですが、これが進むと、身体的な不調和をまねくのです。

まずはじめに、患者に不可欠であるのは、穏やかで明るい展望を持ち、十分にヒーリングの力を受け入れられる状態となること。自分自身で納得し、回復を待ち望む心になることです。スピリチュアル・ヒーリングにおいて、まずはじめに見られる効果の一つに、「心が上向きになった感覚」があります。これはスピリットが、患者の心に幸福な効力をもたらしたことの結果であり、ヒーリングの取り組みの初期段階において見られることが多いものです。

このより明るく、向上した気持ちになることが待ち望まれます。その明るい様子が見た目にも現われ、楽しげな様子や表情が見受けられるべきなのです。このことがスピリット・ドクターに、心と神経の平静状態を築く力を与えるからです。ヒーリングにおいて明らかによい、それが霊的であろうと医学的であろうと、「より幸福な状態」を作りだすのです。

二つ目に患者に不可欠なのは、身体の衛生が保たれなければならないことです。血流や腹部の問題が、いかに便秘の原因となっていることか！　有害なものが血流に入り込み、洗浄・促進作用を妨げたとしましょう。そうすると患者は常に便秘を解消するために適当な緩下剤を服用しなければなりません。

虫歯や状態の悪い歯は常に、害を組織に広げる原因であり、リウマチや関節炎、消化器官の問題の原因になることも多いのです。ですから、まず虫歯や悪い歯の状態がまず解決されるべきです。

呼吸によって宇宙の力を意識的に吸収することができると言う人々がいますが、私たちも同意します。患者は呼吸について学び、息を十分に吸い込んでいるか、息を吸い込む量、酸素の摂取量が少なくなっていないかを確かめるべきです。血流は肺へ流れ着き、使い切った気体を排出し、血液と細胞に欠かせない酸素を取り入れます。患者に、エナジーが与えられるこの呼吸法を修練するよう奨めましょう。一日に数分だけでなく、絶えずそうするようにしましょう。

もう一つ、ヒーリングの助けとなるものが、一般的なマッサージのなかにあります。マッサージが痛みや凝りのある場合にだけ必要だとするのはやめましょう。オイルやクリームを利用して、なでる行為が、血流をよくし、組織をほぐし、筋肉繊維内の血中に残された老廃物を分散させることなどを助けるのです。マッサージとは刺激です。磨き上げられた技術は必要ありません。ただ、なで擦《こす》るだけでよいのです。これは「ごしごし擦る」といった勢いのあるものではなく、しっかりと滑らかになでます。これが血流と組織の働きを助けるのです。ベッドなどに横たわって行なうときは、枕を膝の下に置いて、腹部をもみ、マッサージしましょう。これで便秘症状を改善させることが多いです。

体を元気づけるためには、たっぷりと水分を摂りましょう。コップ一杯のぬるま湯を、寝る前、または朝一番に飲みましょう（夜中寝ているときのために魔法びんを準備しておくのもよいでしょう）。

それから、過食は避け、油っぽいものや揚げ物を過剰に摂取するのはやめましょう。強健な体であれば、「なんでも」食べてもよいですが、「機能が弱い」ほうであれば、脂肪過多は避けるべ

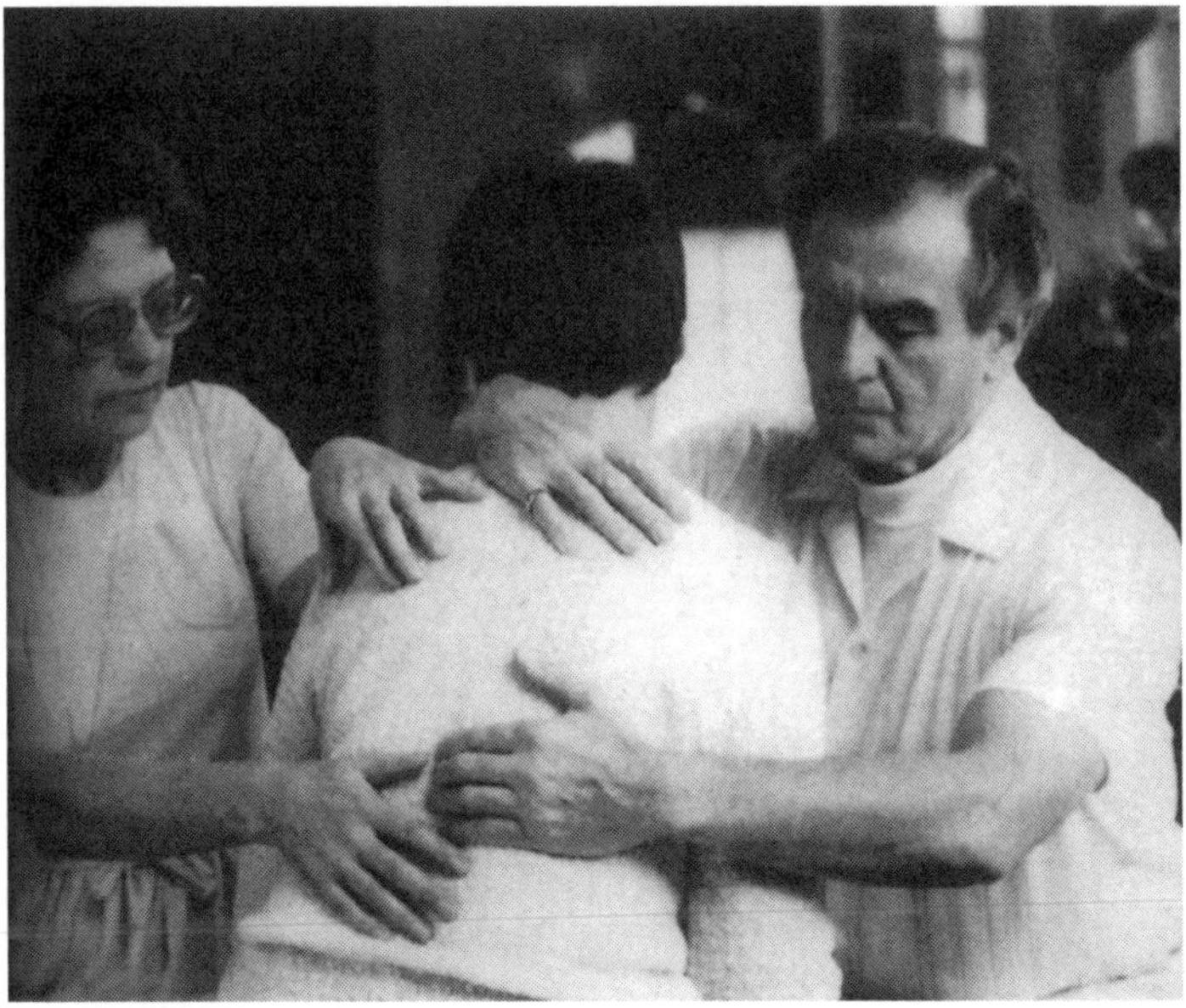

ヒーリング・サンクチュアリで仕事をするジョーンとレイ・ブランチ。

きです。十分なフレッシュサラダや甘い果実、一般的に言う「太陽」の食べ物を摂りましょう。オレンジや黒ふさすぐりのジュースは、ビタミンが豊富です。何より、食事を日々の単調な習慣にしてはならず、食べることや飲むことを、「これがためになる」という感覚を心に抱いて楽しむべきです。もしも自分の障害が特別な食事（療法食）を必要としているのなら、もちろんそれに従いましょう。

寝床に入るとは、眠りにつくということです。ベッドはそのためにあります。数時間に及ぶ暗闇から起床する時間まで、リラックスして穏やかな睡眠をとる習慣をつけましょう。眠れないイメージをしたり、昨夜の不安や過去の悲しい出来事を思い出したりするのはやめましょう。これらは無駄であり、ただ害を及ぼすだけです。未来の問題をあれこれ考えて気に病むのもやめましょう。そのようなことは起こらないかもしれないのです。起こったとしても、じっと考え込むことはなんの助けにもなりません。眠りにつき、力を補給することによって、患者は問題に対してよりたやすく向き合えるようになるのです。想像力は、モグラ塚を山へと簡単に膨らませてしまうのです。ですから、患者に伝えましょう。考えたいのなら、楽しいことについてじっくりと考え、そうすることを楽しもう、と。

人はこれを、「自然治癒」と呼びます。そうすると、スピリチュアル・ヒーリングは自然治癒に比べて何が優れているのでしょうか？

これらは私が患者に推薦した実践のなかにあります。これらは読むだけならやさしく、実際はむずかしいと思うかもしれません。しかしそのなかのいくつかは、そう努力なくしても得られるマッサージや呼吸法などです。患者がこれらをはじめたのなら、そのうち、他の人も同じようにするのを見ることになるでしょう。そしてこれらすべてをよいことと感じるようになるのです。そして実際にこれらが、スピリット・ドクターが主要な問題を取り除くための力を与えることになるのです。

†患者がヒーリングと向き合うにあたって

・精神的向上が得られ、外見にもそれが見られるべきである。
・身体の衛生を保つこと。
・一般的なマッサージを受ける。
・食べること、飲むことについて「これがためになる」と意識する。
・リラックスして穏やかに睡眠をとる。

第10章　ヒーリングの源泉

次のように、私はたびたび、牧師や教会の人々から尋ねられます。

「ヒーラーは、スピリット・ドクターやそれに値するものとコミュニケーションをとると言う。なぜ、神そのものとコミュニケーションをとらないのか――そしてなぜスピリット・パーソンが呼び出される必要があるのだろうか?」

まずなによりも、ヒーリングにおいて、祈りは神に捧げられるものです。私たちはスピリット・ピープルに**祈り**はしません。

私たちは、ヒーリングのためにスピリットと調律《チューニング》するとき、神には祈りません。神への祈りとは区別されており、過程が違うのです。

私たちは、ヒーリングの源泉は神であり、それゆえ、神聖なものであると信じています。**私たちは、スピリット内のヒーリング・ドクターは「神の使い」であり、それ以上でないとしても、任命された司祭と同じようであると信じています。**

神が仕事をなす場合について、聖書が語っています。神がどのようにして天使を送り込み、仕事を行なうかを。スピリチュアル・ヒーリングもこれとまったく同じなのです。

スピリット・ヒーリング・ドクターは神の天使、もしくは使いです。彼らが、神の名のもとに知恵と力を行使し、病を治癒するという任務を遂行するのです。

このようにヒーリングの努力にて私たちが担う役割は、スピリット・ドクターと調律《チューニング》する能力を通して、（患者の）彼や彼女それぞれの病に与えられるべき必要な援助について伝達することです。これが私たちの言うところの「指示的なとりなし」です。

教会の人々は、「聖者との交わり」を信じています。これは、私たちの「スピリットとの交わり」とどう違うのでしょうか？　誰が「聖者」の特性を定めたのでしょうか？　そうしたものを定めたのは、神ではなく、人です。

「聖者」の資格とは、なんでしょうか？「スピリチュアリティー」という言葉に集約されるのではないでしょうか。神のそばにおり、法の知識を備え、病を治癒することのできる者たちは、「聖者であること」の資格を得られないのでしょうか？　そしてこれについて考えるのなら、教会に勤め、その地位と環境を築きあげ敬われている者たちよりも、母たちであったり、その他であったり、素人のスピリチュアリティーではあるものの、「聖者であること」によりふさわしい多くの知られざるつつましい人々が存在していると、私たちは信じているのです。

私たちは、すべての前向きな思考は、「体験の積み重ね」であり、祈りはこのようにして起こるのだと信じています。これが病に対する「指示的なとりなしの想念」なのです。

したがって私たちは、以下のように信じています。祈りが捧げられ、ヒーリング要求が出された場合、これらの想念（体験の積み重ね）は、スピリットのなかにいる神の使いによって受け取られ、可能な方法により遂行されるのだ、と。

私たちが神の使いとチューニング（調律、調和）できるというゆえに、ヒーリングを得ることは間違いであると考える者たちへ、尋ねます。「聖者や神の天使による援助を拒むのですか？」と。与えられる援助は同じものであると、私たちは訴えるのです。

その性質から考えてもわかるように、スピリチュアル・ヒーリングは神聖なものです。その源泉は「神聖なもの」であり、その適用には、必然的に神の力そのものを運んでくれるのです。そしてそこに、私たちのスピリット・ドクター、ガイド、援助者が存在しているのです。

第11章　ヒーリングはいつ病に届くのか？

シェアにある、私たちのハリー・エドワーズ・スピリチュアル・ヒーリング・サンクチュアリ（現ハリー・エドワーズ・ヒーリング・サンクチュアリ）では、ヒーリングを必要としている人々の間で、たびたびこのような質問がされます。「いつごろ、ヒーリングは病に届くのですか？」「一〇時のヒーリング・ミニッツ（ヒーリングの儀式）に」（サンクチュアリでは毎日、午前一〇時と午後一〇時に世界平和とヒーリングを必要としている世界中の人々のために、「ヒーリング・ミニッツ」と呼ばれる礼拝の時間が設けられている）。説明の入口として、これらのことを理解するのは、少し複雑かもしれません。またこのようにも尋ねられます。「私たちが何時頃とりなしを行なえば、患者の思考が私たちのヒーリングの取り組みと結びつきますか？」。ときには、「他のよい取り組みと協働するために、特定の時間にとりなしを行なうことはありますか？」などとも尋ねられます。

これらの質問に答えるために、ある話をしましょう。先の戦争（第二次世界大戦）にてV・1爆弾（ドイツ空軍のミサイル兵器）が出現する以前、私は当時のやり方に従って、患者に対して個々の予約を取っていました。そうすることによって、患者本人や付き添いの人々は、その時間に行なわれるヒーリングに繋がることができたのです。実際、よいヒーリング結果が出ていたものです。

しかしある日、V・1爆弾が私の家、それからヒーリング記録や予約表をもすべて焼き尽くしてしまいました。私はまるで、爆弾が私の人生に落ちたかのように感じ、予約のスケジュール表などはもはや何もなく、私はただ、いつもと違う方法でとりなしに従事することしかできませんでした。私は便りを待ち、そこによいヒーリング結果の報告があることを待つしかありませんでした。すると驚いたことに、彼らは継続していただけでなく、大いに回復していたのです……。このことにより、私は考えました。

こうして二つの事柄に気がついたのです。一つ目は、スピリット領域からのヒーリングは、時刻に左右されないということです。私たちはこの地球上の習慣に従って、「時間」という制約のもとでヒーリングを行なっていました。しかし、私は思い出したのです。スピリットにおいては、時間の概念が存在しないことを。

二つ目は、より高い次元の力と調律《チューニング》するという、最も重要でありシンプルである目的にだけ集中するということです。人の心は日々の事柄に支配されてはならず、その負担はできるだけ軽減され、心そのものを優勢にさせるべきなのです。言い換えれば、調律《チューニング》状態を築くこと、または、スピリットと一つになることなのです。

タイムテーブルを作成することはこれらの助けにはならず、それどころか患者により面倒をか

毎週届く何千通もの手紙に対応する、ヒーリング・サンクチュアリ初期のハリー・エドワーズとオリーヴ・バートン。

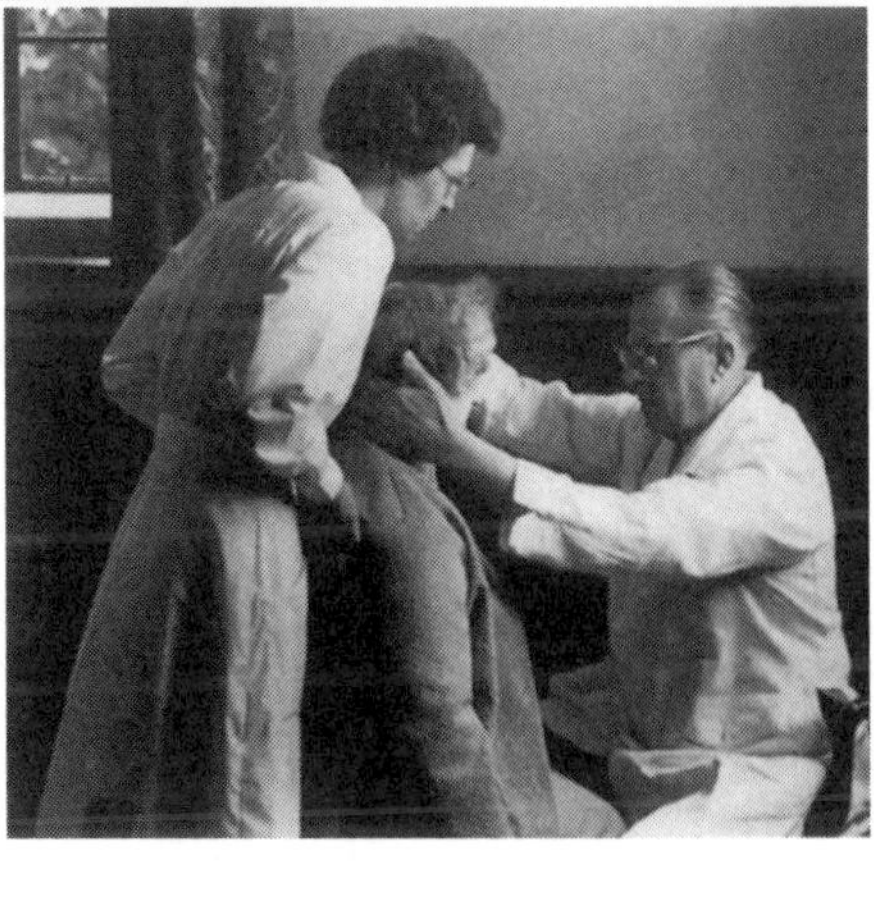

ジョーン・ブランチとともにヒーリングを行なうジョージ・バートン。ヒーリング・サンクチュアリにて。

けていたのだということがわかりました。ヒーラーシップがあるべき場所に落ち着くまでに、しかるべき調和技術に発展させるまでに、何年も長い時間がかかりました。知識のほとんどない一般の人々が、自分自身の心を静めることができるでしょうか？　日々の思考から解放させ（特に痛みがあり、その緩和が必要な場合）、ヒーリングのために心を調和することができるでしょうか？　いいえ、それはほとんどの場合できないことなのです。

スピリチュアル・ヒーリングにおいて、時間を課していたのは間違いでした。ヒーリングを行なう者たちは、**いかなるときであっても、**同じように、「時間」という制約のなかには生きていません。

ただ、ヒーリング力を指揮することが、最も有効な例もあります。患者が睡眠中で彼らの心が休んでいるときは、力と活力を回復させて、問題の原因を克服する一番の機会です。その場合は、夜遅い時間から明け方までに、とりなしを行ないます。

心が困惑し脅えており、展望が見込めず、このことが原因で体を病んでいる場合は、寝ているときではなく常に起きているあいだに、心と神経の緊張を解きほぐし落ち着かせる必要があります。

もう一つ認識したことは、スピリット・ドクターが働きかけ、身体的な知とヒーリングの努力を結びつけ、弱点や病などの克服の助力をするのは、日常の活発な活動内でなされるということです。

V・1爆弾の出来事以来、私たちはヒーリングの予約をとらなくなりました（手術等の例外的事情を除いては）。しかし、ヒーリングは後退するどころか、大いなる安楽をもたらしたのです。**したがって質問に対する答えは、「ヒーリングは病に対して、常に働きかけている」ということです。**

ヒーリングは、私たちの基準である「時間」に管理されているのではないのです。ヒーリングは薬のように、四時間ごとに服用するものではありません。患者の要求や機会があるかぎり、常に続いているものなのです。

スピリチュアル・ヒーリングに関しては、どのような質問に対しても一つの定まった答えというものはありません。電話によって、または特別な方法が設けられ、特定症状が改善された事例は多くあります。例えば、体温を下げたり、痛み症状を和らげたり、栄養を与えたり。これらの要求は、特別なとりなしの一部となり、ほとんどの場合、患者にその知識がなくとも、とりなしを行なうとすぐに安心感がもたらされるのです。

ただし、「ヒーリング・ミニッツ（Healing Minute）」（ヒーリングの儀礼）は、まったく別の方法が適用されます。これは、一度に大勢に向けて行なわれ、彼らの統合された想念を外へと向けて回路を開き、キリストのたましいが苦しんでいる者たち、そして世界の平和のために働きかけるものです。

儀礼のあいだ、苦しむ者たちは、スピリットからの援助を探求し、また、病気の親族のためのヒーリングを探求することもできます。これは事実であり、容認できることです。この方法により探求された援助は効果的であるという証明は、何度もなされてきました。一般的にこのヒーリング・ミニッツは、自分自身をよき目的のために捧げるための時間であり、よきものだけが現実となるのです。

しかしながら、このヒーリング・ミニッツは、私たちが患者のために個別に行なうとりなしの時間とは異なるものです。私たちはとりなしにおいては、一般的な方法でヒーリングという癒しを探求するのではなく、それぞれに対して行ない、特定症状の克服を探求するのです。

私たちも、みなと共通の目的のもとに集まるという点では、ヒーリング・ミニッツと結びつくところはあります。個々の患者は儀礼と調和することによって、救援されるということなのでしょう。

ここで「時間」についての質問に戻りましょう。ヒーリングが患者に働きかける時間についてです。私の答えは、「特別な時間はない」です。例えば、「五分から八分」のように決まった時間はないのです。ただ、多くの場合、ヒーリングは寝ている時間に効果的に届きます。あとは、どんな時間でもかまいません。一日のあらゆる時間に、持続させたり、力づけたり、緩和したり、慰めたり、正したり、よい変化をもたらしたり、困惑した心を鎮めたり、恐れを静めたり、不必要な物質を分散したり、安楽を与えたり、問題の原因を駆逐するため、病の力を取り除くため、そして患者が完全なる健康と幸福な日々を取り戻すために行なわれます。

第12章　十分な信念を持っているか？

ヒーリングが、望まれたように敏速に効果をもたらしていない場合に、患者からきわめて重大な質問をされます。「効果が表われないのは、私が十分な信念を持っていないからですか？」と。私はこれを、さらにもう二つの質問と関連付けることにします。同じ理由のもとでされる質問です。まず一つ目は、「神が私を苦しめているときに、どのようにして神に対する信仰を持てるのでしょうか？」。そして二つ目は、「私が因果応報で苦しんでいるときに、なぜヒーリングに対する信念を持たなければならないのでしょうか」というものです。

病（病気）は、健康という法が破られた結果、生じるものです。

スピリチュアル・ヒーリングは、健康というところから逸脱したことにより生じた結果を克服しようとするものです。はじめに、その「原因」を取り除き、次にその「症状」を克服することによってです。

それゆえ、どのような方向であれ、「信念」はヒーリングの効果が現われるための不可欠なものでは**ありません**。もし人が治療の善良さを信じ、信頼するならば、それは大いなる助けとなります。そうすれば、精神全体が向上し、患者も悲観的にならずにすみます（憂鬱さは治療をだめにします、医学的にもスピリチュアル的にも）。

誰に対しても、神が病気を与えたりすることはありません。こんなおかしな話はありません。神は冷たく、復讐心に満ちており、罪などに対して、「その見返りとして痛みや拷問を与えるものだ」と考えるのは、なんと醜い神の概念でしょう。そういうふうに考える人は、間違った思考回路に陥るでしょう、神はすべての行ないを記しているなどと。もしもこれが本当であったら、神は、子どもたちの罪をすべて記し、処罰するのにどれだけ忙しいことでしょうか。もちろん、こういうのはバカげた考えです。

神が私たちに病気を与えたりはしませんし（**繰り返しませんが**）、同様に、神が健康を管理している法を踏みにじり、人の好き嫌いによって、また神の采配によって、その回復に差をつけたりすることはありません。

明確な筋の通った論理で考えてみましょう。もしも私が火のなかに手を入れたら、やけどします。もしも寒い場所へと外出し雨と寒さでずぶぬれになったら、ひどい風邪を引くでしょう。もしも心配事を常にしていたら、頭痛に苦しみ、最終的には胃潰瘍を患うでしょう。もしも湿気のなかで暮らしたら、おそらくリウマチや関節炎を患うでしょう。もしも歯が虫歯であったら、もしも便秘改善に努めなければ、血液組織が毒に侵され、ある種の症状に苦しむでしょう……と、このように続くわけです。**病的な状態とは、健康の理《ことわり》を破ったことが原因で生じたものなのです。**

これと同じ論理でいくと、前世からの因果応報の理論は通りません。

スピリチュアル・ヒーリングは、マジックではなく、スピリット・サイエンスです。医学は、私たちの体や機能を管理している身体的な法についての知識に基づいています。こちらもマジックではありません。これは単に、原因と結果の研究です。

医師が働きかける身体的な法の枠組みが存在するように、同じくスピリット・ドクターが働きかけるスピリットの法の枠組みも存在します。これら二つの法を合わせて、**全体の法則**が成り立っているのです。スピリチュアル・ヒーリングのすべての行ないは、この全体的な法の枠組みのなかから生まれるものです。これだけが唯一、スピリチュアル・ヒーリングを限定するものなのです。ヒーリングの力がスピリット源泉から発せられるときには、それらは患者の状態に有益な変化をもたらすために身体的な次元へと変換されるのが見てとれます。

すべてを説明してきましたが、次の問いだけが残されています。ヒーリングが成功しない例があるのはなぜか。大部分の患者には効果があるのに。これは神や因果応報、人の信念の問題ではありません。では、どうしてなのでしょうか？

ヒーリングは、全体の法の範囲内で働くという基本的な答えは別として、補足的な答えを導き出すには、それぞれの症例の特徴を考慮して判断していく必要があります。いくつかの例を挙げてみましょう。

一つ目。まず最初に原因が取り除かれなければならないという、ヒーリングにおける最も重要なことを思い出しましょう。根本的な原因が、心の不調和、フラストレーション、苦悩などにある場合、まず最初にそれらが緩和され、取り除かれなければならないのです。これは、薬の処方では乗り越えられないことで、スピリットの力によってのみ可能なのです。これが克服されれば、症状はただちになくなります。体の状態は、反応できないほどには悪くはなかったのです。

例えば、悪化している癌に対して、スピリチュアル・ヒーリングが求められたなら、それはおそらく、患者の抗体の働きがかなり弱くなっていることを意味しています。この時点で、患者の身体力を再刺激して症状と戦わせることはほぼ不可能です。この場合、援助は他の方法で行なわれ、心に慰めや安楽を与え、痛みを緩和させますが、これは完全に癒えたわけではないのです。

関節炎が関節の周りに骨質を沈着させているのなら、そのかたまりが取り除かれるまで動きは自由にならず、慢性的なものであれば、取り除くのは確かに困難でしょう。腱が収縮し硬直している場合もまた、根元からしっかりと緩められるまでは、関節の動きは自由になりません。これは、自然の理です。

また加齢が原因で、感覚や神経組織などが弱まっている場合、ヒーリングによって患者を若返らせることはできません。つまり、自然の理を超えてまで変えられないのです。しかし、可能なかぎりの方法で弱った部分を支え、活気づけ、元気を維持させていくことはできるでしょう。

もう一つの重要な要素は、ときおり、患者自身が病の原因を持続させている場合があることです。過去の不満を「抱え続け」、心の乱れを持続させているのです。湿り気のなかで暮らすことを続ければ、リウマチは持続します。彼らは病気を長続きさせるような間違った治療を受けているかもしれません。未然に防げるような原因が本当に多く存在し、それらが取り除かれれば、ヒーリングはしかるべきかたちでうまくいくはずなのです。スピリチュアル・ヒーリングは、たとえその原因が残っていたとしても、「一時的には」病の症状や影響を抑えることができ、効果が得られるでしょう。場合によっては、完全に痛みやストレスが取り除かれることもあるかもしれません。しかし、このような場合、もしものちに病が再発したとしても、そのときに施されたヒーリングが効かなかったのだと咎められるべきではありません。そこに「原因」が残ったままだったのですから。

本書で述べていることを基本に、もしも私たちが病とスピリチュアル・ヒーリングがもたらすよい点について検証するなら、論理と常識に基づいて、正しい観点へと導くでしょう。うまくいかないことを「信念」や「神」の責任にするような「回避議論」（責任転嫁）からは、何も生まれません

スピリチュアル・ヒーリングは、はかり知れない、確かな場所に存在し、日々数えきれないほどの病を治癒しています。私たちはここに聡明な心を持つスピリットの働きを見ることができ、それは、ヒーリングのための自然の摂理の力を指揮し、神の神聖なる計画を実行するための広範囲の知識を備えているのです。もしもこのような法が存在しないなら、この世は混沌として、道

理も秩序もなくなってしまいます。

これらのことに理解が及ぶと、その無限の可能性に満ちた見事な計画に驚かされるでしょう。すべてが偉大なる神から授けられた私たちの財産なのです。

第13章　ヒーリングの他の側面

　この章では、いくつかのポイントを明らかにするために、ヒーリングを多面的に見ていきたいと思います。定義づけ、または観察をすることによって行ないます。これらはおそらく、ビギナーにとっても経験あるヒーラーにとっても指標となるでしょう。

マグネティック・ヒーリング

　マグネティック・ヒーリングは、「磁力」の譲与です。これは、ヒーラーが自分自身の豊富な生命力や宇宙力を患者に与える能力を指します。「マグネティック（magnetic）」という言葉は、この能力を表わすのに不十分な表現であるかもしれませんが、今日では共通の定義となっています。他の用語としては、「マグネティック・フォース」、「オデック・フォース」、「Xフォース」などがあります。

　より多くのエナジーを持っているヒーラーは、患者の手を握り、患者に力を与えることができます。手を握ることが絶対ではないですが、この磁力を所有している者との接触によって、患者は調子がよくなることが多いのです。逆に、このような声が聞かれます。「彼（患者）は私（ヒーラー）からすべての力を取り去ってしまった」と。

第1部にて、どのようにして患者が宇宙力を取り入れるかについて言及しました。マグネティック・ヒーラーは、多くの場合、元気で活気に満ちており、これらのエナジーを豊富に持っています。ただマグネティック・ヒーラーは患者に生命力を与えると、力を使い果たし、エナジーを補給する必要性を感じることが多いのです。

ほとんどのヒーラーは、この力を患者に授ける能力を持っています。彼らは力を送る際に、患者と同調するのです。

患者への治療のあと、ヒーラーが消耗してしまった場合、それは与えるべき以上の力を与えてしまったことを意味します。消耗したと感じた場合には、少しのあいだ腰かけてリラックスしましょう。呼吸法を取り入れ、使い切ってしまった清らかな宇宙力を補給して、自分自身を解放しましょう。

マグネティック・ヒーリングは、体の弱い患者にとってはとても助けになるものかもしれません。しかしこれは、スピリチュアル・ヒーリング**ではない**のです。エナジーは、「スピリットの源泉」から来るものではないのです。これらは、あくまで身体的起源なものです。しかし、マグネティック・ヒーリングとスピリチュアル・ヒーリングの間に、明確な境目はありません。一方は他方の導きとなりうるものです。
これは、のちほど言及する心霊腺、「心霊回路」と関連しています。

自然治癒

患者の突然の回復が、医学的に説明不可能な場合、医師はこれらの回復を「自然治癒」と呼び、「不思議なことに、自然がそうさせた」と言います。これら自然治癒については、医学的にはほとんど研究がなされていないのです。これらはもちろん自然に起きることです。しかし、スピリチュアル・ヒーリングはそれ以上に「改善」へ向かう突然の変化をもたらし、医学的知識の及ばない力やエナジーが存在することを教えてくれます。

このすべての変化の裏側には、道理に適った過程が存在しており、これは自然治癒にも言えることです。スピリチュアル・ヒーリングは、このような治癒例の大多数において、「道理に適った過程」をもたらす貢献者なのです。

医学的協力

スピリチュアル・ヒーリングと医学的な実践は、互いに認め合うものであり、ヒーラーシップは、医学との親密な関係性を探求し続けていくものです。ヒーラーはそれゆえ、医師と対立するものではなく、患者に医学的援助を受けることを禁止するものでもありません。医学的治療がもたらす利益を否定することは、適切ではないのです。

患者はときおり、医者に行くことをためらいます。もしくは、病院に送られ手術になることを恐れ、医師に病気のすべてを話さない場合があります。胸部に問題を抱える女性が、その一例です。ヒーラーはこのような事態を考慮し、患者に「医学的な意見を聞く」ようにアドバイスするべきです。これが、ヒーラー自身（そしてヒーラーシップ）を、批判やより深刻な被害から守ります。患者が医学的治療を受けなかったために他の病気を見逃してしまう、といったことがなくなるのです。

これらの一般的な実践では、スピリチュアル・ヒーリングと医学的な治療の両方が与えられるべきです。ヒーラーは、回復のためのすべての役割を担おうとしてはならないのです。最も重要なのは、患者の一刻も早い回復です。ですから、治療の成果がどちらにあがろうとも、それは問題ではないのです。

またこのような状況に直面することもあります。患者が、「不治」の病に罹《かか》っていると告げられ、医師がこれ以上にできることはないと表明した場合です。この場合は、もはやこれ以上医学的な治療を勧める必要はありません。

子どもの治療

子どもの両親が医学的な見解を考慮していないと判明した場合は、子どもへのヒーリングを続ける前に、かならず、次の様式の声明に署名するよう求めなければなりません。

「〇〇氏は、私の子どもに関して、私に医師の診断を受けるよう忠告しました」

動物の治療

獣医の資格を持っていない者が、治療を行なうことは罪になります。これは、病気の診断や薬に対する助言も含みます。

実際には、ヒーラーは動物を治療できます。彼らが人間であるかのように同様の方法で治療は可能です。なんといっても、人間も「動物」であり、動物界において、同じ法に支配されているのです。誕生、呼吸、その他の組織を司る過程も――愛情や嫌悪感、若き者に対する心遣いなどの感情でさえも――人間に関するそれと大変類似しているのです。病気にも同じ原因が存在し、同じ治療が必要になります。法律のもとでは、ヒーラーが動物に対して薬を処方することは許されていませんが、ヒーラーが、祈りや手をかざすことによって動物を救ってはいけないなどと、言明されている規定はどこにもありません。

特筆すべきは、動物はスピリチュアル・ヒーリングによく反応するということです。特に医学の力がゆきづまった際に、よく反応します。動物、特に飼いならされた動物は、ヒーリングを受容する意識を持っていることはほぼ間違いなく、それが痛みなどの特定症状であっても、ヒーリングが施されているあいだは、ヒーラーを嚙んだりしないのです。

緊急時の治療

緊急事態にて、命を救うために、痛みを緩和するための祈りや手をかざすことなどの救助は、もちろん許されています。緊急事態では、個々のヒーラーの判断力が問われることになります。

法律による規制

スピリチュアル・ヒーラーが遵守しなければならない、いくつかの法的条件が存在します。この問題の重要性については、「スピリチュアル・ヒーリングと法律」にて詳細を述べます（第3部第14章）。

腺

均衡ある腺組織の働きは、健康維持に不可欠な要素です。腺の研究は込み入ったテーマであり、この本一冊で網羅できるものではありません。内分泌腺を含む腺は、体の成長、機能、健康を司るものです。腺、心、身体知能の間には、密接な関係があり、これらはスピリットからの影響も受けうるものです。

心霊腺（心霊回路）

スピリチュアル・ヒーリングと重要な関わりを持つ、ある一つの大事な内分泌腺が存在します。これは「心霊腺」と呼ばれるものです。

私たちは、ちょうど鼻の骨と額の骨の真ん中に、受容の終着点としての心霊腺（心霊回路）を持っています。これは脳と同じように、松果腺と内分泌腺組織と関連しています。その主要な「回路」は脊柱を通り、神経組織へと分岐して続き、体全体へとゆき渡っています。心霊腺は、「状態腺」でもあるのです。

私たちが「意気揚々」として、人生の喜びで満たされているとき、それは心霊腺が宇宙エナジーやスピリット・エナジーで満たされているときでもあります。もしもここに真実があるのなら、なぜ「特徴づけられた呼吸」が力を与えてくれる有益なものであるのかの説明になります。心霊腺は、ヒーリング・エナジーを体の隅々、またはオーラにまでゆき渡らせる「媒体」であるとも考えられるのです。

これらは理論であり、それ以上でもありません。松果腺は、スピリットと身体的器官との接合点であり、スピリットによるヒーリング・エナジーやその作用は、松果腺を通して受容され、そこから体へと送り届けられます。

患者の症状を背負うこと

ときおり、ヒーラーは自分自身で、患者の症状を引き受けてしまうことがあります。ヒーラーがそのように感じたり、または実際に患者の不快な症状を経験したりします。これについては論理的な説明ができます。

患者の意識は、患者が体の不調として抱えているすべての痛みや不快感を、よく記憶しているのです。そしてヒーリング能力とその徳により、ヒーラーのスピリットそのものが患者と同調します。その同調を通して、ヒーラーの意識が患者の状態を感知するのです。

寒さ、空腹、痛み、胃痛など、私たちが持つすべての感覚は、精神的な経験であるので、もしも患者が、例えば胃の痛みを記憶し、それがヒーラーに受け取られた場合、ヒーラーが患者と同様の苦しみを味わう可能性が考えられるのです。これはもちろん実際のものではなく、**精神的な体験**なのです。ヒーラーがこのことを認識することによって、この経験が正しく理解され、その道理をわきまえた心により、これ以上患者の苦しみを自分で抱えてしまうことはなくなります。ヒーリング能力が高まるにつれ、このような感覚に陥ることはなくなります。もちろんヒーラーはこの方法で、患者の問題について知ることができるのではありますが。これは本来、ヒーリング・ガイドが観察することなのです。

つまり、ヒーラーが患者とそしてヒーリング・ガイドと同調することが可能であることを証明しているのです。

手洗い

以前は、患者治療のあとは、そのたびに手を洗うことが絶対的に必要であると考えられていました。患者の症状が手に残り、ことによっては、それが他の患者にいってしまうのではと恐れられていたのです。

しかし、今日、私たちはこの考えが筋の通らないものであることを知っています。もちろん衛生面では、手を洗うことはよいことですが、これに、ヒーリングにおける意味合いはありません。ただ、感染性皮膚病の患者にヒーリングを施した場合には、かならず、消毒済みのお湯で手を**洗わなければならない**でしょう。

ヒーリング・パスの不必要性

患者に対して、強力なヒーリング・パス（手かざし）を行なう傾向にあるヒーラーがいます。これはトランスコントロールを行なうヒーラーに多く見られますが、ヒーラーの潜在意識下でのとりなしがそうさせているのではないでしょうか。経験あるガイドなら、このようにする必要はありません。

これら必要のない行為は、ほとんどの場合、ヒーラーの真面目さ、そして患者からその苦痛を

「取り除いて」あげたいという強い願望から生まれているものなのです。すでに指摘したように、この手法を正当化することはできません。

「吹き込む」ことによるヒーリング

望ましくない手法について、もう一つ言及しておきましょう。それは、患者に「ヒーリング・パワー」を吹き込む行為です。患者の体に口を当て、ゆっくりとした長い呼吸で吹き込むものです。ヒーラーの口と患者の間に、ハンカチが置かれたりすることもあります。

これを行なうと、患者はあたたかい息を感じるでしょう。これは、パワーを受容している感覚を与え、浸透するような効果をもたらすことができますが、この行為においてプラスがあるとしたら、ヒーリングの意図を患者に伝えることだけでしょう。

この「あたためる効果」をもたらすことは誰にでも可能で、この手法がヒーリング行為でないことはすぐにわかるでしょう。息は体に入り込むものではないし、ヒーリング・エナジーがこの方法により患者の体に届くという考えは、道理に合わないのです。こうしたやり方は、心理的に信じやすい患者の心に感銘を与えることがあるかもしれません。いくらヒーラーが真心を込めて行なったとしても、これは「このような方法で楽になるかもしれない」程度の精神的な気休めを患者に与えるくらいのものでしょう。この手法は望ましいものではなく、ヒーラーシップを嘲笑に値するものにしてしまう傾向があります。

ヒーリング・パッド

ヒーリング・パッドを患者に与える手法は、ヒーラーが一切れの綿布または他の生地を手で握ると、それにヒーリング・パワーがしみ込むという考えに基づいています。それからそれを患者の体に当てると、パワーが伝わり、ヒーリング利益をもたらすというものです。

過去に多くのヒーラーがこの手段により得られた効果について、証言をしてきました。しかしここでもやはり、スピリット・サイエンスにおける根拠はなく、得られることがあるとすれば、それはパッドからではなく、ヒーリング・ガイドによるものと考えられるでしょう。仮に、スピリチュアル・ヒーリング・エナジーが綿布に流れ込み、身体的なエナジーに変換されるとしましょう。これらは物質のなかに身を潜め、後日、患者の体へと流れていくのでしょうか？　磁気力や電気力以上に長持ちするものなのでしょうか？　さらに不合理さを説明するならば、ヒーラーはパッドを封筒に入れ、「パワーをつめ込む」ことなどできるのでしょうか？　これは霊媒に通じておらず、それに十分な疑問を持てない患者を感動させるために実体のある方法を作りだし、スピリチュアル・ヒーリングを別のものへと色づけするといっただけのやり方でしょう。

ヒーリング・パスとオーラ

ヒーリング・オーラについては、過去にいくつかのことが強調されてきました。人間の体を包んでいるものは光であり、その大きさはさまざまですが、たいてい三インチ（約七・五センチ）ほどで薄れていきます。オーラは千里眼的に観察されるもので、身体的な器官によって観察できるものではありません。さまざまな色の濃度を持っており、人の身体的、精神的状態を示すものです。

人が苦痛を感じたり、身体的に疲労したり、落ち込んだり、健康状態が悪い場合、表われるオーラの色はくすんだどんよりとしたものとなります。逆に、活力にあふれている場合は、より明るく、きらめいた、輝かしいものとなります。

オーラは人のスピリチュアルな、身体的、精神的な状態の表われだけではありません。かつては、ヒーリング・パス（手かざし）によって、オーラは「浄化され」、病の原因が取り除かれるという理論が一般的でした。ヒーリングの意図そのものとしては悪くはなかったのですが、影を治療できないのと同じように、反射として表われてくるものも治療はできません。これは、今となっては広く知られていることです。ヒーリングにより、身体的、精神的症状が克服されることではじめて、そのよき変化がオーラに反映されるのです。

他のテクニック

ヒーリング実践において、過去に利用されていた他のテクニックがいくつかあります。患者に塗り込むための「スピリット塗り薬」、飲料としての「力水」の使用などです。これらは、患者の証言により支えられていました。ヒーラーのパフォーマンスであるにもかかわらず、気分がよくなった、この効果は疑いようもない、ヒーリング効果があるなどと言われていたのです。

幸いなことに、今日では、これらの行為はヒーリング実践のなかから消えつつあります。これらは高貴なものではなく、まったくもって不必要なものなのです。これらは、ヒーラーのよき動機、または、自分のヒーリング能力で患者を感動させたいという欲望から起こったもので、それにさらに尾ひれをつけてしまったものなのです。

私たちは、純真なヒーリングの行為を向上させるどころかその価値を落とし、良識ある人々の心を裏切るような、すべての儀式的行為を手離すべきです。

第3部　ヒーリング実践

第1章　ヒーリング治療の紹介

スピリチュアル・ヒーリングへの理解は、ヒーラーと患者の霊的、精神的発展とともに進むものです。そこに、どんな治療も、この先のページで提案するものも含め、必要ないのです。すべてのスピリチュアル・ヒーリングは、思考過程から生じた結果です。すなわち、ヒーリングへの思考準備、診断、そしてスピリット・ガイド（ヒーラーではない）により正しいヒーリング・エナジーが生みだされ指揮される方法です。

アブセント・ヒーリングは、コンタクト・ヒーリングに劣らず、効果的なものです。これはヒーラーと患者との間に実際の触れ合いがない場合のことです。もしもアブセント・ヒーリングで身体的、精神的の両方の病を克服することができるのなら、コンタクト・ヒーリングの必要はまったくないのであり、ましてや手を使用する必要などないのです。時が満ちれば、スピリチュアル・ヒーリングは、スピリット・ガイドと調律《チューニング》した思考（想念）だけを利用して進んでいける日が来るかもしれないのです。しかし一方で、私たちはその限界も認識しなければなりません。患者において、また、ヒーラーとしての私たち自身においてです。

患者がヒーラーを訪ね、ヒーラーから手をかざす治療を受けなかったとしたら、患者は失望して、元気をなくし、ヒーリングに対する自信を失うでしょう。概して、ヒーラーが十分な時間を費やすことは不可能です。それは患者の心を向上させ、スピリチュアルな力に対する理解を深め、それを最も高い次元で活用するところにまで導くために必要な時間のことです。理想は、時間をかけて徐々に達成していくことですが、事実、概してヒーラーは、スピリットとの調和に至るような高い次元の霊性の発展、知識にたどり着いていないのです。

患者は治療を受けるために医者に行きます。一方、患者はよくなるためにヒーラーのもとを訪れるのです。このように、患者の心理状態が重要な要素となっており、彼らは「ヒーリングを受けている」という実感がほしいのです。

同時にヒーラーは、心と特性をフルに活用して、自分が有益なものとして働けるよう努めなければなりません。そのために次の章では、さまざまな病気に対する最小限の「テクニック」を用いた治療の概要を述べていきます。これらを活用することは、ヒーリング意図を表現することに繋がるのです。

将来、これらのヒーリング・メソッドもより簡素化されることでしょう。ですから、これらは現時点での、シンプルに、厳然としてヒーリングを施すための手段なのです。ゆき過ぎた手かざしや儀式、純真なヒーリング行為をだめにするその他の行為は避けています。

第2章　脊椎のヒーリング

✺多くの場合、ある病気と、他の病気それぞれにおいて、別々の強固な原因が存在するわけではありません。そして、脊椎のヒーリングは、直接それに影響する椎間板変位、湾曲、脊椎損傷などの症状だけでなく、すべての病気、例えば、関節炎、腰痛、座骨神経痛、結合組織炎、麻痺、広がった硬化症、パーキンソン病などの症状にも働きかけるものです。呼吸器系の状態までも、脊椎の問題と関連しています。

多くの病気において、脊椎は重要な役割を担っています。すべての身体神経を伝達し（頭部に関するもの以外）、内部機能とその運動に関係している脊髄を包容しているのです。

ヒーラーは脊椎の構造を学び、それがどのように機能しているのかを観察すべきです。個々の脊椎骨がお互いにどのように動くのか。椎間板の軟骨組織の弾力機能、潤滑機能、そして、そこから他へと分かれていく、中心的な神経機能などについてです。

脊髄は事実、脳の一部であり、直に伝達が行なわれています。**身体的な**問題の原因が脳内にあるとき、脊髄から発されたヒーリングの命令が問題ある箇所に届くことが、場合によってはあるのです。コンタクト・ヒーリングにおいてこのメソッドは、ヒーリングの力を受容する焦点として患者の頭を利用するよりも、より直接的なものであるかもしれません。これは、麻痺や髄膜炎による影響などの、身体的苦痛だけに適用されるものであることを強調しておきましょう。

多くの器質性疾患の原因は、精神的ストレスから生じているものです。心と神経の緊張が手足の痙攣をまねき、神経薄弱をより深刻にさせ、広まった硬化症やパーキンソン病、麻痺と関連するその他の病気に見られるような協調作用の欠如を誘発するのです。このように、脊髄は多くの苦悩と密接に関係しており、ここから発されるヒーリングの命令は、多くの場合、ヒーリングの結果そのものに繋がるのです。

いくつかの病気において、脊椎はその柔軟性を失います。凝り固まり、「ポーカーバック」（強直性脊椎炎の旧称）の状態になるのです。これは、椎間板変位や脊椎の関節炎、特定の麻痺症状に見られます。このような硬直状態が決まって示しているのは、脊椎骨周辺の固着であり、神経を圧迫し、それらを麻痺状態にさせ、心から発される命令と手足を司る筋肉との協調を妨げるのです。そして同時に、大変な痛みをもたらします。

腰痛や座骨神経痛には決まって、この脊椎の硬直が見られます。また患者が痛みを恐れて、故意に脊椎を曲げることを避ける場合にも誘発されます。医学的なコルセットは脊椎が動かないように作られていて、これらは強直性脊椎炎の症状を助長するものなのです。このようなコルセットは一時的な緩和剤であり、痛みを回避するためのものなのです（深刻な脊椎・筋肉が薄弱な状態である場合を除く）。ヒーリングの目的は「治癒」することであり、医学的な「治療」とスピリチュアル・ヒーリング（治癒）との間には、ここで意見の相違が出てきます。医学的な意図では脊椎を固定することであり、これ以上に適切な医学的な処置法はないとしています。しかし、ヒーリングが意図するのは、動かない「原因」を取り除き、神経を圧力から解放させ、もう一度正常に機能する機会を与えることにあります。

だから私たちはヒーリングを行なうのです。

ヒーラーは、腰かけている患者の前に座り、脊椎に手を当てればすぐにそこに柔軟性があるかどうかわかり、患者の協力があれば、屈伸運動をすることもできます。体はお尻から前後に動かせますが、しかし脊椎自体は硬直している状態です（このお尻の動作は、お尻に関節炎がある場合は難しいかもしれません）。

ヒーリングの目的は、脊椎の動きを回復させることです。ヒーラーは今調和状態にあり、患者と融合し、片方の手を胴のくびれた部分（腰）、脊椎の通る部分に当てて、もう一つの手を患者の肩に当てます。これで準備は完了です。ヒーラーは想念をガイドへ向けて、固着状態の解消を求め、散らせるためのエナジーを行使することによって、動きを回復させるのです。

ヒーリングそのものに必要な時間は、ほんの一瞬です。そして一息ついたら、ヒーラーは結果を見ていくのです。

患者はリラックスし、完全に力を抜くよう指示され、ヒーラーは次へ進む前にかならずこの状態が確保されているかを確認しましょう。ヒーラーは患者に、腰を後方に傾け、手の方向にゆっくりと曲げるよう指示しましょう。肘にわずかではありますが確かな作用が働くことになります。**「力」を使ってはならないのです。**ヒーラーの身体的な力によって麻痺した脊椎を曲げてはいけないということを覚えておく必要があるでしょう。脊椎そのものが、自ら曲がっていかなければならないのです。

患者は硬直した脊椎に慣れてしまっているので、その動作は新しい体験でしょう。実際に脊椎を曲げるときには、最初はほんの少しだけ、きわめて優しく動かすことからはじめましょう。

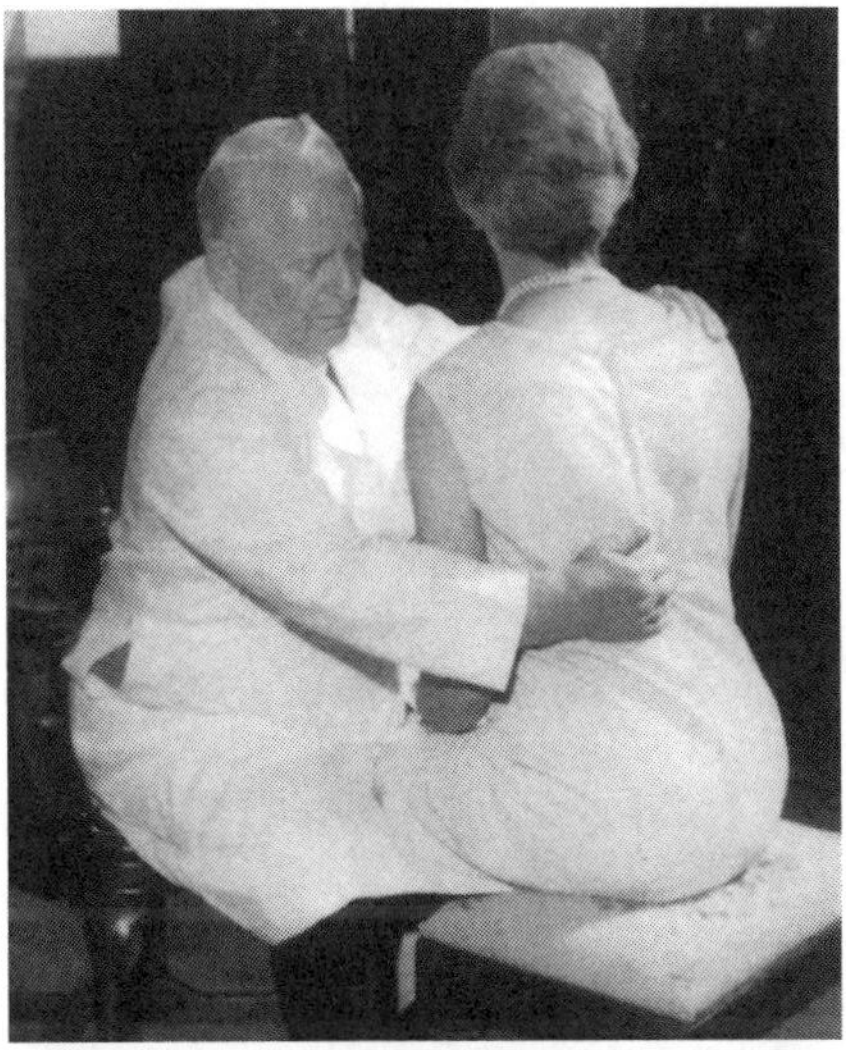

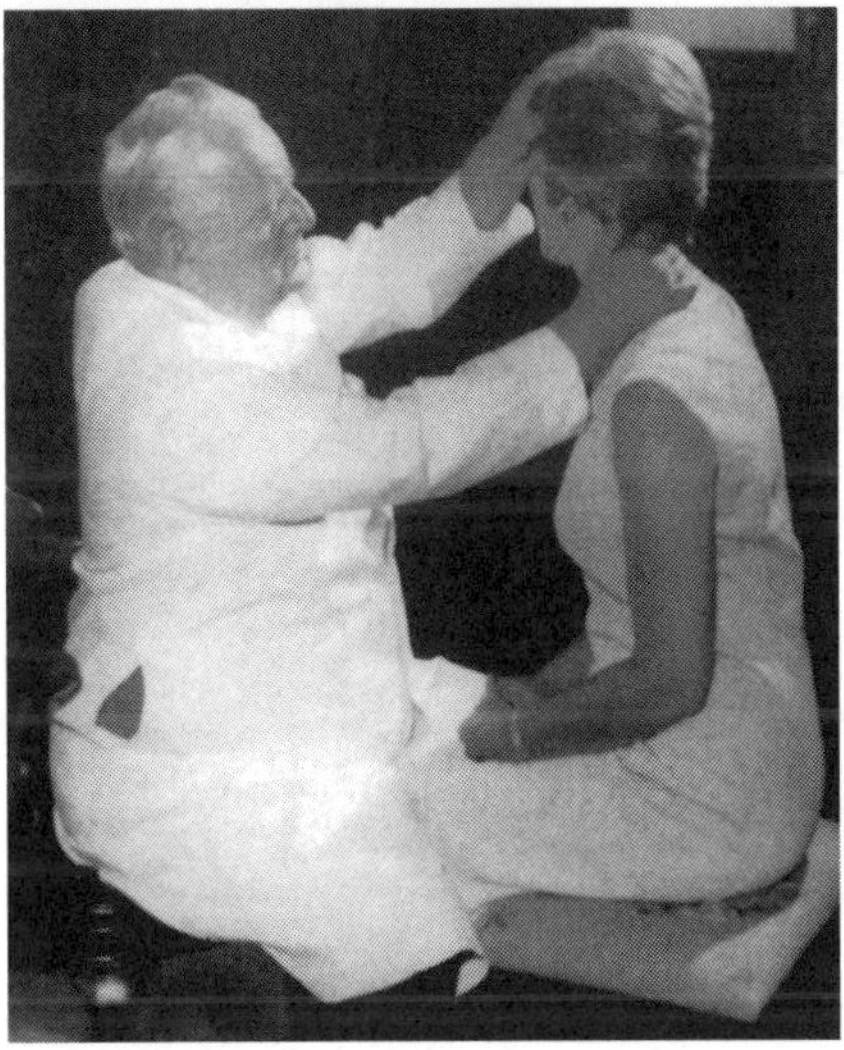

（上）背骨の柔軟性を回復させ、（下）患者の首の緩和を求めるハリー・エドワーズ。

患者がすこし後方へ腰が曲げられるようになったら、反対の動きも必要になるので、ヒーラーは患者に「前方に曲げて、腰をかがめる」ように指示しましょう。それによって動作をもたらすことに成功すれば、徐々に脊椎がかなり自由になるまでに可動性が高まっていきます。ヒーラーはもちろん、脊椎全体が動くように探求をします。手を骨盤へ、また肩へ、上下に動かし、首の骨を優しく動かしていくのです。

前方、後方の動きが得られるようになれば、手を腰の位置に戻し、優しい振り子の動きにより、横に曲げるよう指示しましょう。胴のくびれた部分（腰）は、静止したままで。簡単にできるはずです。この動作も簡単にできるようになってきたら、**自らで揺れ動くような動作**をしてみるよう促しましょう。常に緩めるように探求するのです。

そして最後に、ヒーラーは、指を脊椎の個々の関節に当てて、患者に足と腰は動かさず、脊椎を、軸を中心に優しい水平の動きで回転させるよう指示し、個々の脊椎骨を互いに回転させます。これらは、いかなる痛みをともなわずに実行されるべきです。

首も同じように処置されるべきであり、ヒーリング・エナジーが凝りを散らせるための一息を入れたあとに動作が探求され、片方の手を首の後ろへやり、指を関節に当てます。そして、ヒーラーが動作を先導するために、もう片方の手は額へ当てます。首の場合は、頭を縦に振る動きから開始し、そこから個々の関節を回し、ヒーラーは最上部から下へ下へと働きかけていきます。一般的に、ほとんどの凝りは、上方の背部関節、「五、六、七番目」の脊椎骨にあります。ヒーラーは、患者に頭を後方に傾け天井を見上げるようにしてもらい、その自由度を確認します。ヒーラーは、それが大きくても小さくても、そのときどきの回復具合に満足するべきなのです。

このように脊椎を動かしていく際には、患者に話しかけながら、それぞれの動きに対して、どのようにすべきかを指示してあげましょう。これが、ヒーラーの目的と患者を協調させ、患者がヒーラーの意図と反対の動きを行なってしまうことを防ぎます。

これらの脊椎の動きは、「操作すること」ではありません。この言葉が持つ響きのような作業ではなく、ヒーラーに導かれながら、徐々に脊椎を曲げていくことなのです。基本的に、脊椎は素直に動いてくれるでしょう。しかし、もしも動かなければ、ヒーラーはその時点で得られる動作の具合に満足すべきであり、次の治療の機会を待つべきです（脊椎炎の場合、脊椎は非常に手強い状態であり、一度ではほんの少しだけしか動かないかもしれません。曲がるようになるまでには、幾度かの治療が必要です）。

脊椎をヒーリングするあいだ、患者は痛みを感じないと報告されています。もしもそこに痛みがあるなら、ヒーリングは成功していないのです。過度な身体的な力が行使され、不快感をもたらしているということになるからです。この観点から以下のことを覚えておきましょう。ときおり、患者は腰の筋肉や首の下方部側面に不快感や痛みを感じることがあります。おそらくこれは、筋肉の線維性癒着が原因でしょう。筋肉を緩和するマッサージ（ヒーリング意図を持っての）が、たびたびこの病気を解決してくれます。

患者に、毎日、脊椎の動きを維持するための努力することを助言しましょう。そして家でマッサージを行なうように、シンプルな「母親のようなマッサージ」をするように助言しましょう。専門的なマッサージである必要はなく、オイルやクリーム、タルカムパウダー（ベビーパウダー）などを手に取り、滑らかにするのです。覚えておきましょう。オイルを外側の肌（表皮）から浸み込ませるのではありません。マッサージをする意味は、血液の循環を刺激し、固着などを追い払うためなのです。熱作用のある軟膏や塗布液は、時間の経過とともに神経の先端の「触覚」により、表皮を通して温かい感覚をもたらします。そして、熱とは反対の効果を生みだします。例えば、それがリウマチなどから引き起こされる神経の痛みを鎮めるのです。

こうした治療を通してヒーラーは、彼のガイドや患者と調律《チューニング》する感覚を維持しなければなりません。これらは長きにわたり存在してきたもので、痛みはなくなるでしょう。何年も脊椎が硬直したままだった患者は、新しい動きを発見するでしょう。不思議なことに、動作が促される際に、患者は潜在意識的にそれに抵抗するのですが、ヒーラーが優しく根気強く働きかければ、動作がより自由になっていきます。そのためには忍耐が必要です。

柔軟性が戻ってくれば、患者は自分の力で、後方、前方に曲げることができるようになるはずです。これがはじめて試みられる際には、ヒーラーは彼を助けてあげましょう。力で強制することは決してなく、可能なかぎりの運動を促してあげるのです。ヒーリング・エナジーが固まった癒着部分や他の凝りの原因を散らさないかぎり脊椎は動かない、ということを覚えておきましょう。

背中を解放することによって、神経への圧力が取り除かれます。体や手足の痛みの多くは、これらへの圧力が原因です。脊椎が自由になれば、痛みは消えます。原因が克服され、神経が解放されると、ふたたび通常に機能しはじめ、多少の時間は要するけれども、協調性が戻ってくるのです（第4章「麻痺のヒーリング」参照）。脊椎の痛みには例外もあります。寒気が痛みの原因の場合は、神経が炎症を起こしています。脊椎の凝りも、そこが圧迫されている場合、神経が損傷、もしくは炎症を起こしている可能性がありますが、基本的にはヒーリングですぐに正常に戻ります。

骨盤（仙骨）部分の脊椎に痛みや凝りがある場合、もしくは、そこから痛みや凝りが生じている場合は、ヒーラーはそこにしっかりと手を当て、患者に脊椎上方部分を硬直させたまま、手の方向、つまり後方へ傾かせ、それから骨盤を動かすことなく、この脊椎部分を回転させるように優しく促してあげましょう。仙骨が骨盤に入り込んでいる可能性もありますが、動作が探求されることにより、この脊椎部分に柔軟性が戻ってくるのがわかるでしょう。

脊椎へのヒーリングの際には、ヒーラーは助手をつけることが望ましいでしょう。背もたれのある椅子は後方への動きが自由に行なえないので、適していません。背もたれと肘掛けのない腰掛け椅子がいいでしょう。助手は患者の後ろに立って（椅子の背もたれの役割をする）、片方の手を、すでにヒーラーの手のある肩に置いて、もう片方の手を脊椎にあるヒーラーの手に重ねるように置きます。助手も患者との融合を探求すべきであり、同時に、自分自身も潜在意識として権限あるヒーラーによって導かれる動作に加わっていくよう努めるべきです。助手は助手であることを自覚し、権限あるヒーラーを離れて、勝手に患者の動作を探求すべきではありません。

脊柱湾曲

はじめに脊椎の柔軟性は、説明してきたように探求されなければなりません。これが得られたら、次のステップは、脊椎を真っ直ぐにすることです。ヒーラーは患者としっかり融合した上で、その横に曲がった部分の表面に手を当てて、患者をそれと反対方向に傾けるようにします。それから――これが重要なのですが――ガイドが矯正的な援助を与えるための一息入れる時を待ったら、ヒーラーは患者に真っ直ぐにゆっくりと起き上がるように指示し、患者がそうすると同時に、ヒーラーはその湾曲を矯正するように、ゆっくりと優しく体を動かします。**ここでもやはり、力を行使してはなりません。**力は使う必要はないのです。湾曲は、真っ直ぐに正しい位置へと戻っていくだけなのです。その仕事を行なうのはガイドであり、ヒーラーは手を使用し、脊椎を真っ直ぐにするその意図を表現するだけなのです。

もしも、よく知られている「猫背」に見られるように外側へ湾曲している場合も、その行程は同様に行なわれます。脊椎が垂直方向に真っ直ぐ矯正されるように、動きは内側へと導かれるのです。

軽度の湾曲は一度目の治療で矯正されうるものですが、もしも症状が著しく長期にわたるものであれば、十分な改善をもたらすためには、何度かのヒーリングが必要となるかもしれません。胸郭が曲がり、体の片側上部がふくれている症例も、よく見られるものです。脊椎が真っ直ぐになることで、肋骨も元の位置へと納まっていきますが、これだけでは形成異常を解決するには十分でない可能性があります。魔法のように解決されることはありませんが、アブセント・ヒーリングのもとでのヒーリングを続けることによって、これらの形成異常はゆっくりと元へ戻り、明らかに目立たなくなってくるでしょう。

慢性的な湾曲では、体の上方部や胸部が、骨盤と同様に脊椎に接合されている必要があるのを覚えておく必要があります。胸部は、心臓と肺を収容しており、それらは胸部の歪みに順応します。それゆえ、脊椎を真っ直ぐに矯正する行為は、段階を踏んで行なわれなければならず、再調整に向けて、器官が適応するための時間を与えなければならないのです。

湾曲が腰にある場合は、骨盤が傾いている例がほとんどです。脊椎を矯正し、骨盤が水平になり、患者がもたつかずに直立して歩く姿を見るのは、ヒーラーの喜びです。

椎間板変位と痛む脊椎

椎間板変位では、椎間軟骨組織が神経を圧迫することで痛みが生じます。または、個々の脊椎骨の整合不良によるものです。もしもそれが後者であれば、ヒーラーはたいていその痛みの中心の位置を突き止めることができるでしょう。

説明してきたように、脊椎の柔軟性に対して働きかけましょう。しかし、一番はじめにとる動きは最低限にとどめるべきで、きわめて優しく、ゆっくりと、動作を自由にしていくべきです。痛みをともなうことはなく、軟骨組織は引っ込み整合不良は調整され矯正されて、可動性が戻ってくるのです。もしも望まれた結果が得られない場合には、ヒーラーは問題の箇所に当てている指を、横もしくは軸を中心に回転させて動かし、少しばかり休ませましょう。そしてガイドが矯正してくれることを信じるのです。

腰痛、座骨神経痛、神経炎、足の痛み、痺れ、チクチク感などがあるときは、はじめに脊椎の可動性を獲得しましょう。これらが得られたら、お尻のほうから少しずつ足を動かし、はじめは上下に、それからお尻のくぼみを軸に回してみましょう。そして最後に、脚を自由に揺り動かします。これにより、概して不快感はなくなります。

神経が圧迫されている箇所より、同類の腕の痛みが頸椎から引き起こされます。この場合、はじめに優しく首の骨の可動性を高め、それからヒーリングを施す箇所である腕を肩関節からそっと動かし、軽く回るところまでいきます。そうすると、肩甲骨は徐々に解放されます。

体の痛みのいくつかのなかでも、特に帯状痛と呼ばれ、ちょうど胸の下に体を取り囲む「痛みの帯」が存在する場合、やはりその原因は脊椎の圧迫であるかもしれません。背部椎が腰の脊椎と交わっている箇所の圧迫です。これらの痛みも、この部分の脊椎の可動性を獲得することによって、緩和されます。

今日、脊椎のヒーリングは、十年前に比べて、よりやさしく達成できるようになりました。前述の提案が実行され、シンプルに静かに調和・調律《チューニング》がなされれば、ヒーラーは自信を持って脊椎のヒーリングに臨むべきです。反応が得られないのは、きわめて例外的な場合のみであり、そこには他の理由が存在しているに違いありません。例えば、広範囲に及ぶ手術がされ、骨移植がなされていたり、関節が完全に癒着していたりなどです。

第3章　関節炎、リウマチ、同類の症状のヒーリング

関節炎、リウマチ、結合組織炎などは、同種の病気であり、一つのグループとしてとらえることができます。それぞれに個々の治療が必要なわけですが、それらすべてに適応される主要なヒーリングがいくつか存在します。

他のほとんどの人間の病は、初期段階で処置されれば、ヒーリングはすぐになされます。もしも病気が慢性的で根深いものとなってしまえば、それ相応の緩和、もしくは治癒をもたらすためには、ある一定の時間が必要で、それは長引き、個々の症例により異なったものとなってくるでしょう。

ヒーラーは、これらの病気の初期症状を注意して観察し、対処するべきです。患者が「私はリウマチの気があるが、気にするほどではない」などと言ったときも、ヒーラーは気に**するべき**です。関節炎などの障がいのある人々がヒーラーのもとを訪ねます。そこではじめて症状が判明するのですが、そうして私たちは数千人もの「不治の病」クラスの患者と対面することになっては

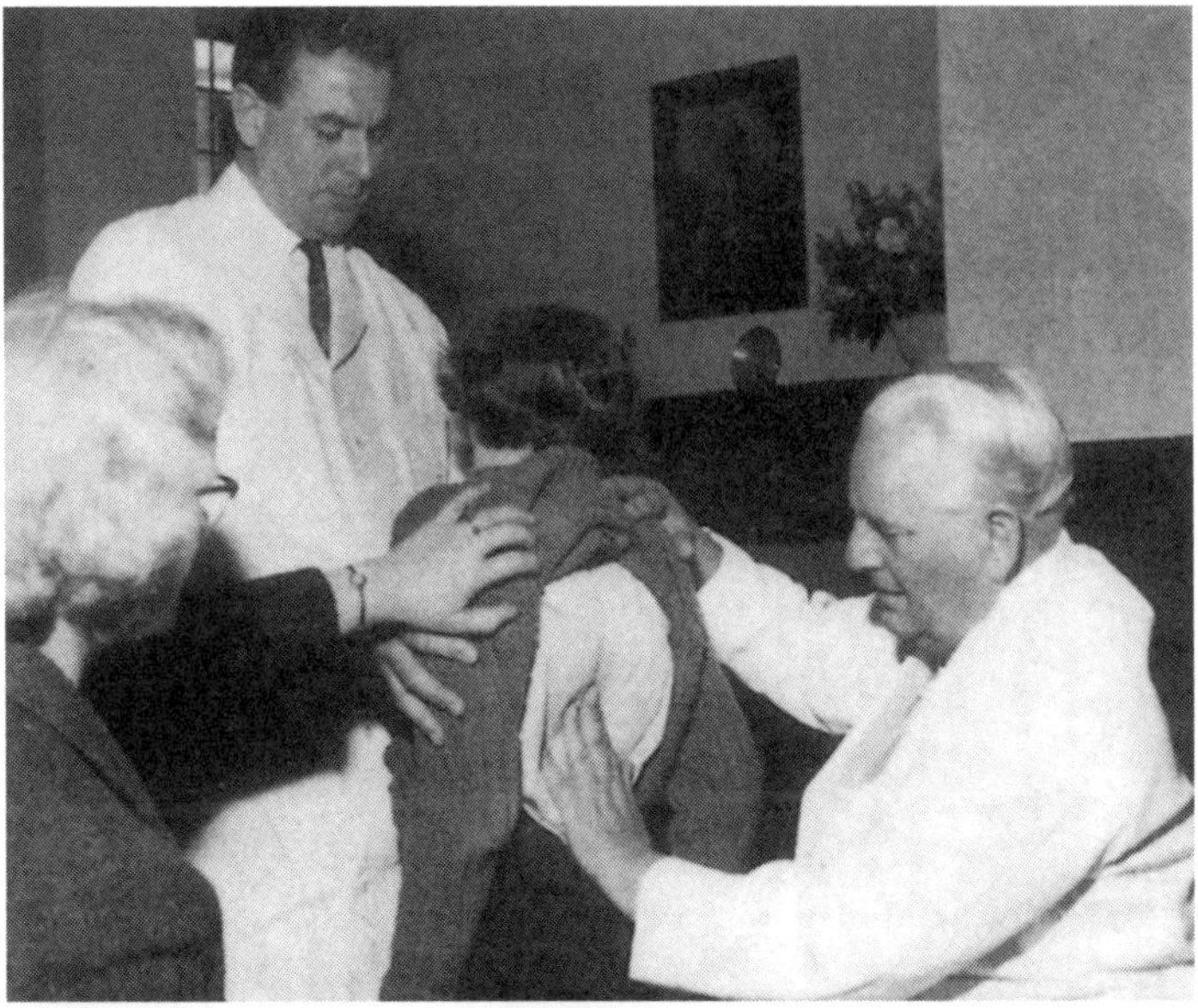

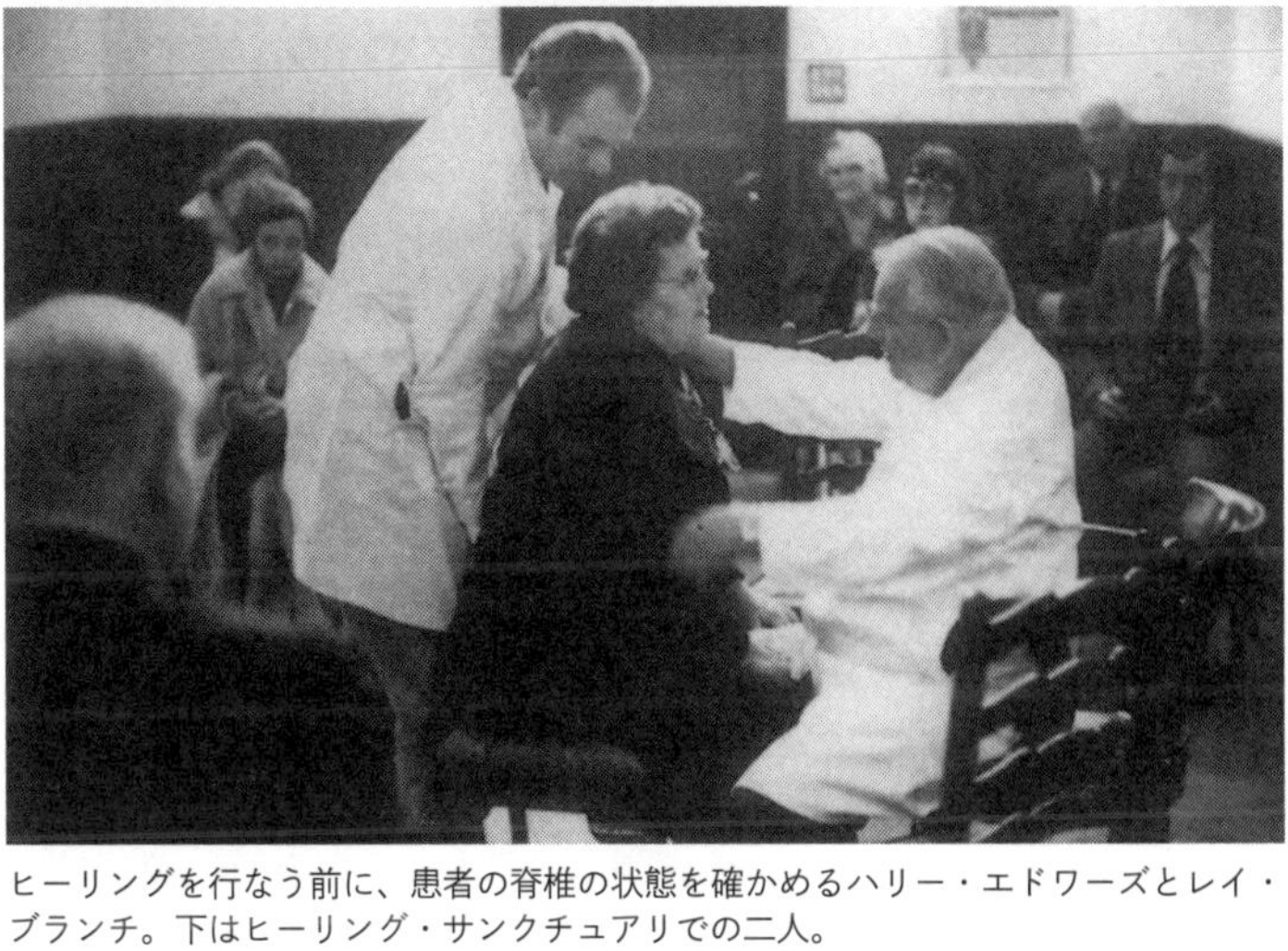

ヒーリングを行なう前に、患者の脊椎の状態を確かめるハリー・エドワーズとレイ・ブランチ。下はヒーリング・サンクチュアリでの二人。

いけないのです。

病巣は、お尻と足の様態であれば腰部の脊椎に、肩と腕の様態であれば首にあることが多いようです。実際の病気の原因がそこにかならずしも位置しているとはかぎりませんが、特に骨関節炎、リウマチにおいては、主な箇所があるのです。

関節炎とは、いわば「栄養病」です。血液の働きが弱く、細胞からの排出物が、本来ならば呼吸機能や排出機能によって処理されるはずが、そのまま関節と筋肉組織に残留している状態なのです。主な原因は、健康状態を低下させる心身相関のもので、身体的弊害をもたらすことになるかもしれません。

ヒーリングから得られる一般的な予備的結果は、患者の健康状態を向上させ、血液の状態を改善することとです。それが癒着を分散させ、身体知性を通したヒーリングを助長することになるのです。

関節炎の治療では、脊椎の硬直があるかどうかを注意深く観察するべきであり、もしもそうであるなら、前の章で説明したように、脊椎を治療しましょう。

この種類の病気を治療する上で最も重要であるのは、患者が完全にリラックスしていることです。筋肉を張らせたり抵抗させたりすることなく、ヒーリングによって関節などを緩めるように委ねるのです。ヒーラーは患者に伝えておきましょう。体と手足が完全にリラックスしていれば、ヒーラーが動作を加えたとしても、そこから痛みが生じることはない、と。

ある程度の時間が経過すると、患者はおそらく体や関節の動きから痛みを感じるでしょう。痛みを予期し、たじろぎ、体が強張り、心配な動作を避けるようになります。これは自然なことですが、患者がそうなると、ヒーリングの意図を妨げてしまい、痛みは続いてしまいます。このような場合は、ヒーラーは患者を説得するのです。必要であれば患者と少しのあいだ会話をし、患者に自信をつけさせてあげましょう。そうして動作に入る前に、完全なリラックス状態を得るのです。

ヒーラーは患者の目の前に座り、前の章で説明した準備をします。患者はヒーラーに問題のある箇所について伝え、求めるヒーリングの全体像を伝えます。

脊椎と首を凝りから解放したら、個々の関節のヒーリングを順番に探求していきます。それぞれに同様のヒーリング過程が適用されます。もし、例えば肩関節が強張っている、固まっている、もしくは固まりかけている場合は、ヒーラーは片方の手の平を丸め、関節に当てて、もう片方の手で患者の前腕を抱きかかえます。それから、患者と融合して、ヒーリング・エナジーがゆき渡り、動作の障害となるものを散らせるために一息つくのです。

結果を観察するために、肩関節をテストします。ヒーラーは（肩関節に手を当てたまま）、肩から、腕を優しく後方、前方に動かします。若干、動きが強張っているかもしれませんが、腕の動作を継続するにつれ、強張っていた動きが緩んでいくことに気がつくでしょう。自由に回すことができるようになるまで、段階をふんで、腕を前後に少しずつ大きく動かしていきます。ほどよい範囲まで後方へ、真っ直ぐに伸びるまで前方へ動かします。

次のステップは、関節が円状に動いているかを観察することです。肩関節は球体であり、受け口であることを覚えておきましょう。片方の手を肩に当てたまま、もう片方の手で腕を動かし、最小限可能な円運動を行ない、上腕肩の高さまで届き水平になるまで、徐々に動作の円弧を広げていきます。ヒーラーは、十分な自由が得られたと感じたら、次に上向きの動作を試してもよいでしょう。これらの動作を行なう上で、ヒーラーは「腕に話しかける」ようにしながら、患者にリラックスして協働できるよう導いてあげましょう。例えば、「腕を自由に動かしてあげましょう」――「痛くしたりしませんよ」――「私のサポートのもと、自分で揺り動かしてみましょう」――「腕を上げて……はじめに優しく……肘を真っ直ぐに……これから手を上に上げましょう」といった具合に。

ヒーラーの手は同じ場所に置かれたままで、腕は上向きにゆっくりと伸ばされ、肘も入ってきます。腕が垂直になるまでです。これも段階を踏んで行なわれるべきで、ヒーラーはそこに強張りが残っていないかを感じながら行ないます。もしも強張りが残っているなら、絶対に力を行使してはいけません。必要である動作は、自然とそうなっていくものです。腕が上げられたら、下方への動作へと続いていきます。ヒーラーが援助して、手を患者の肘に当て、曲げます。そうすることによって腕が下がってくるのです。

ヒーリングを行なう前ですと、この上方、下方の動作は強い痛みをともない、患者が肩関節を締めてしまうかもしれないことを覚悟しておく必要があります。関節に当てているヒーラーの手が、それを察知するでしょう。ここで再度、患者に肩をリラックスさせるように伝えましょう。そうすれば、より自由に動くはずです。

ヒーラーは患者に、「腕を肩から自由に下ろしましょう」と指示し、上方、下方の動作を何度か続けましょう。そして腕が上方へ伸ばされたら、患者に肘を曲げ、手を頭の上で休ませるよう伝えます。多くの場合、患者はこの行為を長い時間続けることができません。これらの新しい動作は、**とにかく徐々に**導かれる必要があることを、強調しておきます。

次に、肘関節を動かしていくべきで、前腕をできるかぎり上方に曲げて、伸ばしていきましょう。もしも肘関節にねじれがあれば、腕が真っ直ぐに伸びるのを妨げることになります。ヒーリング・エナジーがそれを解放させるために必要な一息を入れたあとで、矯正がなされるべきです。ほんの最低限の助力を与えるだけで、関節は元に戻り、腕は真っ直ぐになります。ただ、もしもねじれが残った場合は、次の治療まで、いったんそのままにしておきましょう。

一般的に、手首は固まった、もしくは固まりそうな状態になりやすいものです。ヒーラーは、手首に覆いかぶさるようにしてしっかりと前腕を握り、もう片方の手の指を患者の手のひらに当てます。親指を一番上にしてしっかりとです。手首は、非常に小さな動作からはじめます。ヒーラーは可能なかぎり、細かい動きの状態を感じ取らなければなりません。前腕を動かないようにしっかりと握り、手首がどのくらい動くかを確認するように、手を優しく回転させます。この動きは、はじめは非常に小さなものであるかもしれませんが、探求されるうちに、動きが増してくる場合が多いでしょう。そうしたら、ヒーラーは側面の動きも試し、最後に、手を落としたり、上げたりしましょう。ヒーリングが効果的であるなら、患者に「自分で手を落としてみる」よう求めてもよいでしょう。

同じ手順に従い、指や親指の方向を変えてやっていきます。指は順番に、指関節から回し、二つの指関節が曲がるよう導きましょう。それから親指は、付け根のふくらんだ部分から回し、二つの上方関節がそれに続きます。

ヒーラーはどのくらいの動きまでが可能であるかを、この一連の動作を行ないながら感じていく必要があります。もしも強張りがあれば、それ以上の動作は難しく、圧迫したり、力を行使してはいけません。またヒーラーは患者と融合し、調律《チューニング》を維持する必要があります。まるでヒーリングの目的のなかで生きているかのように、周囲のことに気がつかないぐらい没頭するべきです。**関節の動きを探求する場合においては、脳と感覚は「指」にあるのです。**

患者の指がゆがんでおり、逆向きに曲がっている場合や、関節が硬直化し、関節内の仕組みが壊れている場合、関節を元に戻していくヒーリングには不利な状態であるかもしれません。しかしヒーラーはいつでも、**ヒーリングがそのときどきにおいて可能である最大限の援助をもたらしてくれる**という、この上ない自信を自分のなかに持っているべきなのです。

もしもヒーラーの行ないが患者に痛みをもたらしたとしたら、それはやりすぎているということ

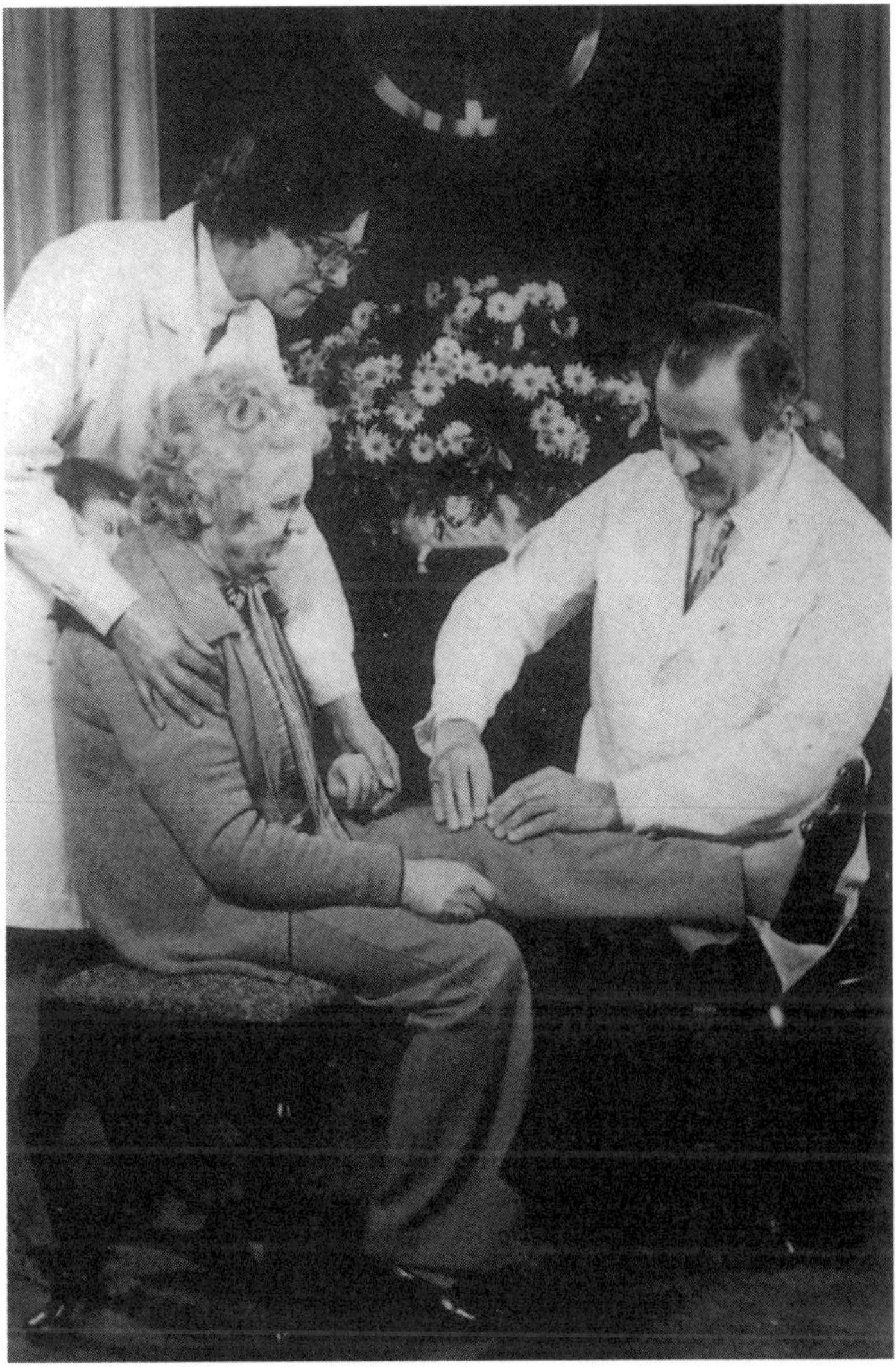

固まった膝関節の動きの回復に努める、レイとジョーン・ブランチ。

となので、やめるべきです。もう一度言いますが、ヒーラーがヒールするのではありません。ヒーラーが自分自身のがんばりにより救済を探求することは無意味です。すべては経験です。ヒーラーはそのうち、ヒーリングが起こるための一息を待たずして、関節が自由になっていくのを目のあたりにするようになるでしょう。状態を自由にすることを探求し、進めていくうちに。もしも関節が固いままであれば、ヒーリングのために一息をつき、関節が可能なかぎり自由になるよう、ガイドが働きかけてくれるのを待ちましょう。

足も、同じ手順で行なわれます。もしもお尻が固まっているのであれば、膝をほんの少し優しく持ち上げるべきです。この動作の範囲内で、自由にすることを探求するのです。そのあとで、ヒーラーは、もう少しだけ足を持ち上げていきます。可能な範囲で上下の動作が獲得できたら、足をお尻のところから回していきます。

関節炎においては、関節炎癒着により腱と靱帯が収縮し、もつれ、患者は足を動かすと、鼠径部と臀部に「引っぱられる」ような感覚を持つことが多いです。これは予期されていることですが、この引っぱられる感覚は、実際の痛みではありません。ヒーリングとしては、腱などの柔軟性と弾力を徐々に回復していくことを目指します。

膝を緩めるには、ヒーラーは、患者の足を自分の太腿へ運ぶことが有効です。ヒーラーは患者の前に座ります。そして、患者の膝の上げ下げの動作を探求します。もしもこの動きが得られない場合には、膝のさらが固くなっているかもしれず、指で優しく解《ほぐ》してあげると、さらが浮いて、これが膝関節のさらなる緩和を導くでしょう。もしも膝に痛みがあるなら、水がたまっているか、炎症を起こしている可能性があります。その場合は、動作の探求は最小限にとどめるべきで、必要あらば、治療を次の機会まで一時中止するべきです。足が下がったときには、患者に、足を膝からだらりと前後に揺り動かしてみるよう指示しましょう。足首、足首から下の足、つま先には、手首や指と同じヒーリングを施してあげましょう。

最後に患者に、立ち上がって、手をヒーラーの肩に置くように指示し、ヒーラーは、どちらの足にも痛みなくかならずできる股関節の新しい動きを確認するために、膝を上げるよう言いましょう。

患者が日々新しい動作を維持できるよう、改善していけるよう、サポートしなければなりません。癒着によってさらに浸潤していくのを防ぐのです。患者は、この部の第2章「脊椎のヒーリング」にて言及した、**自宅での**マッサージを生活に取り込むとよいでしょう。オイル、クリーム、タルカムパウダー（ベビーパウダー）を使用して滑らかにするハンドマッサージです。これは循環を刺激し、血液にエナジーを与え、それが自然に癒着を取り除いてくれるのです。

ときおり、以下のようなことがあります。患者は、素晴らしくヒーリングに反応したにもかかわらず、何年も関節炎により歩行が制限されたことで、習慣化されてしまった不具合のある歩き方を続けてしまうのです。このような症例においては、膝を持ち上げたり、足を使った動作を行ない、より普通に歩けることを患者に示し、励ましてあげるべきです。ヒーラーは患者とともに歩き、よりよい歩行法を見せてあげるのが一番よいでしょう。

深刻な症例においては、十分に関節を解放するまでに何度かのヒーリングが必要になることがあります。ヒーラーは、ヒーリングがそのときどきにもたらす援助の度合いに納得することを学ばなければいけません。慢性的に関節が固まっている例では、例えば、手が固く握られていて、動くことができない場合には、可動性を回復するまでには時間がかかるかもしれません。これらの気の毒な症状には、ヒーラーと患者との間により忍耐が必要となりますが、一度改善しはじめれば、ヒーリングを行なうたびによくなり、ヒーラーは費やしてきた時間に意味があったことを実感できるでしょう。

関節が手術により固定されてしまった場合、または硬直化してしまった場合には、ヒーリングによって動きをもたらすことは難しいかもしれません。

第4章　麻痺のヒーリング

麻痺にはいくつかの種類があり、それぞれに異なった原因が存在します。脳卒中やパーキンソン病のように、その発端が脳にあるものがあります。ほかは、小児麻痺に見られるような、神経機能の低下によるもの。またかなりの割合で、怪我、または脊椎骨の神経を圧迫する脊椎の硬直が原因ともなっています。

すべての麻痺症状には、協調不全があります。通常、脳からの指示を運動神経が受け取り、そのメッセージが送られ、諸神経を通って筋肉に反応をもたらします。例えば、小指を動かすように要求されたとしたら、脳からのメッセージ（指令）が他の神経ではなく、小指に関係する諸神経を通って、小指を動かします。指が、精神的な要求に従うのです。

しかし、麻痺にはこの働きが欠如しており、諸神経が麻痺、または劣化すると、メッセージの伝達が妨げられてしまいます。したがってヒーリングの目的としては、この場合、諸神経の機能を刺激し、ふたたび奮い起こすことにあります。

諸神経そのものの状態を刺激するのはヒーリング・ガイドの仕事ですが、このプロセスを支える上で、私たちにできることはたくさんあり、患者がヒーリングの利益を最大限に享受できるよう支援するのです。そのために私たちは、患者とヒーリングの努力との間に友好関係を築く必要があります。例を挙げましょう。

ある人は、足が麻痺しており、持ち上げることができない状態にあります。または、ほんの少ししかそうできないとしましょう。患者はこの希望のない状況を受け入れ、ヒーラーが膝を上げるよう尋ねても、「できない」と答えるでしょう。そしてそれを証明するために、腹筋に力を入れ、膝を持ち上げようと努力しますが、やはりそれができずに最終的に「できない」という事実を受け止めるのです。

患者が麻痺に苦しんでいるとき、特に多発性硬化症の場合、脊椎が強直性脊椎炎のような状態になることが多いでしょう。この麻痺はおそらく、その発端が、脊椎が足の神経を圧迫していることにあります。説明してきたように、ヒーラーはまず、脊椎を解放しましょう。それから、両方の手を脊椎もしくは手足の上で休ませ、ガイドが神経機能を改善し、力づけてくれるのを一息待ちましょう。ヒーラーは患者に、ヒーリングの意図が、脳から発されるメッセージをサポートしてくれることを伝えましょう。動作を可能にするために、足の筋肉をより強く引き締めるというものです。

ヒーラーは、心を通して、患者の足と「話をしましょう」。そしてこう伝えるのです。一息、もう一息ほどで援助が与えられ、脊椎から足の神経へと諸神経を伝いメッセージが運ばれ、反応が起きます、と。神経が感覚をなくし弱くなっていれば、メッセージが足へと届くまでに少し時間がかかり、取り組みも少しだけ長くなることを説明しましょう。

ヒーラーは、片方の手を足の下や膝のそばに置きます。そうしたなら、ヒーラーは患者の心を通して足に話しかけ、「**これから**膝を持ち上げます」などと伝えましょう。一息、もしくはもう一息ついたら、ヒーラーが持ち上がるのをサポートしましょう。もしかしたら、ほとんどヒーラーが持ち上げているような状態かもしれません。膝を上げたまま、一、二秒ほど待ってから、また話しかけて、「今度は、あなたがゆっくりと足を下へ押していってください」と伝えましょう。これを行なう上でヒーラーは、患者からの協力があったことを実感するかもしれません。動作をゆっくりと行なうことによって、神経もよりその働きが助長されるのです。

ヒーラーは患者に、動作の感覚に意識的になるよう指示しましょう。そうすることによってこの経験が記録され、再度この試みが行なわれる際には、心がそれを探すことでしょう。そして、ヒーラーからの口頭要求により、再度取り組まれることでしょう。たいてい、二回目のほうがより反応が出てくるものです。患者の期待がそうさせるのでしょう、患者自身が反応を欲しているからです。そこには、より進歩した協調（調和した）関係の兆しがあるのです。

これをなしとげる上には、患者の患部からかなりのエナジーを吸収することになり消耗させるので、二回もしくは三回以上行なうべきではありません。他の援助方法としては、大腿筋周辺にしっかりと手を置き、患者に「足の筋肉を固く締める」よう指示します。これが可能であるとヒーラーが感じられれば、未来に向けてのよいサインと言えます。これは、ほとんどの麻痺症状において、手足やその一部の協調作用をさらに促す主要な方法なのです。

腕や手の治療が探求される場合、ヒーラーは自らの手で患者の手をとります。指が収縮していれば、ヒーラーの目的に協働するように指に話しかけ、それらが真っ直ぐに伸びていくように援助しましょう。それから、ヒーラーの手を握るよう、口頭で要求しましょう。これが助けとなるのです。

ヒーラーは指に話しかけ、親指と人差し指に、ぎゅっと握ったり伸ばしたりするように言いましょう。それから次の指へと同じく言うのです。このようにすることで、指から指へと個々の協調関係が助長されていきます。患者の手を抱え、次にヒーラーは腕を後方へと導きます。そのとき肘は、体の近くにおいておきます。それから、前方へと導きます。これをゆっくりと数回繰り返し、患者に「動きの感覚」に意識的になるよう指示しましょう。ヒーラーももちろん、同様のことを意識するのです。

より困難な行ないは、ヒーラーの手を支えにして、患者に腕を持ち上げさせることです。

この場合は、それぞれの動作を行なう前に、口頭でその説明をしましょう。患者が腕を上げる際など、はじめは、ヒーラーがその取り組みを先導していく必要があるかもしれません。しかし下げていく動作においては、ヒーラーが「これから、私の手をゆっくりと引いてください」と求めていきましょう。そして、患者自身がそれに取り組むのを待ち、見守ります。最も重要なのは、患者自身がすべての動作と協働していくこと、そして、患者にその動きを心で感じ取っていくよう導いていくことなのです。

このことをしっかりと守りながら、次に、足の動作を助長していく取り組みに入ります。はじめに上腿、それから膝から下へ、そして最後に足の動きの探求を行ないます。これのために、ヒーラーは患者の足を自分の太腿に持ってきて、それから足の上げ下げや回転運動を助長するとよいでしょう。その際は、足に力が入らないようにします。足そのものは必要な動きをするだけでよいのです。

麻痺のヒーリングは、段階を経て進んでいくものです。ですから、忍耐が必要となります。もしも患者に友人の付添人がいれば、その友人が同様の方法で、日々の生活のなかで患者を助けてあげるといいでしょう。患者は、手足に話しかけていく方法を継続して取り入れ、指示的な説明のもと、すべての動作を行ないましょう。動く力を失った患者ひとりでは、長くこの方法でがんばれるはずはありません。ですから、友人の思いやりある日々の援助が効果的なのです。一般的な刺激となるマッサージも有効ですが、不快なものであってはなりません。それらは、筋肉を疲労させやすいものなのです。

内臓や膀胱に麻痺がある場合、これも脊椎損傷、または手術が行なわれたことが原因であることが多いのです。患者は、自然機能をコントロールすることができません。通常このような機能は脳が統括しており、働きを許可するにはメッセージ（指令）が必要です。この仕組みは、たいていの場合、この機能のなかにおいてはヒーリング作用に反応します。脳と排出弁の神経制御との間には親密な関係があります。このための身体的な治療法はないのですが、心の指令のもとに、患者が整合性と制御力を取り戻していけるように助長するべきです。これは通常、漸進的なプロセスですが、忍耐と取り組みが持続されることで、効果は得られるでしょう。

パーキンソン病は、神経の緊張と制御力の弱さにより生じるものです。活動力が欠如している場合には、ヒーラーは脊椎と首、そして手足の自由な動きを探求し、患者はスピリットの援助のもと、緩んだ動きが日々もたらされるよう促されるのです。

ヒーリングは主に、ガイドの責任のもとに行なわれます。神経の緊張を鎮め、症状を緩和させるのも、ガイドの責任です。ただし、ヒーラーを通しても有効なヒーリングを施すことは可能です。その重要な任務は、患者の気力を高め、改善に向けて患者を毎日鼓舞することです。患者には、手足や体の震えを止めるよう挑戦することが求められます。そんな場合は、手足がリラックスできる状態を探求し、きわめてゆっくり、必要な動作を導いていきましょう。恐怖心というのは、克服するための障害物であり、自信を取り戻さなくてはなりません。

一つ提案しましょう。患者に何か小さなものを拾ってもらい、指の動きをスローモーションのようにして見てみましょう。さらにもう一つ提案するなら、患者に空《から》の軽いプラスチックカップを拾ってもらい、それをゆっくりと口元まで上げていってもらうのです。心が、これをスムーズに行なうことが可能だと認識すれば、諸神経はよりよいコントロール下に置かれるでしょう。そして、そのカップに少しばかり水を注ぎ、患者に飲んでもらってもいいでしょう。患者に対するヒーリングの目的は、いつ何時も持続されます。そして、これらの前向きな小さなエクササイズが、患者が神経制御を安定させ、力づけるヒーリングを行なうための助けとなるのです。

違った種類の麻痺においてよく見られるのは、患者の呼吸が浅くなり、胸が広がる能力を失うことです。この場合、ヒーラーは正常に呼吸する能力を回復させるために、実際に指導的援助を施すことが必要です。そのための治療を実行しなければなりません。呼吸器についての詳細を、次の章にて述べることにいたしましょう。

第5章　呼吸器疾患のヒーリング

胸部の問題として代表される病気がいくつかあります。喘息、気管支炎、肺気腫、気管支拡張、結核などが一般的でしょう。最後の一つは例外として、すべてに共通する症状があります。それは胸部が固まり、肋骨が膨らまなくなり、呼吸が浅くなるというものです。胸郭が膨らまないことで、呼吸が横隔膜でされるようになり、そのことで肺が横隔膜を押し下げ、腹部上部を外側へ押しやってしまうのです。

同時に、脊椎がわずかに湾曲して強張り、脊柱が曲がり、肺を締め付けます。ヒーラーは、胸の病気においては脊椎に注意すべきで、述べてきたように脊椎の緩和と柔軟性を探求するのです。通常の湾曲であれば、普通は反応し、患者はふたたび背中を真っ直ぐにして上体を起こすことができるようになります。

胸郭が固まっている場合、呼吸が浅く、短く、息切れするようになり、過度の動き、例えばひと続きの（長い）階段を上ったりすると、呼吸困難になったり、ひどく消耗したりするのです。ヒーラーの目的は、胸の十分な呼吸機能を回復することです。強張った脊椎がヒーリングの努力によく反応すると、胸も同じように反応します。

患者を目の前に座らせて、ヒーラーはまずはじめの接触で患者を落ち着け、リラックスさせてあげましょう。ヒーラーは、呼吸の状態によって、胸の動きがなくなっていることに気づくでしょう。腹部上部、ちょうど胸の骨の下に手を当てると、腫《は》れが感じられ、肺からの圧力で横隔膜が下方へ押されているのがわかるでしょう。

ヒーラーが脊椎を解放したり、肋骨の柔軟性を回復させたりするような、前向きなヒーリングを行なう際には、患者にその意図を伝えるとよいでしょう。そのようにすることで、患者は望まれている動作を認識し、協調することができるのです。胸の場合、ヒーラーはまず、通常の呼吸のように胸が拡張しなくなっていることを患者に伝えましょう。呼吸が感じられるべき部分、つまり腹部上部を示してあげましょう。それから、ヒーリングの意図が胸を解放し、呼吸において、拡張・収縮するように助長することであることを伝えましょう。そうすると、患者はこの先で起こることを認識でき、治療は確かなものとなるのです。

よい呼吸の回復は、段階を経て起こります。ヒーラーは、両側の肋骨下部に手をしっかりと当てて、患者に鼻からきわめてゆっくりと息を吸うように指示しましょう。患者がヒーラーの手を感じている部分において、肋骨は開いていくでしょう。

ある程度の空気が入っていくのを感じたなら、すぐに患者にその呼吸を止めて、こんどはゆっくりと鼻から吐き出すように指示しましょう。このときにヒーラーは、肋骨を内側へ押し縮めていきます。これは、**力はそんなにいりません。**力は必要でも得策でもありません。繰り返しますが、ヒーラーは、息を吸い込んだり吐き出したりするたびに、肋骨下部が拡がったり収縮したりするのを感じていきましょう。

それから手をもう少し上に上げていき、最後に手が胸上部に達するまで、同じ流れを繰り返し、肋骨の広い範囲に運動をもたらします。患者の呼吸の状態から、胸全体が広がったとヒーラーが感じるまで続けます。ヒーラーがほどよい圧力を胸壁にかけると、患者は空気を吐き出すとともに、胸部の収縮を感じるでしょう。

患者の意識は胸の収縮、拡張能力に向けられるべきです。呼吸が深くなってきたら、患者に脊椎を伸ばし、肘を後ろにして、胸部を完全に開くように指示しましょう。この一連の動作において重要なのは、息を吸う、吐き出す、その両方を可能なかぎり**ゆっくりと**気持ちよくすることです。このようにして、呼吸をコントロールする感覚を回復させていくのです。

この種類のヒーリングを成功させるための次なるステップは、患者の協働にかかっています。患者はこれまでの呼吸法が習慣化されているので、新しい呼吸法のために、その習慣を変える必要があります。患者はそれが習慣化されるまで、新しい呼吸法を維持していく必要性をしっかりと感じていなければならないのです。したがって、ヒーラーは患者に、胸全体での呼吸を常に強く望んでいることを伝えましょう。患者が行なうことすべての「バックグラウンド」にあるかのようにです。起床時の、最初の思考は、正しい呼吸法であるべきであり、起きるときも、服を着るときも同様であるべきです。それから朝の一杯の紅茶を待っているとき、外出したとき、眠りにつく直前の最後の思考まで、一日中です。もしもこれが意識的に数日間実行されるなら、この「よい呼吸」の習慣はすぐに確かなものとなり、喘息や花粉症、気管支の問題などはなくなるはずです。

しかしこれは治療のまだほんの半分にすぎず、次を考慮していく必要があります。改善された呼吸法においては、よりたくさんの量の酸素が肺に取り込まれ、血液のよりよい任務の遂行を助長することは、明らかなのです。そしてこの「よい呼吸」よりも、もっとよいものが存在します。「特徴づけられた呼吸」と呼ばれているものです。

私たちは、エナジーの海、宇宙力の海に住んでいます。私たちは日々、潜在意識的にこれらの力を組織のなかへ取り込んでいるのです。これは最も重要なエナジーで、マグネティック・ヒーラーはこれらを豊富に持っており、活力に満ちた健康をもたらします。

これらの力の存在を説明するには、木を見てみればよいでしょう。木は栄養価だけで生長するのではありません。根を通して、地球のエナジーを吸収するのです。エナジーの海に渦巻くものを吸収し、他の属性として、緑葉素や生命力を必要とします。緑葉素も太陽光線も一つの例です。ご存じのように、サナトリウムは松の木のある地帯に建設され、呼吸や肺が弱い人々を援助します。

木々や灌木から力を受容することができる人々もいるのです。力を意識的に自分自身のなかに取り込み、その意図のもと、深呼吸をするのです。海辺に行けば、その新鮮な空気のなかにある体に有益なものを知覚し、深呼吸することで肺のなかにその空気を取り入れることでしょう。それがよいものであるとわかっているのです。私たちはこのことを教わる必要はなく、自然にそうなるのです。この健康を与えてくれるものたちを知覚することで、私たちの休日は価値あるものに、健康を回復させるものにしてくれるのです。これが重要な、**知覚力**です。私たちはオゾンを感知することはできますが、これを宇宙力とともに感知することはできません。しかし、これらはそれぞれ、ただそこにあるものなのです。

患者に十分な呼吸をもたらすことに成功したら、その呼吸は繰り返されるべきです。今度は、**意識的に宇宙力を取り込むように**、新しい力を、さらなる酸素を、ヒーリング・パワーを取り込むのです。呼吸はゆっくりと吸ったあとは、老廃物や問題あるものを出すようにゆっくりと吐くように指示しましょう。

患者がこれをうまくできるようになれば、力や生命力を取り込むことに意識的になり、空気が気管支を通って肺にいくにつれ、気持ちのよい浄化作用を実感するでしょう。胸全体での呼吸を習慣化させる探求に加えて、一日に数回、この「特徴づけられた呼吸」を行なうよう、患者に指示しましょう。患者が、同調しているヒーラーの助けのもと、この援助を受けているとき、そのヒーリングの意図は、肺鬱血や肺感染（もしあれば）を洗い清め、弱点を克服することにあります。

喘息においては、精神状態と関連している場合があります。「神経性喘息」と呼ばれるものです。これらの症例においては、心の心配癖がよく観察されます。例えば、喘息の患者はこのように言います。「発作が午前三時に起きて、目を覚ました」とか、「一日のうちのある決まった時間に発作が起きた」と。その場合、夜になれば寝て、朝になれば起きるというふうに気持ちを持っていくよう、もしくは、生活習慣を変えるよう、助言してみるといいかもしれません。このように努めることで、スピリットからの正しい作用も加わり、習慣化された癖は克服されるのです。

ヒーリングの意図を持った「特徴づけられた呼吸」は、体の富と知性を結集させ、緊張や病気の症状を克服するのです。

ヒーラーはみな、この「特徴づけられた呼吸」を有益に感じるでしょう。患者だけでなく、自分自身のためにも。これは、新しい力を吸収する自然な方法なのです。心霊腺（心霊回路）に活力を与え、なによりの強壮剤となります。そして、人を「幸福な気持ち」にさせるのです。

第6章　精神的ストレスのヒーリング

人間の病気のほとんどは、精神的緊張、フラストレーション、そして心の病にその発端があります。医学的権威により、このように立証されてからずいぶん経ちます。これらの病気は、「心身症」という言葉のもとにやってくるものです。

「不治」の病と呼ばれるものが、スピリチュアル・ヒーリングに反応する理由は、ヒーリング・ガイドが患者の意識に働きかけ、よい作用をもたらし、精神的緊張を静め、恐怖心をなだめ、前途にバランスと満足をもたらすことが可能であるからです。このことに疑いの余地はありません。これは、患者のスピリットそのもののフラストレーションが鎮められ、これらのスピリットや心の不調和、主要な身体的苦痛も取り除かれ、ヒーリングに身体的な症状を駆逐するための道を開いたことを意味します。

コンタクト・ヒーリングでは、ヒーラーのヒーリング・ガイドや患者との調和、または心の不調和は、すぐに心で感知されます。ここでいくつかの懸念事項が出てきます。

例えば、過去においては、このような診断がなされていたのです。「オーラが分離している」、患者の「エーテル体が整っていない」、「オーラが開かれたら、最後に封印する必要がある」などと。また、ヒーリング・セッション後、「ヒーラーはオーラを封印する必要がある」などと言われてきたのです。こうして、私たちはヒーラーが「オーラを浄化する」そして「封印する」という考えのもとに、患者の体を一掃する姿を見てきました。しかし心に知的に訴えかけてくるものはなく、これらの行為は無益であることがわかったのです。

オーラは、人の霊的、身体的な健康の**表われ**です。それらを**反映するもの**なのです**。**身体的に患者の具合が悪い場合、霊媒によりオーラのなかにこれを観察することができます。それがどんよりした色なのか、怒ったような色なのかをです。そこに精神的な不調和がある場合、一般的にそれを反映したものが映るのです。身体的な病が治癒されると、オーラはその状態に呼応してきれいになります。そして精神的緊張が解かれると、オーラはより幸福な状態を反映したものになるのです。

このように、オーラそのものを癒す（ヒールする）ことは不可能なのです。人は、反映されるものを癒すことはできないのです。また、反映されるものを分離できないように、オーラが分離することもないのです。そしてそれを、封印することもできないのです。このような「封印」を試みる無分別なヒーラーは、ヒーリングの基本、その根本を熟知していないことになります。このようなテクニックは、そこになんの根拠もなく、ヒーリングの行為として必要のないものなのです。これがヒーリングの意図を表現する誤った方法であり、そのことがわかっただけが得と言えるでしょう。

私たちのほとんどすべての病気の主因は精神的な不調です。この事実は今日、医学的権威からも認められていることです。その主な原因は恐れとフラストレーションだと、私は思います。まずはじめに、「恐れ」について考えていきたいと思います。

このいくつかにおいては、原理が存在します。胸にしこりがあると、それがたちまち癌への恐れとなります。これは単に、自浄作用により回復する、寒さによる腫《は》れ、もしくは腺性疲労かもしれないのですが、癌への恐怖となります。

不安感というものがあるのです。それは疑いからくる恐れであり、たいてい根拠のないものなのです。事実、多くの症例において、その恐れにまったく根拠がありません。恐怖心を抱く人に尋ねてみましょう。「あなたが先月恐れていた問題はどこにいきましたか？　それはなんでしたか?」と。彼らがそれを思い出せるかは、疑わしいです。しかし、それらは過ぎ去った日々に、確かに心を苦しませていたものでした。私たちは「起こらないこと」をわざわざ心配しているようなものなのです。

もう一つの恐れの原因について言及しましょう。経済的な心配であったり、家庭内の問題についてです。これらには根拠があり、ただ心配し続けたからといって、解決するものではないでしょう。

より執拗な精神的ストレスは、フラストレーションがそうでしょう。そして、何がそうさせているのかを把握するのは、容易ではありません。それらのいくつかは、潜在意識のなかに潜むものであるからです。例えば、自分の理想に到達するのに失敗した場合だとか、感情的な問題や性質の問題などがそうで、いずれにしても「今の生き方は許されない」という、あせりの表われなのです。

心のうちでは、音楽の道で表現していきたいと求めているのに、現実の生活がそれを許さない場合、また、旅をしたり、開放的な空間へ焦がれているのに、実際には工場での単調な生活に締めつけられてたりする場合があります。このように、フラストレーションのかたちは非常に多く存在し、それらはたいていとらえがたく、心の平静を乱すものなのです。

これらは器質性疾患においても影響力を持っており、いくつかの種類の癌においては、その発端が心理的な挫折にあると言われています。

繊細で自分自身に精神的負担を課してしまう人々は、他人の問題を必要以上に心に抱え込んでしまい、思い悩むのです。

責任感に苦しむ人々もいます。例えば、職場のドアをきちんと閉めたかどうか心配するのです。帰り際、または帰宅してから、あるいは寝る時間まで、これをずっと心配し続けてしまうのです。事実、重役は胃潰瘍を患いやすい傾向にあるというのも、まさしくその証拠でしょう。

これらのはじめの心の動揺を、「取り除くことができる恐れ」と考えましょう。これらの小さな恐れは、日々生じるものです。心配事を針小棒大にとらえることによって、心配事が大きくなったり、広がったりしていくのです。心配事や不安が現実のものになったとき、それらを少しずつ減らしていけるのは時間だけです。そして心を支配していた心配事は次第に薄れ、他の何かが代わりとなっていくでしょう。

一般的なヒーリングの目的は、恐れや緊張を鎮め、落ち着かせて、正しい見通しのもと回復の機会を与えることにあります。新しく、幸福な指示を与え、それに心が従うようになるのです。快適な眠りが、消耗した体のエナジーを回復させるような、満足感を供給するのです。

この「なだめていく」過程は、シンプルな理由のもと、行なわれます。私たちのフィジカル・マインドが会話から影響を受けるように、私たちのスピリットや内面の心もスピリチュアルからの影響を受けるのです。ほとんどの精神的な不調は、フラストレーションから生じるもので、物理的な意識のなかではなく、人の内面の心やスピリットそのもののなかに存在します。なぜなら私たちのスピリットそのものは、スピリット・ヘルパーやカウンセラーと同じ水準にあり、それらは問題を抱えている心を鎮め、思考を整え、ストレスの基本的な原因を克服するのです。

心理学はこれらのヒーリングと密接に関係している科学ではありますが、スピリチュアルなアプローチによるヒーリングは、単なる心理的なヒーリングではありません。それ以上のものなのです。

次に考慮すべき重要な項目は、患者がいかにしてヒーリングの取り組みと協働するかです。これは一つのヒーリングの観点です。患者の常識的な協力が、導かれるよき作用への反応を大いに助けるのです。以下のアドバイスが、患者に与えられます。

① 過去は過去のものとし、幸せでない記憶を抱え続けることは、なんの得にもなりません。それは、単に問題を永続化させるだけであり、なんの意味もありません。

② ヒーリングとは柔軟なプロセスです。したがって、心のなかで不安と戦うことはやめましょう。

③ 一日を通して、生活のうちの小さなことのなかに幸せを見つけてください。毎日の仕事を、うまくこなしていけるような楽しいイメージを持って、位置づけてください。早朝に紅茶を飲む湯沸しのうちに、洗いものをすることのうちに、幸せを見つけてください。そして、駅やお店まで歩くことを楽しんでください。

・人に対して笑顔でいましょう。店員さんにも、駅員さんにも。そしてもっと重要なのは、自分自身に対して笑顔でいることです。

・身だしなみを整えましょう。一日中家にいるときも、だらしなくしているのは、やめましょう。女性であれば少しお化粧をし、明るい色の服を着ましょう。

・ラジオをつけて、歌や音楽を聴きましょう。仕事をはじめたり、掃除をしたりするときには、心で唄を歌いましょう。

これが、あなたがあるべき、自然で、幸せな状態です。これが、あなたが探しているものなのです。ヒーリングとは自然なものでもあるのです。ぜひこれを試してみてください。

④もしもあなたがビジネスの世界にいるのなら、事前にトラブルが起きないかと気に病むのをやめ、それが実際に起こったときに対処するようにしましょう。何よりも、仕事を終える際には家に持ち帰ることなく、会社に置いて帰りましょう。夜に訪れる「あなた自身の時間」を楽しみにして、そこにあなたを迎えてくれる愛おしき人がいるのなら、彼らにあなたの笑顔の温もりを与え、家の小さな出来事に興味を持ちましょう。お花やスイーツを持って帰るのも大変よいでしょう。もしもあなたが妻であるなら、夫の夕食のために、何か特別なものを作ってあげましょう。あなたが知っている、彼の大好きなものを。

⑤精神的マンネリから抜け出し、散歩に出かけたり、絵画や劇場など、変化をもたらしてくれるところに行きましょう。天気のよい日なら、ピクニックに出かけましょう。

こうすることによって過去と訣別し、より幸せな日々に向けて、新しい人生を開いていくことができるのです。

もしもそれが家庭内の不調和であれば、少し複雑なものとなるかもしれません。与えうる指示としては、調和を回復させることです。それは長く、悲しい顔からくるものではありません。これらに少し気を配りましょう。これは、良心に訴えかける行為であり、価値のあることです。

パートナーのいらだたしい行為を大目に見て、口論にならないようにしましょう。ヒーリングはよい作用、導きを与えようとしています。これを助長する方法は、協調によるものなのです。

より幸せな気分のときがあるように、頭痛や神経痛、お腹をこわしたりするようなこともあります。もしもあなたが読書好きであれば、お気に入りの本を手にとり、座って、リラックスし、読書を楽しむ時間をもうけるようにしましょう。音楽が好きであれば、好きなレコードをかけましょう。一日、あなたの好きなことをし、それらを楽しみにするようにしましょう。

これらの方法により、あなたはよいヒーリング作用を助長することができ、あなたの前途に変化をもたらし、恐れを鎮め、心配性は改善され、真の見解と充足という二つのよきものを手にすることができるでしょう。

私たちは何度も「人格」が変わっていくのを見てきたものです。厳しく、冷たい人が、あたたかく、愛おしく、思いやりのある人になっていきました。女性も同様にです。

数えきれない人々が、精神的ストレスから、そしてときおり精神を苦しめる慢性的な強迫観念から、立ち直ってきたのです。幸福が彼らのもとへと戻ります。そこには大多数の患者が反応を示さない理由などありません。これが私たちが一構成要素となっているヒーリングの現場なのです。

患者の問題が、フィジカル・マインドにある場合は、例えば、不安、心配への恐れ、不信、責任感に対する恐れなどですが、この場合、ヒーラーは、このような苦悩をやわらげるために大事な役割を担います。一つは、ヒーラーのスピリットと患者との融合によってもたらされます。そのことによって、ヒーラーの能力と自信に、見解と満足感が戻ってくるでしょう。ヒーラーは患者の目の前に座り、より親密な調和に向けた準備として、彼の手に手を添えて抱えます。そして、患者の乱されている心の状態を感知し、患者にその問題の性質について自由に語らせるのです。ヒーラーはそれに耳を傾け、同情心と理解を示しましょう。ときには、かなりの忍耐も必要となるでしょうが、こうすることによって、患者はヒーラーが「自分のなかにいる」ように感じるのです。彼は自分の不安を「慈悲深い友人」に語り、ヒーラーを精神的ストレスから解放してくれる者として見なすようになるのです。

患者と話をする際には、ヒーラーは優しくそれでいて自信ある態度で臨むべきです。ヒーラーの判断力と、調律《チューニング》を通して直感的に受容する想念が、患者に与える言葉の根幹となるべきであり、前向きで、そして思いやりを持った援助を心がけましょう。ヒーラーがこれをどのように行なうべきかについて、定められた方法はありません。感覚に従って、患者の怖れを取りのぞいていくのです。ヒーラーの自信に満ちた、前向きで同情心ある、わきまえた作法は、患者の展望を開き、患者の自信を回復させ、日ごとに不安から解放される感覚を患者に与えるでしょう。

ヒーラーはよい心理学者であることを学ぶのですが、これは心理学そのものではありません。それ以上のことなのです。心理学に加えて、ヒーラー自身と患者の融合により、患者自身が受け入れるようになるための援助でもあり、またガイドによる矯正作用でもあるのです。

ときおり患者は、自分の持っている精神的な問題に戻ろうとすることがあります。このような患者に対しては、過去は過去のものとし、問題を繰り返し続けていくのはやめるよう指示するのがベストです。

ヒーラーは節度を持ち、自信を持ってコントロールを持続させるべきなのです。患者と話をするときも、自信を持って明確に話すべきであり、これが患者に安心感をもたらします。また、ユーモアを交え、患者を笑顔にすることが可能であるなら、緊張を「解きほぐす」のに有効です。このようなヒーリングの目的は、患者が硬直状態から抜け出し、より幸せな展望を持ち、与えられる援助に感謝するようになることなのです。

しかしながら、意識下の不快感と対になっている主要なフラストレーションや感情的不満感に見られるように、不安の原因が、患者のたましいや内面に存在している場合、これら不調の克服は、それらの存在と同じ次元、つまりスピリットの次元での働きを行なうガイドの責任下となります。ガイドがよい作用をもたらしてくれ、患者のスピリット・マインドを正しく導いてくれるのです。同時に、ヒーラーは心理的方法で、前述したような役割を担います。この意味において、ヒーラーの手はなんの役割も持たないのですが、緩和やリラクゼーションをもたらすことにはなるでしょう。

心身相関の原因を持つ病気に話を戻しますが、例外なく言えることは、精神的なストレスが鎮まれば、病気の主因も次第に克服され、身体的症状も緩和されていくことです。

もしもフラストレーションや精神的な不調の原因が根深いものであれば、スピリットからよい作用や導きがもたらされ、知覚できる結果を得るまでには、ある程度の時間がかかるかもしれません。ヒーラーは、患者がいかに怖れや後悔に取りつかれるかを知っています。内面に潜む恐れは頑固なものであることが多いのです。したがって、意識と心がこれらの不調和に強く支配されている場合は、ヒーリングの作用が受容されない可能性があり、問題は持続してしまいます。これが、ヒーリングがときどき、思うように成功しない一つの理由なのです。対して、患者の心の状態が、矯正作用に対して従順であるとき、自発的かつ敏捷なヒーリングを観察することができるのです。

ヒーラーは、それが神経状態に直接関係している場合を除いて、**個人的な**問題に関する助言をできるかぎり避けるべきです。この種の援助は、**究極的には**、ヒーリングにより促された自助的なものとならなければならないのです。精神的な病は、それぞれ異なっていて、非常に個人的なものなので、ヒーリングや回復の割合を定めるルールなどは存在しません。

精神的ストレスのヒーリングは、たいてい間接的なものです。すでに述べてきたことですが、スピリチュアル・ヒーリングを開始すると、それがコンタクト・ヒーリングでもアブセント・ヒーリングでも、患者は精神が向上することに気がつきます。

この章のはじめの段落において、大多数の身体的苦痛の原因は心身に相関するものであるとの真実を述べました。そのためヒーラーは患者に、より落ち着いた状態をもたらすために、第一歩を踏みだすのです。そうして幸せな変化が訪れ、スピリットによるよい緩和作用のもと、精神的ストレスは鎮められ、患者は新しい興味を抱き、ふたたび人生を楽しみはじめるのです。

患者が胃の問題を抱えている場合、その原因はおそらく精神的な緊張にあり、ここでもやはり、神経のストレスが鎮められることにより、発展的な改善を観察することができるでしょう。そして、お腹の不具合は軽くなり、消えていくのです。

強迫観念や憑依と判断される精神的状態は、第5部の「憑依のヒーリング」と「強迫観念のヒーリング」の節にてそれぞれ扱います。これらは、この取り扱いに熟知した経験ある者による治療と理解が必要な部類になります。

精神的なストレスのヒーリングは、たいてい、一般的ヒーリングの一部です。ガイドはこれを簡単に診断することが可能で、患者が必要とする総合的なヒーリング援助の一部として、扱います。

第7章　内臓障害、機能障害、血液と循環器の状態、腫瘍などのヒーリング

この章の表題にあるような、多くの異なった疾患のヒーリング方法について、直接的な助言を与えるのは不可能です。問題を起こしている原因が克服されなければ、どんなヒーリングも効果的ではありません。症状に対するヒーリングには役に立ちますが、それは一時しのぎのものなのです。ゆえに、この広範な病状において原因が多岐にわたる可能性があり、すべての症状が個別のものであるので、ほとんど指針を示すことができません。ただし、この範疇にある病の主因は、心身相関のものか、器質性、もしくはその両方なのです。

糖尿病やてんかんなど、病気が機能障害によるものだと見なされた場合、ヒーリング過程は、通例ではよい変化を促していく、徐々に発展していくものであり、ヒーラーはそれを認識していく必要があります。患者が救われる重要な方法の一つに、体の健康状態に新しい力と生命力を与える方法があり、「心が上向きになった感覚」とともに、より幸福な展望が開かれます。

この種類の病気におけるコンタクト・ヒーリングでは、ヒーラーはガイドとのあいだ、患者と

自分とのあいだに築くチューニング（調律、調和）に身を捧げ、ガイドに身体的な症状についての必要な知識を伝達し、ヒーリング・エナジーが流れる回路となるのです。実際のヒーリングにおいては、ヒーラーは小さな役割を担うにすぎません。

貧血、黄疸、白血病、血栓症、そして血液、心臓の働き、また循環器に関係する他のすべての問題においては、よい呼吸作用や「特徴づけられた呼吸」を促すことによって、患者を救う手立てが行なわれます。これらの呼吸は、健全な血流状態を生みだすための、心臓のリズムを助長するための、実質的な助けとなるのです。患者が、ヒーリングや健康によい力を吸収しようという意図を持って呼吸すれば、患者は、意識的に自分自身をヒーリングの目的と連携させていけるのです。

癌、腫瘍、甲状腺腫、嚢胞などのヒーリングにおいて、患者と調和しているヒーラーは、心にしっかりとしたヒーリングの目的を持つべきです。患者の体のふさわしい部分に手を当てて接触し、ガイドが問題のあるところを散らして、取り除くのを待つのです。

同じように、患者の腎臓、胆嚢に石がある場合、または、他の「望まれていない」症状においては、その患部を分散したり矯正する道が「探られる」べきです。これらすべてのヒーリングにおいて、ヒーラーは自分の直感に従うべきなのです。調律《チューニング》状態にあるときに、自分の受けた直感を疑うべきではないのです。むしろ、自分はヒーリングの目的との意識的な協働者であることを実感しましょう。

あらゆる種類の皮膚疾患においては、決まって心身相関の原因が存在します。不安、恐れ、過去の精神的ストレス、フラストレーションなどが原因となっているのです。長く患っている皮膚疾患もスピリチュアル・ヒーリングにはなじみやすいものです。ただし、はじめに調和をとる以外には、コンタクト・ヒーリングで行なえることはほとんどありません。精神的なストレスを処置する上で、平静さを探求し、心の問題を正しい見解へと導き、患者の前途に心のやすらぎをもたらすヒーラーの思いやりある自信に満ちた振る舞いは、ヒーリングの目的を実質的に援助するものです。

皮膚病のいくつかは感染性であるので、そのような患者と接触する場合には、他の患者に感染させないよう**用心しなければなりません**。消毒済みのお湯でしっかりと手を洗いましょう。のちの第9章では、皮膚病のヒーリングについて、より詳細に扱います。

患者が手術を受けるべきかどうか、ヒーラーはたびたび尋ねられます。これは、慎重な扱いを要する質問です。非常に大きな責任をともなうものなのです。「はい」や「いいえ」などの明確な答えは避けましょう。一つの理由をもとに、そのような助言を与えるのは、そもそもヒーラーの職分ではないのです。ヒーラーは、手術が何を意図しているのかも知りませんし、手術能力に対する責任も、起こるかもしれないミスに対する責任も、結果として生じる合併症にも責任はないのです。ヒーリングの目的は、もし可能ならば、手術を避けることです。しかしヒーラーは、いくつかの症状においては手術が必要となることも認識しなければなりません。急性虫垂炎や絞扼性ヘルニアなどの症例においてはです。

手術を受けるよう助言された患者がヒーラーのもとにやってきたとき、そしてヒーリングを受けることで手術を避けたいと望んでいるとき、ヒーラーは患者にかける言葉に細心の注意を払うべきです。**ヒーリングで「できること」「できないこと」について、事前に約束や請負いをすることは、ヒーラーの職分ではないのです。これは深刻な症状にだけ言えることではなく、軽度なものにも言えることです。**ヒーリングによる手術の回避が望まれているとしても、手術を受けるかどうかの最終的な決定の責任は患者自身にあること、そして、助言者はそれを受け入れなければならないことを、ヒーラーは患者に伝えるべきなのです。

もしもヒーリングにより、ストレス症状、腫《は》れ、腫瘍の大きさ、痛みなどが明らかに減少した場合、患者に、医者のもとへ行き、その改善について話をし、さらなる改善を観察するために、一～二週間の手術の延期が可能であるかどうか尋ねるよう指示しましょう。多くの場合、医師はこれに同意し、ヒーリングがよい仕事を続けるさらなる時間を与えてくれるはずです。もしも手術が避けられないものであるならば、患者は医師に、手術がされる前にヒーラーが病院の患者を訪ねてよいかどうか聞いてみましょう。もしもそのような訪問の時間があればですが。

患者に手術が行なわれる日を知らせるよう指示し、患者の抵抗力を高めるため、そして、負担や合併症を回避し、手術が迅速かつうまく運ぶように、ヒーラーはアブセント・ヒーリングにより、患者に力と生命力が届くよう探求しましょう。

ヒーラーが内臓障害などの診断を受けることができなくても、心配しなくていいでしょう。診断とヒーリングは、ガイドの責任下にあるのです。患者と調律《チューニング》されているあいだ、ガイドは可能なかぎりすべての援助を与えてくれるのだということに、この上ない自信を持ちましょう。

ときどき、特にアブセント・ヒーリングにおいて、以下のようなスピリチュアル・ヒーリングの援助が求められることがあります。患者の疾患が危機的になり、「物事の範疇」を越えて、病気が体を侵食しているときです。そこからの回復を求められるのです。しかし、こうした場合でも、スピリットの治癒力を疑ったり、制限を設けたりすることはありません。ヒーラーの責任下でのことではないのです。ヒーラーの責任下で続けるべきです。こうして死が訪れるとき、その危機的な時間において、患者に忍耐力と心の平安がもたらされ、痛みは鎮まり、大いなる援助が与えられるのです。永遠のいのちとなる「死」の瞬間、なんのストレスもともなわずに、穏やかに旅立つことができるのです。

死が訪れるとき、または患者の疾病の症状が、患者とヒーラーが望むように軽減されない場合、そこには理由があります。成功するヒーリングそれぞれには「道理に適《かな》ったなりゆき」があるように、不成功を説明するのにも、「道理に適ったなりゆき」があるのです。第一に不成功だった場合、そのヒーリングは、身体的な法則やスピリットの法則の範囲外であった可能性があります。第二に、心身相関である原因が、患者の内面、心、意識に深く嵌《は》まりこんでおり、ヒーリング作用が浸透しない可能性があるのです。そして第三に、患者自身が問題の原因を持続させている可能性がある場合があります。

例えば、患者が急性関節炎に苦しんでおり、彼が湿り気のある不衛生な環境で暮らし続けたら、原因はそのまま持続されます。食事制限をするべき人がそれを無視したり、目の疲れにより視力が低下している人が目に負担をかけ続けたりすると、ヒーリングを無効にしてしまうのです。なぜなら、ヒーリングの目的と協働することに失敗しているからです。

最初のほうでも述べましたが、ヒーラーは自分の望む過程を得られなくても、患者やガイド、自分自身を咎めるべきではなく、また、自分のヒーリング能力が「十分」でないなどと考えるべきではありません。スピリチュアル・ヒーリングは、スピリット・サイエンスの成果であり、それはこの世界での人間の存在を支配する法則の範囲内でのみ機能するということを、常に覚えておきましょう。これらの法則の範囲において、スピリットとの密接な結びつきを通して、計り知れない利益が人類にもたらされることは、喜ばしいことなのです。

第8章　不眠症

不眠症はよくある病気で、一般的にそれほど深刻に治療されません。精神的な活動は単純労働よりも消耗することがあり、ハードな肉体労働の一日と同じ、またそれ以上に体の燃料を使い切ってしまうのです。不眠は健康状態を低下させ、貧血は不眠が原因になっていることがあります。

不眠症の患者は、目の疲れや疲れ切った顔を見るだけでわかります。慢性的な不眠症の男性が、ヒーリングにやってきたことを覚えています。彼は、「二〇年間、夜の睡眠というものを知らない」と言い、ベッドに入り、乱れた心に苦しみながら起きているのが怖く、ベッドにはまったく入らず、椅子に座り、眠れそうなときに寝た、と言うのです。

私は彼を救助することを探求し、のちほどこの章で扱う、ある助言を与えました。次に彼に会ったとき彼は変容しており、目の状態はよく、顔に笑顔も見受けられ、すっかり元気そうになっていました。

不眠とは、心の活動が過剰になったために引き起こされるものです。それは、休むことなく働き続けています。柵をジャンプする羊の数を数えましょう、という古風な提案は、およそ成功することはありません。その理由は簡単で、これが、心に新たな活動を加えていることになり、根底にある不安や心配を鎮めていないからです。

医師はたいてい、さまざまな強さの睡眠薬を処方します。それによって一時的に緩和することがあっても、完治するものではありません。これらは、根底にある精神的活動を静めることなく、意識に毛布をかけるようなものであり、患者は前よりも疲れた状態で目を覚ますことになってしまうのです。

スピリチュアル・ヒーリングには、原因を取り除くという目的があります。不眠の原因の発端には、精神的緊張やフラストレーション、恐れ、問題についてあれこれ先に考えてしまうことなどにあり、これは潜在意識に深く存在しているものです。それと同じ次元に存在しているスピリットそのものによってであれば、矯正作用、緩和作用を働かせることができ、心のその部分に触れうるのです。

この方法により、少しの努力のもとで、バランス感覚のとれた見方が回復していき、自然の機能である活力を与える睡眠が戻ってきます。これが、先ほど言及した男性に起きた出来事なのです。彼は、見通しがどれだけ満足したものとなったか、そして、仕事の問題に対してもたやすく、自信を持って取り組むことができたことを、報告しました。

神経的なストレスや神経炎、そして心の不均衡を緩和することは、遠隔によるスピリチュアル・ヒーリングのはじまりを意味します。自由のもと、心が上向きになった感覚が患者にもたらされるのです。のしかかる重圧は常に取り除かれ、患者が床につくときには、眠りは自然に心地よくやってきて、朝には一日を、そしてその後の務め（仕事）を、自信と喜びを持って迎えることができるのです。

スピリチュアル・ヒーリングがこの役割を担うのですが、もちろん、これと協働する必要があることは常識です。患者にできることは、いくぶん心理的なものなのです。まず最初にできることは、患者が切に必要としているもの、つまり「眠り」を楽しみに待つことです。

ベッドに入り、過去の眠れなかった夜について考え、また別の心配をするようでは、ヒーリングの努力を無効にしてしまいます。それゆえ、不眠症の患者には、ベッドに入る前に、安らかな眠りを楽しみにするよう助言しましょう。ボーンヴィータ、ホリックス（ともに麦芽飲料の商品名）、ココアなどの、温かく、落ち着きを与える飲料を飲むことはよいことです。

寒い夜であれば、ベッドを温めて、眠りに備えましょう。眠りにつくとき、まず、ベッドが与えてくれる身体的な安らぎの心地よさを堪能し、横になり、手足を好きな位置に置き、リラックスさせましょう。ベッドは寝る場所であり、夜から日の出までの眠りを、起床にふさわしい時間についてを軽く心でイメージしながら横になります。このイメージによって、短時間で目が覚めてしまうようなことを回避できるでしょう。患者が、自分自身とヒーリングへの取り組みを同調させることによって、眠りは訪れるのです。

慢性的な状態で、睡眠薬を服用することが習慣化している場合は、はじめの夜は今まで通りに服用し、その後、徐々にその強度を減らしていくとよいでしょう。すると、睡眠が改善されていきます。平均的な不眠症の場合は、必要となったとき（ほとんど必要のないことですが）のために、近くに錠剤を置いておいてもいいでしょう。実際に必要となることはめったになく、最終的には引き出しにしまわれ、忘れられることになるでしょう。

睡眠までの短いあいだに、日々の心配について、輪のなかのねずみのようにぐるぐると思いをめぐらせてはなりません。それよりも、昨年の休暇のことなど、過去の喜ばしい記憶を呼び覚ますべきなのです。あるいは、次の休日にしたいことなどをじっくりと考えたり、他の楽しい希望について考えましょう。希望的な思考をすることによって、「空想のなかにお城」を築くのです。これが心を静かで滑らかな思考回路へと導き、心配事はなくなっていきます。概して、幸福なイメージをするとほどなく、眠りがやってくるでしょう。

そして毎晩、同じプロセスに従っていきましょう。不眠症が過去のものとなるまでに、そんなに時間はかからないでしょう。

小さな子どもの症例について覚えていることがあります。両親は私に、息子が、日中にうとうとする以外寝ることはなく、夜は絶対に寝ないと言うのです。すると私は、彼が暗闇を恐れていること、両親のベッドに入ったときに安心することに気がつきました。私は夜用のライトと、彼が抱きしめられるようなかわいいぬいぐるみを与えるよう助言し、彼をなだめるよう探求をしたのです。

そのようにしたはじめての夜、男の子はすぐに眠りにつき、なんの問題も起きなかったのです。この方法で彼の恐れは鎮まり、彼は抱きしめるかわいいぬいぐるみという仲間を持ったのでした。そのようにして、彼の小さな心は落ち着き、またガイドの援助のもとにヒーリングというものを経験し、自然に眠りが来るようになったのです。

一日の終わり、体はくつろぎを必要とし、そうすることで使い切ったエナジーは入れ替わります。活発なフィジカル・マインドも睡眠を必要とします。眠りを妨げるのは、不愉快な思考であり、幸せな思考にひたることで、不眠症になる人はいないのです。不眠症の人が持つのは常に、責任や怖れと結びついた思考です。したがって、患者は心配事から心を休めるように、幸福感を持ってベッドに行くべきなのです。思考に笑顔を、そして、元気を取りもどすような睡眠を期待するよう指示しましょう。そうすると睡眠はかならずやってくるのです。

それが慢性的なものであっても、この治療に反応しない不眠症を、私は知りません。特に、アブセント・ヒーリングを通して、スピリットからの援助、保護が求められている場合には、よく反応します。

第9章　皮膚病のヒーリング

皮膚炎、湿疹、乾癬などほど、医師がその治療が難しいと感じる病気はありません。これらは特に難治であり、この疾病の治療に特化した病院も存在します。

スピリチュアル・ヒーリングでは、これらはたいてい、ごく簡単に治癒することができます。これには理由があり、私はこれが以下の事実に基づいていると思っています。医学的な配慮は、主に、症状そのものの治癒へと向けられ、病気の原因には向けられていないと。このように、医学的治療は、もっぱら軟膏やローションをあてにしたものであり、ときおり、放射線による療法がなされるくらいです。これらは、ごくわずかな症例では役に立つものであるかもしれませんが、ほとんどの病気には助けとならないのです。その理由は簡単で、**原因に触れられず、残されたままであるからです**。

私の経験では、いくつかの感染性の皮膚病を除いて、その発端は神経性や情緒性ストレスにあり、それゆえ、肌をきれいにする前に、まずその精神的な不均衡を調整しなければなりません。

そして、それがまさにスピリチュアル・ヒーリングの仕事なのです。

ヒーラーはよく、「生まれつき皮膚病を持っている」とされる子どもの治療を求められます。そのほとんどが男の子です。これらの不運な子どもたちは、その治癒において、医学ではお手上げの状態であることがあり、何年も何年も苦しみ続け、大いなる悲しみと苦労を両親にもたらしてきました。彼らは落ち着いて眠れる夜がほとんどなく、私が知っているかぎり、子どもが泣くため、両親は平静な夜を過ごしたことがないという例もあります。

このような症例、つまりヒーリングが求められたものの、即時に救助が得られない、または持続されない場合について、学ぶ必要があります。

ここでは、皮疹がいかにして、心の精神的ストレスや精神的な病をともなうかについて、詳細に説明することは求められていません。それはもう十分説明してきました。原因は、患者のスピリットそのもののなかにあり、それと同じ次元でのみ落ち着かせたり、緩和させたりすることができるのですから。神経症、悪意に満ちた心、アルコール依存症、薬物中毒も、同様の方法で変化します。幸せで充実した展望が、その適応障害と入れ代わるかたちとなり、スピリチュアル・ヒーリングは、皮膚病患者の心の情緒的不安の原因を取り除き、皮膚を治癒していくのです。

私たちの身体的な病気の大部分の原因は、神経性、情緒性フラストレーションと精神的不安にあるという、ヒーラーがこの二〇年ほどで証明してきた事実を、今日医師たちは認めています。これは特に皮膚病において言えることなのです。医師たちもそれを今は知ってはいるものの、彼らにいったい何ができるでしょうか。医薬品では、精神的ストレスは治癒できないのです。

皮膚病を癒すのは、スピリチュアル・ヒーリングが効果的であり、なかでもアブセント・ヒーリングが一番効果的です。ヒーリングのとりなしの方法に従うと、精神的な安らぎ、満足感、「心が上向きになった感覚」が患者にもたらされ、前途がより穏やかなものになるのです。これにより、肌のヒリヒリする部分に感じる苛立ちはなくなっていき、赤みは消えます。そして患部の症状はなくなり、新しい皮膚が再生し、やがて全体が癒えるのです。

さらなる精神的な不調、失望、フラストレーションなどが生じないように、注意しなければなりません。特に子どもの場合は、ヒーリングをして数週間、よい結果が確実に得られるまでは注意しましょう。

ヒーリングが続いている期間、患部を冷やしたり落ち着かせたりするローションを使うことは、肌を鎮静化させ、保湿するのに役立ち、身体的なフラストレーションを鎮めてくれるでしょう。ここで腸をよい状態に保つという、健康の第一法則が非常に重要なものとなります。これにより、血流による、皮膚からの老廃物の排出作用が促進されます。それから、深い呼吸を心がけましょう。これ以上に提案される処置はありません。あとは可能なかぎり、患者の心が満たされたものであればよいのです。残りの仕事は、ヒーリングそのものが行なってくれるでしょう。

右記のことを行なうと、さらなる**皮膚感染**は起こらず、感染菌は、体の自然治癒力（体が本来持っている矯正力）によって取り除かれるでしょう。ここでもやはり、ヒーリングによって、ヒーリング過程が加速し進んでいくのを観察することができるのです。

一度、医師から、捕虜収容所での監禁により、何年も悪質な皮膚病に苦しんでいる男性の治療援助を頼まれたことがありました。医師は三年間、「すべてを試した」が効果はなく、患者の症状はひろがり、悪化していくのみだったのです。そして、アブセント・ヒーリングが開始されてすぐに、皮膚は完全にきれいになり、三週間以内になんの傷痕もなくなったのでした。男性が耐えていた精神的ストレスが問題の原因であったことに疑いはなく、緩和作用が彼のスピリットそのものに届き、彼の心は鎮められ、なだめられ、すぐに症状が取り除かれたというわけです。

ある若い女性は結婚を控えていたのですが、何年も苦しんでいる皮膚の問題を心配していました。彼女は手紙のなかで、「服を脱ぐと、紙ふぶきのように皮膚の薄片がばらばらと剝がれ落ちます」と書いていました。結婚は三週間後に迫っていました。そして、その幸せな日が来る前、彼女は手紙でこう告げたのです。問題のすべてが消えた、と。

このようなヒーリングについて、私がここでした以上の説明が必要でしょうか？

第10章　視覚のヒーリング

視力に影響を及ぼす多様な問題を見ていく上で、スピリチュアル・ヒーリングがどのようにして目の役に立つのかを正確に示すことは、とても難しいことです。しかし一般的には、視力のヒーリングにおいては、成功の証拠があると言えます。

私がよく指摘するのは、どのようなヒーリングの症例も、他の先例にはならないということです。これは目の病気においては特にそうです。例を挙げると、ある白内障の例においては、支障をきたす薄膜の緊急除去が観察されるのですが、他の例では、深刻さの度合いが低く、薄膜の分散に長い時間がかかり、また別の例では、実際に除去することはありません。

ここシエアでのコンタクト・ヒーリングのセッションには、目の不具合に対しての援助を求めてやってくる患者がいないことはほとんどありません。おもに熟年を過ぎた人々ですが、驚くほど多くの若い人々も来ます。

視診により、まったく希望がない状態であると判明する例もあります。目が外観組織を失っており、白くかすんで見えるのです。しかしときおり、一見不可能と思われることが起こり、視力が回復することがあります。アブセント・ヒーリングが進んでいくにつれ、少しずつ力が増してくるのです。

成功例のほとんどが、今まで目の手術を受けたことのない患者に見られることがわかっています。目の構造や機能は非常に繊細であり、手術は、私たちが関与していない世界においてはよい働きをしているように見えても、私たちのもとに援助を求めてやってくる患者を見るかぎり、かならずといっていいほど、最も困難な状態をもたらすのです。

私は、目に関する問題を二つに分類します。その原因が精神的な緊張、神経性の緊張にあるものと、白内障のようなより「物理的な状態」のものです。前者は、目に見えるほどの成功が得られ、たびたび完全な回復へと導かれますが、後者においてはそのヒーリングの結果について、追ってさらなる議論をいたしましょう。

この第3部においては、主に視力が、加齢または老衰の結果、落ちている人々に関して扱うものです。スピリチュアル・ヒーリングは時間を戻すことはできませんが、これらの症例において、視力の悪化した状態は、他の場合以上に強くそのままの状態でキープされます。

結膜炎は膜組織の炎症であり、ヒーリングに反応しやすい病気の一つです。充血と涙をやわらげ、目をきれいにするのです。

白内障におけるヒーリングは、水晶体を覆い隠している曇りを徐々に分散させていくことであ

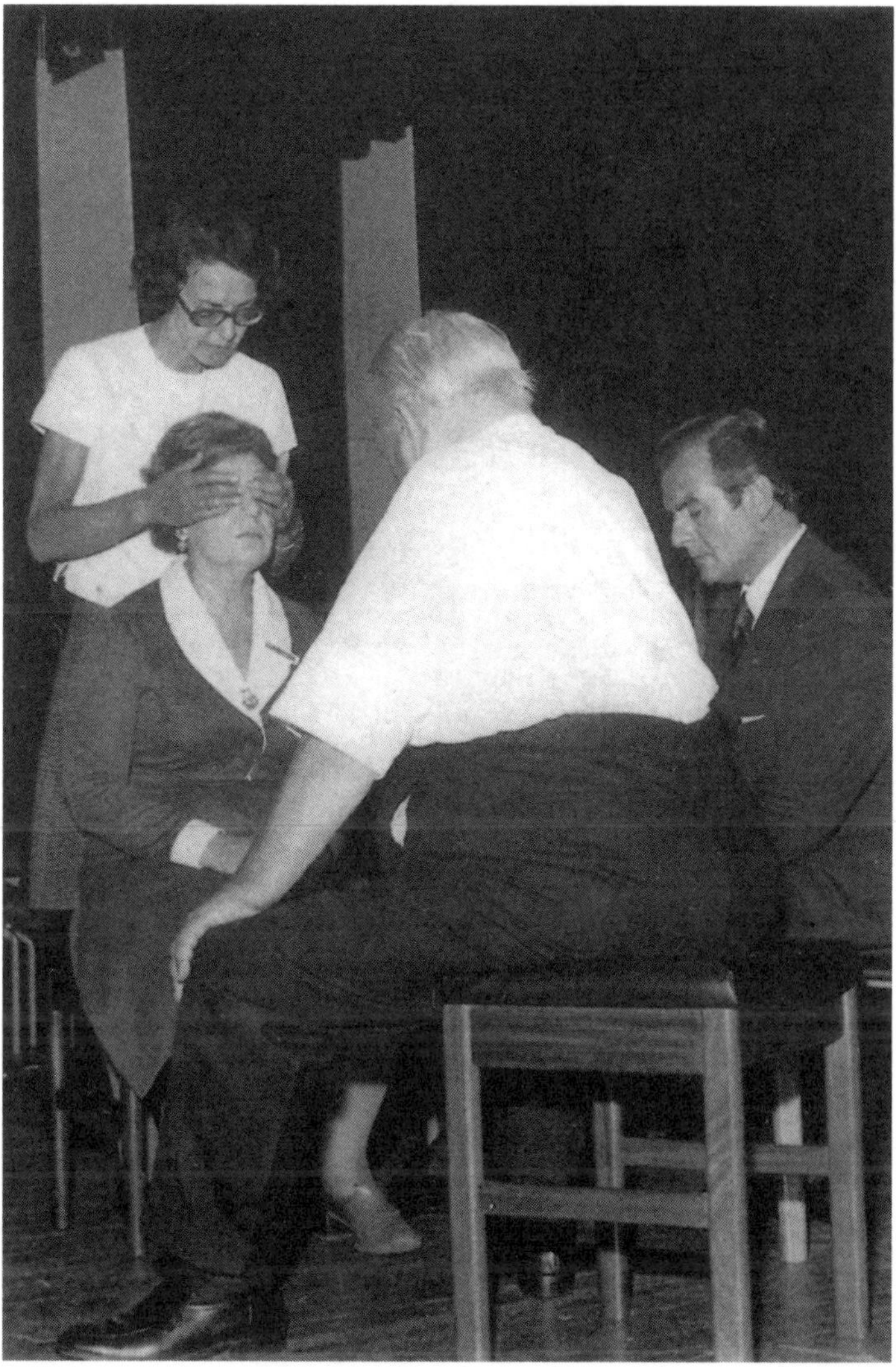

公開デモンストレーションでの視力のヒーリング。ジョーン・ブランチが患者を探求し、ハリー・エドワーズ（手前）とレイ・ブランチがヒーリングの目的と調和（調律＝チューニング）している。

り、その成功は稀なことではありません。目の構造は非常に繊細であるゆえ、目の他の部分を傷つけることなく、必要のないものだけを分散していくヒーリングの働きが望ましいのです。

虹彩炎は、目の神経性攣縮が複視をもたらしていることが多く、これもヒーリングにより援助できる病弊です。目の神経をやわらげることで反応が得られます。網膜剝離は痛みをともない、より困難なものです。これは、手術介入がされたあとの病気で、ヒーリングがなかなか起こらないものなのですが、問題が慢性的なものでなければ回復はしていきます。もしも不可能なようであっても、痛みや閃光は緩和され、減っていくでしょう。

出血をともなう症状も、ヒーリングの努力に反応を示しますが、これにおいては、その疾患を取り除くために、さらなるヒーリング処置が必要です。

緑内障は、特に言及が必要な病気です。盛年を過ぎた人々によく見られ、症状が深刻な状態にまで進行していなければ、たいてい克服できます。

目のトラブルに対して、スピリチュアル・ヒーリングが嘆願されている場合には、私は患者に、目の疲れや強い光を避けるよう忠告します。眼鏡による矯正も不可欠で、眼科医による定期検診を受けることを勧めています。弱視の患者のなかには、視覚がぼやけ、目に痛みと緊張を感じるものがいます。職業を聞くと、目を長時間何かに近づけているような仕事をしている場合が多いのです。

原因が長い時間持続されれば、目にも悪い状態が続きます。この類《たぐい》の多くは、目に負担のかからない新しい仕事を見つけるより、視力を失くす方がよいかのように、今の仕事に従事しているように見えます。もしもそういった体勢での仕事を回避できないのであれば、少しのあいだでもどこかを見て、焦点距離を変えるようにしてみましょう。可能なかぎり頻繁にです。人は腕を痛めたら腕を休ませますが、彼らは目に疾患があっても、なかなか目を休ませようとはしないのです。

私たちがヒーリングにおいて直面する困難が、もう一つあります。それは、患者が定期的に検診を受けていて、医師がこれ以上できることはないと判断した場合、または、考えられる一番よい眼鏡を勧めた場合においてです。この場合も患者は、アブセント・ヒーリングを受けることで、ストレスは取り除かれます。視覚に援助がもたらされ、その「補強効果」は明らかなものとなります。しかし、（どのみちよくはならないだろうと）予後を想定している医師は、（ヒーリングによってもたらされた）変化を認識しようとせず、もう別の眼鏡を勧めることはしないのです。

けれども、ストレスが緩和され、たとえそれがわずかであっても視覚がよりはっきりとしたことに気づいているのなら、患者は、新しい眼鏡士にかかり、診査してもらうべきなのです。このような場合では、視覚を支え、負担を軽減する、新しい眼鏡が必要となっているかもしれないのです。

ある一人の女性について思い出します。彼女は打撃を受けて目が見えなくなり、盲目であると見なされたのです。ヒーリングにより、彼女の視覚は戻ってきましたが、病院の医師はこれを考慮せず、眼鏡を与えませんでした。その理由は、彼女は「盲目であると登録された」からだったのです。

もう一つの症例は、五〇年間盲目であったけれど、スピリチュアル・ヒーリングによって視覚を回復させた男性です。視力は、遠くが見えるほどに戻り、眼鏡の専門医は、これは完璧であり奇跡的であると言明したのでした。そしてこう認めました。「視界は完璧、目は素晴らしく明るくきれいで、有害な作用が働く心配はない」と。

私はこの症例を医師に提出し、彼らのコメントと、治療機関としてのスピリチュアル・ヒーリングの認識を求めました。回復の説明として彼らがよこした弁解は、「見えるように勧められたのち、患者は見えるようになったようである」でした。

信じようが信じまいが、目は白内障で水晶体は外れ、五〇年ものあいだ完全に盲目であったところを、私は患者に「見るように」と指示しただけです。そうしたら、彼は見ることができたのです！　これはおとぎ話ではありません。この医師の弁解は、一九五四年一二月四日の『ブリティッシュ・メディカル・ジャーナル』（*British Medical Journal*）に掲載されています。

不思議なことに、医師のなかには「見え」ない人がいるようです！

第11章　聾と頭の雑音のヒーリング

私がよく思い出す、耳が聞こえない人のヒーリングに関する話があります。これは少し前に起こったことです。ある午後、一人の婦人が、聴力が回復しないものかと、私のヒーリング・サンクチュアリを訪ねてきました。彼女はこう言うのでした。「自分が赤ん坊だった頃に、母親が耳に熱い油をかけて、その日以来、音が何も聞こえなくなった」と。

彼女は、とてもヒーリングに適していると言えるような状態ではありませんでした。長いあいだ、耳が聞こえていなかったのです。この幼少期の経験が、機能を破壊させたようでした。心でヒーリング・パワーに制限をかけることは本分ではないので、彼女のためにスピリットによる援助を探求しました。

その夜の一〇時、ドアがノックされ、するとそこには、興奮してはち切れそうな、その婦人がいました。彼女は、「聞こえる！　聞こえる！」と、それだけ言ったのです。この物語の続きは、数日後にもあります。ふたたびその婦人は私のところへやってきました。彼女はランドリーで働いていたのですが、彼女はこう言ったのです。「少女たちがこんなにも悪態をつくなんて、思いもしなかった」と。

他のほとんどの病気と同様に、ヒーリングの反応は、個々の状態や原因次第で異なります。鼓膜がひどく破れた場合、医学的には不治であると言われますが、私たちはしばしば聴力の回復をみます。これは破れが癒されたことを示しており、傷や骨が矯正治療のもと容易に治癒されることを思えば、そんなに驚くことではありません。

他の一般的な原因としては、カタル性難聴があり、これはたいてい、中耳の槌骨ときぬた骨が詰まり、内耳に音の振動を伝達できない状態であることを意味します。耳の関節炎も、これと似た小さな骨の詰まりを生じさせます。ここでもやはり、ヒーリングは、詰まった物質を散らせることが可能で、聴力を強化することができるのです。一時的な破れや詰まりがあるときにも、聴力を回復させるために、状態の矯正が必要です。

耳が聞こえない人のより一般的な原因は、内耳の聴覚神経の弱体化です。これは、深刻な神経ストレスや、破裂などの神経障害が原因となっている可能性があります。前者であれば、一般的な神経状態を和らげ、落ち着かせることによって聴覚神経は反応し、ふたたび機能しますが、後者の原因が烈しい破裂音である場合は、その成功は容易ではありません。

聴力の弱さは、人生を難しいものにするかもしれません。それが、歳月が繊細な聴覚構造を奪ってしまった場合にもです。

加齢により、耳の機能は弱まる傾向にあり、聴覚も、時計の針を戻すようには元のように戻すことはできませんが、私たちがこのような症例において観察するのは、ヒーラーが聴覚を改善する、または、雑音を静める意図を持ち、耳に手を当てると、それ以上の悪化がなくなり、（その段階での）聴力が維持されるというものです。他の状態と同様にです。

耳が不自由になる疾病には他の原因が存在し、わからないものもあります。例えば、片耳がまったく聞こえなくなった人の耳が、ヒーリングにより機能を回復するというケースです。これはなんとも説明のつかない、神秘の一つなのです。

英国国教会の聖職者が一度、聴力のこれ以上の衰えを防ぐために、援助を求めてきたことがありました。彼は右耳に補聴器をつけていました。彼の左耳は三〇年間まったく聞こえない状態で、これに関しては諦めていました。するとコンタクト・ヒーリングを行なったあとで、まったく聞こえなかった耳が、ささやき声さえも聞こえるようになったのです。そして補聴器を右耳に戻すと、その音量が「耳をつんざく」ほど大きくなったのです。他のすべての病気と同様に、これまでなんの改善も見られなかった場合でも、スピリチュアル・ヒーリングにおいてはなんの制限もそこには存在しないのです。

また、耳の不自由な人が味わうことのなかに、「頭の雑音」というものがあり、これらは非常に悩ましいものです。摩擦音、轟き、ドシンドシンという重く鈍い音、唸りが頭のなかに響き、これが患者を半狂乱にさせる傾向にあるのです。ヒーリングの効果がもたらされるかどうかは、やはりその原因次第です。摩擦音はおそらく破れた鼓膜によるもので、この場合は治癒可能で、雑音はやむでしょう。もっともよくある原因は、神経の緊張、不安、心配からくるものであり、頭痛や神経痛をともないます。これらはヒーリングに反応しますが、例外なく時間がかかります。このように、耳の雑音のヒーリングにおいては、瞬間的に改善されるものはめったにありません。

一般的に述べると、ヒーリングの作用は、緩和作用として心を鎮め緊張状態を克服し、雑音のボリュームは下がり、その音が抑えられたら、完全に安心な時がやってきます。このような患者には、再発を防止するための注意が常に払われなければならないのです。心を満たされた状態に保つことで、過度のストレスが加わらないように保つことで、再発を防ぐのです。

患者自らがヒーリングを助力する方法が、主に二つあります。耳の不自由な人を見てみましょう。彼に話しかけると、彼はあなたの口もとを見ることでしょう。彼らは「聞くこと」に緊張するのです。これは神経の調和を乱し、ストレスを引き起こす精神の緊張状態、精神の動揺を生じさせて、聴覚神経が意識へとメッセージを運ぶのを妨げます。それゆえ、私は受け身の精神状態を勧めるのです。耳が音を受け取るのに、一番自然でやさしい方法です。

耳が聞こえない――音の振動を受け取るということは、それを多くの繊細な聴覚神経が意識へと運んでいるということです。振動は、精神的な経験へと変換されます。聞こえてくるのを緊張した状態で待っていても、それはただ、「聞くプロセス」の邪魔をするだけなのです。

聴力を助力する二つ目の方法は、より「選択して聞くこと」です。一つの耳が片方の耳より弱いと、それは怠けて、意識は習慣的に聴覚神経が与えてくるものに満足するようになると言われています。それゆえ、聴覚はその選択能力を高める刺激が必要なのです。

私は、聴力が弱まっている患者には、管弦楽を聴くように提案しています。トランジスタラジオを耳に向かってしっかりと置き、一般的な音のボリュームにします。そして、オーケストラのなかの多様な楽器を聞き分けるよう試みてみるのです。これは、「耳」が音のなかに入っていくことを手助けし、受容性を高めることに繋がります。もしも一つの耳がもう片方の耳より弱ければ、そちらの耳を音楽のほうへ向けて聞くことを、探求してみるとよいでしょう。この方法により、弱いほうの耳に、自然な刺激が得られるのです。

この方法により、弱い（または怠けた）耳の機能は助長されます。これらのエクササイズは、会話において言葉の聞き分けに困難を感じている者たちにも有効です。音や会話の性格を推測し、予期することに、精神的ストレスがかかってはなりません。

ヒーラーは、耳に関係する他の病気の治療もたびたび要求されます。例えば、眩暈《めまい》、頭痛、耳鳴りの症状を持つメニエール病や、内耳（蝸牛殻）部分と関連する他の病気や、乳様突起と関係する病気などが挙げられます。

耳の解剖学的構造は精緻で複雑な事柄であり、ヒーラーはおそらく、緩和性や回復性のあるヒーリング・エナジーを弱くなった部分に届けるという目的を持ち、耳に、もしくは耳の近くに優しく手を当てて、問題を克服するための援助を探求することがベストでしょう。

ヒーラーが耳に実際の処置を行なうのは、賢明ではありません。外耳から耳垢を取り除くことであっても、医師や看護師によって行なわれるべきです。

ヒーリングは、聴覚の神経機能をよみがえらせ、聞くことを妨げている身体的な原因を克服する役割を担っているのです。これらの提案を実行することは、ヒーリングの援助へと働きかけることであり、可能なかぎり迅速に、大いなる利益を生みだします。

第12章　癌と腫瘍のヒーリング

1　より発展した癌の原因の研究、予防と治癒は、第6部の付録1、2、3に含まれています。この章の情報は、より広い研究への導入にあたるものであり、癌患者に対処するヒーラーへの助けとなることが望まれています。

2　この章は、しこり、癌、甲状腺腫、子宮筋腫、嚢腫などの腫瘍を扱うものです。

3　第4部第3章の「器質性疾患と身体知能、癌と白血病の観察」の節もご参照ください。

法ははっきりとこう限定しています。誰も癌を「治癒できる」とはPRできない、と。しかし、法令全書によって、アブセント・ヒーリング、またはコンタクト・ヒーリングによる癌のヒーリングの探求を妨げることはできないのです。もしもヒーラーが、祈りとの連帯、スピリットのヒーリング源泉との調和による連帯のなかで、癌腫瘍があるとされる体の部分に手をかざし、内なる思考により、悪性腫瘍の分散を探求したとしても、おそらく告発されることはないでしょう。

この法律は、何年も前に作られたものであり、立案者は告発というものを意識していなかったのです。それゆえ事実上、ヒーラーはこれまでしてきたように、癌患者のヒーリングの探求を続けることができます。しかし、「癌の治癒」などと無分別にPRし、薬剤を差し出すようなことをすれば、容易に犠牲者を出すことになるでしょう。

法的な立場を考慮するなら、深刻な状態が疑われる場合、ヒーラーは患者に医学的処置を受けるように指示し、自分の立場を守るべきです。

ただヒーラーは法的手続きに縛られておらず、祈りやとりなし、手をかざすことによって、患者がスピリチュアル・ヒーリングを取り入れる機会を提供するのです。この方法で、数えきれないほどの癌患者がヒーラーの治療を受けています。悪性腫瘍治癒の確率は、それほど高いものではないかもしれませんが、ヒーリングは幾度も起きており、腫瘍は散り、患者は医学的に癌から解放されたことを言明するに至ります。医学ではこれらを「自然治癒」と呼び、医師には、「非常に奇妙なことに、医学的見解と相反するものが自然に確定されたようだ」などと表現されますが、これは言い換えると、スピリット・ヒーリングの成功を意味しているのです。

癌患者が医師の診断を受けていないことが判明した場合は、ヒーラーは患者に医師の診断を受けるよう指示するべきです。胸に「しこり」がある女性のなかには、医師との面会を拒むものもいます。一般的な措置として、彼女たちは病院で、手術や深部放射線治療、またはその両方が行なわれることを知っているからです。しかし、ヒーラーはいかなる場合でも、自分自身の立場を守るためにも、癌が疑われる患者には医学的診断を受けるよう忠告しましょう。患者がヒーラーの助言を受け入れるかどうかは、彼（または彼女）の責任であり、また、**医師の助言**を留意するかどうかも、患者の責任なのです。

しこりの存在が指で感じられる場合は、ヒーラーはスピリットと調和し、そこに指を当てて、疾患が散るよう、ヒーリングの意図を心から向けます。ヒーラーはよく、その固く頑固なしこりが、柔らかく小さくなっていくのを経験します。小さな腫瘍は、完全に散ってしまう場合が多いのです。

不運なことに、病気が慢性的なものとなり、患者はまもなく死を迎えるだろうと医師が明言する、そのようなときに、ヒーラーの援助が求められることがよくあります。このような症例における成功の確率は低いものです。しかし、いつも決まって起こるのは、患者が毅然とした感覚、内なる平和、安らかな眠りを手に入れ、激しいストレスから解放され、霊的世界へと旅立つその死を、静かに穏やかに迎えるということです。この場合、「ヒーリングは失敗に終わった」などと言われるかもしれませんが、もたらされた援助は、言葉では表現できない価値のあるものなのです。

多くの症例を観察していくと、ヒーリング・ガイドが腫瘍を分散させる方法は実にさまざまであることがはっきりとわかります。

内臓に腫瘍がある場合、よく見られるのは、スピリット・ヒーリング後に、普段とはまったく異なる便が出ることです。普段のお通じとは、あきらかに違うものです。これが起きたら、すぐになんらかの改善があるでしょう。たとえ、医師から数日の命であると告げられた患者であってもです。当然考えられるのは、ヒーリング・ガイドが、まだ認識されていない方法で、体から腫瘍を散らせ、追い払ったということです。またヒーラーはコンタクト・ヒーリングにおいて、ときおり、指で腫瘍を感じることができ、それは乳化していき、硬さがとれ、「固着」がとれていくのです。

腫瘍のヒーリングがはじまったあと、患者はたびたび多量の汗をかくのですが、これは分散が起きているというサインなのです。腋の下、鼠径部、そして特に手と足に汗をかきます。ときにこの発汗は多量であり、排出される部分がヒリヒリしてくることがあります。この過度の発汗は数日続くこともありますが、たいがい、それが止まれば、腫瘍は消えています。

スピリットは、物事の状態を変化させる力を働かせることが可能であり、心霊科学においてはスピリットによるオペが施された証拠は豊富にあります。それは驚異的なアポーツ現象（物品移動）において、観察できます。これが起きるとき、物体は別の物理状態へと変化させられるのです。これは身体的な法則を凌駕しているものです。アポーツ現象によって、物体は遠い場所からすぐさま運ばれますが、これは、摩擦や熱の身体的な法則に影響を受けたものではありません。交霊術の場にて、固体である壁を通り抜け、新たな身体的な状態を作りあげるものなのです。

これが一つの物事において起きれば、他の物事もそうなりえます。体内組織などにおいてもそうです。生きている鳥や魚が、なんの疑いもなく、アポーツされるのです。したがって、有機物質がこのような方法で変化するという、推定的証拠が立てられます。腫瘍の分散について考えるとき、このことを考慮することが重要です。

腫瘍のヒーリングは、アブセント・ヒーリングもコンタクト・ヒーリングも等しく、成功することは判明しているのです。コンタクト・ヒーリングにおいて、ヒーラーは自分自身を患者と一つに融合させます。腫瘍のある箇所に手を当てて、それが自分の一部であるかのように、手が患者と「結びついていく」のを感じましょう。心から発される指示は、腫瘍を「分散」させることであり、指で腫瘍を「除去していく」ようにやさしく動かしていきます。分散の指示は穏やかに維持されるべきで、時間を浪費したり、接触を断って、「払いのける」ような手かざしをする必要はありません。

数回のヒーリングが必要となるかもしれませんが、そのたびに、腫瘍が小さくなる、またはやわらかくなる兆候が見られるでしょう。ヒーリングのあいだに、腫瘍のサイズに変動があるかもしれませんが、ヒーラーは思いとどまる必要はありません。ヒーラーは、その結果に自信を持って、患者のための援助を継続するべきです。

腫瘍が胸、喉、腹部にある場合、患者はのちに異物のかたまりを吐くことがあります。これは、分散が起きているという、よいサインなのです。

内部の腫瘍は「感知」しにくいものであるので、治療後に改善があったかどうかを確認するのは容易ではありません。しかしながら、不快感がなくなり、痛みは止まり、放屁が減り、体重が増加したら、それはヒーリングが起きているというサインです。

前述したような異物の排出があったり、不快な症状がなくなったりした場合、ヒーラーは、患者にさらなる医学的な診察や検査を受けるよう勧めても問題ありません。患者は、手術を受けるべきかどうか、疑問に思うでしょう。

癌でスピリット・ヒーリングを受けて成功する患者の数よりも、医師が「(患者の症状が改善して自らの) 診断を変えざるをえない」と認める症例のほうが少ないでしょう。医師は、なぜ患者の状態がこんなにも大きくよい方向へと変化したのかを理解することができないのです。

ただ不運なことに、多くの場合において、ヒーラーの援助が求められる時期が遅すぎるということは言えます。特に、患者が「手術不能の癌」を抱えていることが判明した場合、または、医学的見解において、余命数日というところまで病気が進んでいる場合です。初期段階の腫瘍ほど頻繁ではありませんが、このような極端な症例においても回復は観察されています。

ヒーラーはしばしばこのような困難に直面します。かなり進行している状態において、とりなしを求められるのです。医師は、まもなく患者が死を迎えると判断し、モルヒネの投薬やその他の強い薬の使用をはじめています。このような状況下において医師は「患者はいずれにしても死ぬのだ。癌よりはモルヒネ中毒のほうがよいでしょう?」と言います。このような症例では、スピリット・ヒーリングによる回復が可能であったとしても、毒薬を投与し続けることでヒーリングをだめにするどころか、最後の偉業さえもだめにしてしまうことがあるのです。薬物は痛みを和らげるために使用されますが、スピリット・ヒーリングを受容すれば、患者は痛みで苦しむことはないようです。ですから、患者や親族は投薬をやめ、ヒーリングにその機会を与えることのほうが合理的なのではないでしょうか。

私の経験によると、嚢腫や脂肪腫は一般的に徐々に反応を示すもので、甲状腺腫や癌に見られるような迅速な分散はしません。それゆえここでも、患者とヒーラーの両方に、忍耐が必要なのです。

もっとも一般的な腫瘍の分散は、血液の浄化や発汗、排泄作用を通してのものです。患者は、内臓の動き、清浄度、入浴など健康の法則の基本に従うよう心掛け、求められている排泄を行なえるように、血液や排泄器官の動きを促進するべきです。

第13章　ヒーラーの手

頭痛や痛みのある部分を和らげることは別として、ヒーラーの手そのものに、ヒーリングの力があるわけではありません。私たちは手を、ヒーリングの意図を表現する「心」の一部分として使用するのです。

例えば、患者に痛みがあり、その緩和を探求する場合、私たちの手はそれを和らげるかのように動いて、そのヒーリングの意図を表現します。すてきな木の彫刻や柔らかい素材に触れるとき、私たちは指の触感を通して、手工品やその生地の美しさなどを心に伝達します。私たちは愛おしき人々に触れるのが好きで、また、愛情表現として顔に触れたりもするでしょう。私たちの手は、感情的な過程と非常に親密に結びついている感受性を持っているのです。

このように手の感受性は、精神的な認識をサポートするものであり、それらは「心の使い」です。ヒーリングにおいては、まるで脳が指のなかにあるかのようにとらえられます。ヒーリングにおいて、手と心の親密性よりも強いものを想像するのは難しいのです。

これらを考慮した上で、この基本を覚えておきましょう。心や手が癒す（ヒールする）のではない、と。すべてのヒーリングは、それぞれに（霊的に）計画された行ないであり、疾患を屈服させる特定の矯正的なヒーリング力に関する知的認識が必要なのです。人間の心は、これらの力を司る知識を持ち合わせていません。手は、心の意図の表現として使用されるものの、それ自体がヒーリングを行なうことはできないのです。ヒーリングにおいては、心がもっとも重要な役割を担いますが、それは、その心を経て、ヒーラーのスピリットそのもの、すなわちスピリット・ドクターの援助が命じられ、情報が与えられるからです。ヒーラーが患者のヒーリングを探求するとき、彼の手は自然にヒーリングの意図の一部分となり、痛みを和らげ、患者と接触します。このようにしてヒーリングの力が、体の苦痛がある部分に向けられるのです。

これまで、患者を助けるために、手がどのように使用され、ヒーリングがどのように改善のための変化をもたらすのかを示してきました。患者の脊椎や首がもはや硬直しない、凝り固まらないことが示されたり、関節炎から解放され、関節に動作の自由がもたらされたり、麻痺のヒーリングにおいては協働作用を助長することにより、動作が回復したりしたのです。

しかしながら、患者への援助が可能でない、人間の病も広範囲では存在します。偏頭痛や不眠症などにおける、感覚や心のストレスのヒーリングです。このような病気の治療においては、ヒーラーがその対処法を変えていくことが必要なのです。

基本的に、すべてのヒーラーは、その苦痛状態を取り除くために、調和・調律《チューニング》を探求しなければばなりません。それがなんであろうとも、克服するようにです。例えば、強張った脊椎のヒーリングにおいて、ヒーリングそのものはほんの少しの時間で起こります。その後にヒーラーが、脊柱に得られたその自由度をチェックすることで、どのくらいの進展があったかの確認を行ないます。

それゆえ、私たちが、内部障害、機能不全、腫瘍、不眠症などのヒーリングを行なう場合には、ヒーラーはそのときどきにおいて効果的なヒーリングをしていくのです。もしもその問題が腫瘍で、甲状腺腫のように指で感じられるものであれば、ヒーラーはその部分に優しく手を当てて、ヒーリング・ドクターが散らしてくれるのを待つのです。和らげる意図、分散する意図のもと、指で優しく腫瘍の塊を動かします。

ヒーラーは調律《チューニング》状態にあり患者と融合し、想念による命令は「問題を除去すること」であり、その改善を予期するのです。

しかし、患者からなんの改善も報告されなければ、ヒーラーは事実を受け止めなければなりません。それをさらに継続する意味はないのです。もしもスピリット・ドクターが患者やヒーラーの望みを満たすような改善を得られなかったのであれば、ヒーラーはうまくはいかないでしょう。このような状況において、ヒーラーは自分自身、患者、そしてガイドを責めるべきではありません。現在の状態に納得し、次の機会、もしくはヒーラーのアブセント・ヒーリングによるとりなしで得られる利益に期待するようにしましょう。それがより好ましいことです。なぜならば、コンタクト・ヒーリングを通じて親密な融和が築かれるからです。ヒーラーは、患者の症状に変化が生じ、病気の原因を駆逐するまでには、いくらかの準備過程と時間を要する可能性があることを心に留めておきましょう。ヒーリングは、私たちをその誕生から死に至るまで司っている森羅万象の法則の範囲内でのみ、起こりうるのです。

第14章　スピリチュアル・ヒーリングと法律

英国では、スピリチュアル・ヒーラーはスピリット・ヒーリングを実践するための自由があり、適法であると言えます。この特権は、英連邦、カナダやニュージーランドの隅々にまで及んでおり、スピリチュアル・ヒーリングを承認する特許状が与えられています。しかしながら、ヨーロッパおよびその他のほとんどの国々、そしてアメリカのいくつかの州では許可されていないことです。

誰にも、自分自身でスピリチュアル・ヒーラー、神聖なヒーラー、心霊ヒーラー、またはそのような呼ばれ方をするヒーラーを求める自由があります。ヒーラーはライセンスなしで、自宅にクリニックを設立することができますが、地方自治体の条例に従わなければならない可能性があります。近隣住民は、騒音に対する抗議の権利を有することでしょう。たとえそれが讃美歌を歌うことであったとしてもです。また、それを「商売」としないことなどの前提条件が存在する可能性もあります。もしもヒーリングが私的に招待制で行なわれるなら、「商売」とは見なされない可能性があり、こうした場合には**「公共の広告」は行なってはなりません。**

一般的な宣伝は許可されていますが、「商売」を含意することを避けるため、治療費などに言及すべきではありません。もちろん「費用はかかりません」と言明することは何より素晴らしいでしょう。

ヒーリングとは、専門的なマッサージ治療を含まないものです。これは地方自治体の認可が必要です。

以下は、英国スピリチュアルヒーラーズ連盟による公式文書であり、子どもや動物のヒーリングに関する保護手段、そして、さまざまな議会法に違反する行ないについて記しています。スピリチュアル・ヒーラーは、法律を犯すことの危険性について知っておくべきです。患者も、その限界について知っておくべきで、そうするとヒーラーに対して、すべきでないことを求めたりはしないでしょう。

英国スピリチュアルヒーラーズ連盟の法律顧問は、このように述べています。ここには、いくつかの危険が存在しており、それらは分類することができる。非常に重要であるものと、適用範囲がある程度制限されていて実際にはそこまで危険性がないもの、と。

ヒーラーは、可能なかぎり医師との協力体制のもとで働くことが望ましいのです。以下においては、二つのことに細心の注意が払われなければなりません。

第一のグループ

① 子ども

一六歳未満の子どもに、適切な医学的治療を与えなかった両親や保護者は、罪を犯したことになります。スピリチュアル・ヒーリングは、法律上医学的治療ではなく、オーソドックスな医学的治療を拒んでいる子どもの処置をするヒーラーは、それを助長する者、または、教唆者であると見なされ、その罪を背負う危険性があります。

両親が子どもに医療処置を受け**させていない**ことがわかっているのなら、子どもに治療を施す前、あるいは子どもの治療を**継続する前に**、かならず、ヒーラーは両親に署名を求めなければなりません。以下のようにです。

「〇〇氏……は、私に、子どものために医師の援助を求めるべきであると警告しました」

② 動物

緊急時にその命を救う、もしくは、痛みを和らげる目的のもとに応急手当を施すことは、許されています。もちろん、祈りや手をかざす行為もです。

緊急時においては、個々のヒーラーの判断力が問われているのです。

これとは別に、獣医としての資格がない者がそれに従事するのは、罪になります。これは、病気の診断や医薬に関する助言も含みます。

第二のグループ

ヒーラーが下記の事柄に従うことができなかった場合、法律違反で有罪となり、起訴される可能性があります。疑いがかかった場合には、ヒーラーは、英国スピリチュアルヒーラーズ連盟の秘書に事実の詳細を提示し、その検討と助言を求めるべきです。

1　歯科医術に従事してはならない（治療、助言、歯の手術）。
2　性病の治療をしてはならない。
3　緊急事態でないかぎり、女性の出産に立ち会ってはならない。および産後一〇日以内も含む。
4　「販売店」でないかぎり生薬を売ってはならない。
5　乾燥した、押しつぶし細かく砕いた、植物や草木で作られている薬品以外は、お店においても、販売してはならない。
6　スピリチュアルな療法に反して、動物を身体的に治療してはならない。
7　癌、結核、ブライト病、白内障、糖尿病、てんかんや発作、緑内障、脊髄癆や麻痺に関する出版物を発行してはならない。

第4部　スピリット・ヒーリング・サイエンス

第１章　イントロダクション

この部は、研究と論議を意図したものであり、新しい真実を主張したりするものではありません。推論と論理の構築が結論を導いてくれることと、期待しています。その結論とは、「可能性の理論」と分類できるものであり、私たちにスピリット・ヒーリング・サイエンスの理解をもたらしてくれるものです。

この最初の章の目的は、「ヒーリング・エナジー」の性質と構造を研究するものです。それらはどのように形づくられ、扱われているのか、どのように、一つの状態から別のものへと変容されているのか。霊的な存在によるヒーラーの方向づけ、身体知能の働き、遺伝的要素、健康維持、個々の細胞の命の役割なども含みます。

この部は、霊的視点から観察する気のない科学者のためのものではありません。顕微鏡は何かを示唆し、その発見を生かしていくものであり、スピリットのより知能的な装置となることを望んでいるスピリチュアル・ヒーラーもまた同様です。これは、より意識的にヒーリングの意図と協働することを意味しています。

過去において、スピリチュアル・ヒーリングの概念は不明瞭でした。ヒーリングは、神、もしくは、スピリット・ガイドにより掌握された抽象的なパワーであると信じられていたのです。これまで、「分離したオーラ」「エーテル体」「振動」「光線」の話をしてきました。それら――ときに、青、金色、灰色、その他の色である――はヒーラーの指を伝い患者の体へと向けられ、特定の病気を和らげるのです。

こうした説明や教えのいくつかは、崇められているヒーリング・ガイドから来ているのですが、それがどのくらい難しいことであるか、私たちは認識すべきでしょう。専門的な説明を理解することのできない人間の心に、想念のイメージを伝達することはできないのです。これは、科学者が先住民に、テレビがどのような仕組みで機能するのかを説明するのと同じことです。手ぶりで、「画像が空気を伝う」という概念を説明しなくてはならないようなものなのです。

異なった視点ごとに研究を区分し、それぞれを個別に扱っていく必要があります。もちろんそれらすべては、ヒーリングの全体のイメージの一部に過ぎません。この部の後半で、私はそれらを一つにまとめ、一つの完全なイメージに完成させられるように努めます。

結論が事実に基づくものだと証明できない可能性があるかぎり、それは与えられた事実から論理的な部分を差し引いた「可能性の理論」となり、未証明のままなのです。もしくは、代わりの道理に基づいた学論に道を譲ることになります。

科学的に確立されたデータが参照されます。例えば、分子構造の特徴などですが、ただヒーラーは、それらのデータに精通する必要はありません。参照事項は、ヒーリング過程で働くエナジーの構造の特徴と性質を、ヒーラーに一読してもらうのに提示するものだからです。

スピリチュアル・ヒーリングがどのようにして現われてくるのかを理解するために、私たちは遡って研究をする必要があります。私たちは、自分たちの生きる身体的な次元でしか物事を理解することができないのです。多くの病気の症状そのものについては、議論するべきことではありません。例えば、関節炎による関節の歪み、悪性腫瘍の病理学的証拠、白血病患者の血中の不足物、白内障などがそうです。これらには確証があります。ただ、「不治」の病については、それを克服するための人間による治療が知られていません。

以下は、スピリチュアル・ヒーリングによる変化が起こったときの話です。腫れ、関節炎により歪んだ関節の病弊はなくなり、関節は解放されて動くようになります。白血病の患者の血液の成分は正常値に戻ります。ひどい悪性腫瘍の腫れはやわらかくなり、徐々に分散していきます。これらの性質の変化は想定外であり、英国医師会はこう結論づけて認めています。「医学では説明のできない回復が起こったのである」と。

ゆえに、私たちはこの部において、変化がどのような方法で起こされたのかを問いたいと思います。変化は偶然には起こりません。すべての変化には、道理や法則に基づく原因があるのです。私たちはここで、物事の状態がどのように変化するのかを見ていき、そこから、可能性の理論を築き上げることとします。

感染性の病気を、しばらくそのままにしておいたとしましょう。身体的な病気は、共通の特徴として化学的に有害な状態となり、これが健康な体の機能に支障を来たします。これは関節炎、糖尿病、結石、肝臓や腎臓の不調において、よく観察されることです。それから、病気すべてを細かく見るならば、菌が入った指の爪にも同じことが言えるでしょう。

すべてのスピリット・ヒーリングを司る前提条件について、思い出してみましょう。これらは第1部、第2部にて、説明しました。

これらは、高級知性体と調和した人間の心から発される想念による命令の結果であり、高級知性体はその要求を受け取って診断を行ない、しかるべき性質のエナジーを施し、法則に基づいた必要とされる変化をもたらし、患者の心と体の不調和を克服するのです。

第2章　ヒーリング・エナジー

原子

「エナジー」からはじめましょう。この世に存在しているもののすべては、一定の形態のエナジーなのです。物質的なもののすべては、原子によって構成されています——例えば、あなたが座っている椅子、言葉が印刷されている紙といった具合に。原子は、配列されたエナジーであり、この宇宙全体はエナジーのありようなのです。太陽、明かり、熱、発されるものすべては、エナジーです。星の輝きもそうです——すべては、配列されたエナジーの形態なのです。

エナジーは創造物の基本要素であり、スピリットの仲介を経てヒーリングが起こる理由も、エナジーがスピリット・ライフにとっても重要なものだからです。エナジー（またはエーテル）は土であり、また、スピリット・ライフの石であると言われています。それらは確かに、私たちが持っているものなのです。

エナジーは、原子により配列された形態です。原子は、最も性能のよい顕微鏡を使用しても、その姿を確認することができません。小さすぎるからです。原子には、厳密な配列、機能、目的が存在します。最もシンプルな原子は水素です。中心核が存在し、その周りを単一電子がとてつもないスピードで回転しています。水素原子が、たとえ聖ポール大聖堂（ロンドン）の大きさにまで引き伸ばされたとしても、核はその中心にとどまり、サッカーボールよりも大きくなることはありません。その周りを高速回転している電子も、ゴルフボールより大きくなることはないのです。

すべての元素には、核の周りを回転する一定数の電子が存在し、その数は一から百を越えるまでとさまざまです。原子を、小さな太陽系だと考えればよいのです。核（太陽）の周りにある一定の軌道の上を電子（惑星）が動いているのです。

分子構造

二つ以上の原子が組み合わさっている場合、分子が形成されます。原子が互いに結びつくことで、複合体が形成されるのです。最もシンプルな例は、二つの水素原子と一つの酸素原子の結合です。これは水となり、化学的にはH_2Oと表現されます。自然科学とは、分子を形成する原子と他の原子の結びつき、そして、状態を変化させるこれらの性質の研究に基づくものです。この研究の末、原子爆弾は製造されました。

人間科学に基礎があるように、スピリット・ヒーリング・サイエンスにも基礎となるものが存在します。ヒーラーはこれを理解する必要があるのです。これはのちに、よりクリアになってくるでしょう。

私たちが身体的苦痛に苦しむとき、身体では化学的に有害な状態が起こっています。例えば、関節を固めて痛みをもたらす、関節炎の固着などです。問題を克服するためには、化学的に有害な状態に対して、変化をもたらさなければなりません。問題を引き起こしている化学物質とは、もちろんエナジーで構成される分子のことです。これが身体機能と不調和な状態になっているのです。すべての病弊には、化学的にアンバランスな状態があり、そこには明確な原因が存在しています。

私たちは、「原因と結果」の法則から逃れることはできません。そこに原因があれば、結果や症状がついてくるものなのです。もしも適切な防寒をせずに、冷たい風や雨のなかを行けば、その寒さに身を縮めることでしょう――原因に対して症状が現われているからです。もしもヒーリングが効いているとしたら、それは原因が取り除かれて、その症状をコントロールしていることを意味します。ほとんどの身体的な病気には、問題のある部分に化学変化を起こす必要があります。しかし、たいていの医学的治療は、ここで考えをとめてしまうのです。

分子構造とヒーリング

すべてのヒーリングは、計画された行ないであることを、もう一度心に留めておきましょう

――そこには、導きと目的があります。宇宙におけるすべての変化は、法則に基づいています。そして、獲得した状態の変化は、法則の力とエナジーが、目的のために知能的に適用されたことの結果なのです。

すべてのスピリチュアル・ヒーリングは、これらの規則内で起こります。

一つのエナジーの形態が他のものと結びつくことで、エナジーの状態は変化します。これがすべての身体的、医学的、霊的なヒーリングの基礎となっていることを、私たちは知っているのです。

調査や実験結果によると、ときに医学は、患者のなかに望まれた化学変化を起こすことに成功します。例えば新薬が導入された場合などです。昨今、医学知識においては、抗生物質はめざましい発達を遂げています。しかしながらこれは、患者の分子構造についてのより詳細な知識が欠けており、有害な副作用をもたらすことも少なくないのです。

スピリチュアル・ヒーリングにおいて、高級知性体（もしくはガイド）は、患者の病の正確な診断を下すだけでなく、ⓐ疾患をもたらしている化学物質から構成分子までの分析を行ない、ⓑ患者の利益のために、分子構造に化学変化をもたらすスピリット内の分子力を指揮し、方向づけます。

もしもこの結論のなかに論理や真実があるのなら、私たちは、「青」や「金色」のヒーリング光線が容認されるような古い概念ではなく、新しいヒーリングの原理に、そして、スピリット・

サイエンスの道理に基づいた見解にたどり着くことができるのです。

スピリットの分析

スピリット・ピープルは、その身体的状態において、どのようにして綿密に有害な分子構造を分析しているのでしょうか。陽性と陰性の対照的な力によって構成されているエナジーについては、すでに参照事項があります。例を挙げると、スピリット・ピープルの「土と石」である中性子と電子です。医学にはなす術《すべ》がなく、彼らがヒーリングに働きかける場合、そのエナジーを巧みに扱う知識は深遠なものでなければなりません。

何はともあれ、問題を扱うにしても、原子の数は限られています。分子構造内のエナジーの構成を査定するのは難解であり、エナジーの科学の発展した知恵の方が、はるかにシンプルなものであるかもしれません。人間の科学は、黒板にすべての非常に複雑な分子の原子構成要素を書き出せることを覚えておきましょう。また、同じ属性を有する分子内の、他の構造の構成要素も書き出せるのです。このようにして、人間科学はその性質を知るのです。異なったエナジーの成分は、一定の分子内の成分と混合したり、もしくはそれを征したり、散らせたりします。スピリチュアル・ヒーリングが伴走できるポイントは、ここにあるのです。

構造を広い視野で視覚化するために、水を作りだす最もシンプルな分子からはじめて、より複雑なものへと進めていきましょう。例えば、シンプルな糖分子の図式です。次頁の図を見てくだ

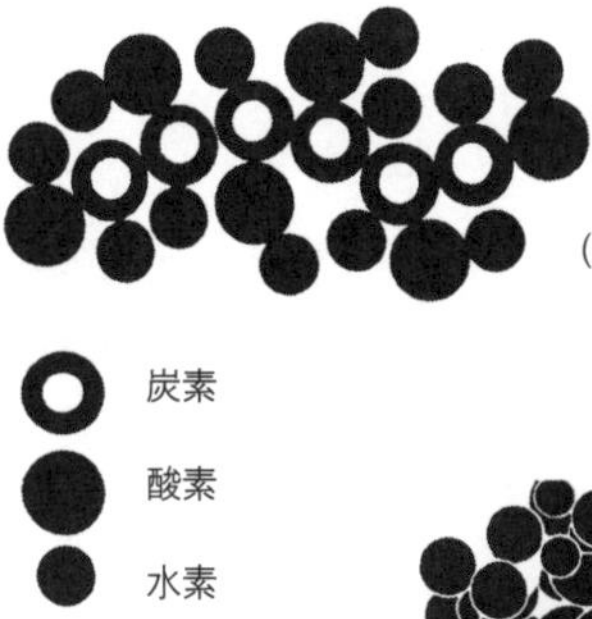

（A）植物のシンプルな糖分子

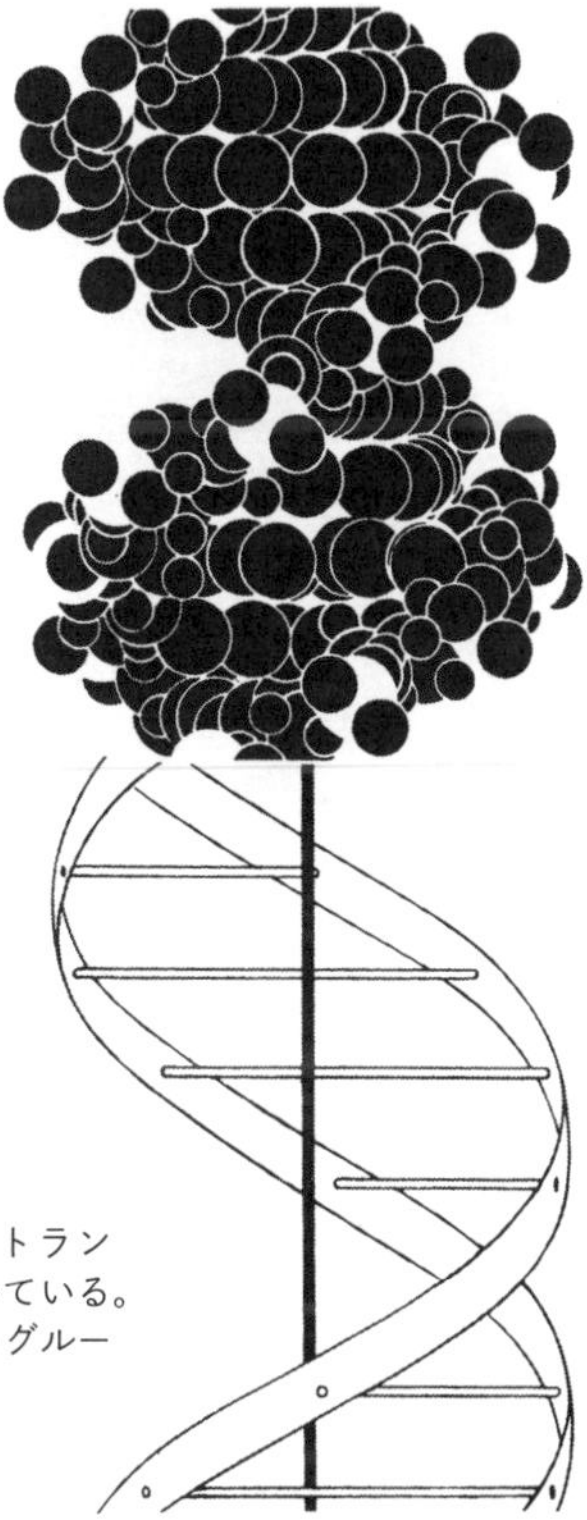

（B）ＤＮＡ分子の構造
糖とリン酸基から成る２つのストランドが、互いにらせん状に巻きついている。ストランドは、塩基類と呼ばれるグループと水平に交わっている。

さい。

図Bは、染色体物質を形づくっている、難解な分子構造の図式です。ここでは、以下のように考えられています。二つの成分がらせん状にねじれており、細胞再生時に、他のグループがそれを解き、二つに分けて、水平に留めます。遺伝的特性はこのように維持されているのです。このきわめて複雑なエナジーの構造は、今日では核酸と呼ばれており、デオキシリボースを構成するグループの一つです。この分子がDNA、デオキシリボ核酸と呼ばれるものです。

これらのDNA分子は私たちが生物であることの証であり、染色体と遺伝子のコントロール下にあるということなのです。学生は、このことに非常に興味を持つでしょう。これらが細胞ごとに、細胞の成長と性質を先導しているのです。さらにもう一段階進むと、RNAと呼ばれるもう一種類の核酸分子を形成するために、これらのDNA分子がパートナーとして働きます。そして、細胞の養分であるタンパク質を作るために、このRNA分子がパートナーとして働くことになるのです。このあとの図になると複雑極まりないもので、この種類の研究をさらに進めることは不可能ですが、それは、私たちの体の驚異と機能について、細部までよりくっきりと示してくれるのです。

ヒーラーは、これらの科学構造を研究する必要は**ありません**。なぜなら、必要ないからです。このDNA分子に関する簡単な言及は、原子エナジー、分子構造、その分類の複雑性の仕組みがどうなっているかを理解するためだけのものであってかまいません。これらは、病気の治療に従事する私たちのスピリット・ドクターにより考慮されるべきものだからです。

もしも私に一つの予言が許されるならば、DNA分子にまつわる物語はまだはじまったばかりであり、いまだ見つかっていない幾千もの遺伝子の構成要素は、染色体のなかにも含まれていることでしょう。そうだとすれば、スピリットの想念による作用は、これらの遺伝子構成要素の性質に貢献する要因となり、感情的でスピリチュアル的な性質を持ち、一個人を形づくる上でも寄与する要因になるのです。

物質の状態変化

私たちのエナジーの研究においては、物理霊媒を通して、どのようにアポーツ現象が起こるのかを覚えておくことが重要です。アポーツとは、遠くにある物体を身体的手段を使わずに、ある場所に運んでくることです。これの一例について話しましょう。私が、並外れた能力の物理霊媒であるジャック・ウェバーと一緒にいたときのことです。ほのかに赤い照明がともる交霊会の部屋にて、トランペットが天井近くで鳴らされました。それはきわめて速いスピードで回転していました。私と友人には、トランペットの音のなかにノック音が聞こえはじめ、そのうち手のなかに物体が落とされたのです。それは古代エジプトの護符（魔除け）で、専門的な調査により約三五〇〇年前のものだと証明されました。それがどこから来たのかはわかりませんが、他のアポーツと同様に、遠く離れた場所から来たものだと推測されます。他のウェバーの交霊会では、アポーツ現象が撮影されています*。アポーツされた物体はすごい速さで、元の場所から交霊会の部屋へと運ばれたのであり、大気中をその速さで移動しても、抵抗を受けなかったにちがいないのです。また、壁などの物理的物質も通過できる状態にあったと言えます。運ばれてきた物体は、どんなときも、その性質、形を保たなければならなかったはずです。それらの物体はより高いエナジーの振動のなかへと入り、その性質が保たれたまま、抵抗（摩擦）と物質という物理法則を越えた理論という以外、理に適《かな》った説明は見つかりそうもありません。右の護符のエナジーの振動は徐々に減速されて、元の状態に戻りました。

これは、エナジーを巧みに扱い、腫瘍を瞬時に取り除く、スピリット力のさらなる証明となります。

医師はこれを「自然治癒」と呼び、このような出来事は、医学的に事実に基づくものであると認識されています。つまり、スピリット・ピープルがエナジーを巧みに扱うことができるなら、腫瘍を体から引き離すのも彼らの能力の範囲内にあるということなのです。その分子構造におけるエナジーの振動を加速することにより、それらを患者の体から取り除くのです。

動作のなかのヒーリング・エナジー

それではこれから、化学変化が障害を乗り越えるために必要とされるとき、ヒーリングを通して何が起こるかを見ていきましょう。最も単純な例は、関節炎により固まった関節を緩めることでしょう。まずはじめに状況を理解してから、私たちがたどり着いた結論を当てはめていきましょう。

関節まわりや関節内の細胞が排泄した老廃物が堆積しており、その結果、血流が関節を硬くし、固めてしまっているケースで考えてみましょう。つまり、程度の差はあれ、関節が固まって動かない、もしくは、ほんの少ししか動かないというケースです。このような症状は、医学的には完全に不治の状態とされます。ヒーリングの全体図が見えたとき、瞬時に、もしくはしばらくしてから、関節の動きは回復します。公開ヒーリングの実演では、慢性的関節炎の即時ヒーリングを目のあたりにします。これが起こるということは、固まっている物質が取り除かれたことを意味します。ヒーリングが効いているのであれば、その物質が徐々に変化していることに繋がります。確かなのは、罹患した関節内に**化学変化**がもたらされ、関節炎の沈着物が除去されたということです。

これが示唆していることとはなんでしょうか？　まず、関節がその癒着から解放されたということです。長年にわたる慢性的な状態において、関節炎は周囲の組織にまで広がり、靭帯をかなり悪化、収縮させており、関節が解放されたとしても、手足の動きは非常に制限された状態にな

＊　ハリー・エドワーズ『ジャック・ウェバーの霊媒』（*The Mediumship of Jack Webber*、邦訳〈新装版〉『ジャック・ウェバーの霊現象』国書刊行会、二〇一五年）参照。

ります。なぜなら靭帯はその弾力性を失っており、たいていの場合、「結ばれている」からです。したがって、関節炎の沈着物は罹患部分全体において、分散させなければならないのです。もう一つ覚えておかなければならないのは、分散のための行為は、ほんのわずかな時間のなかでなされなければならないということです。例えば、腕の動作を自由にすることは、ヒーリング行為ではありません。なぜなら、長い間動かなかった関節を動かすのを助けるためには、時間が必要だからです。例えば、錆びた蝶つがいに潤滑油が与えられると、少し動くようになり、時間が経つとその働きが戻るというのと似ています。

ほんのわずかな時間で、硬化した物質の塊が分散したということは、物質内の化学変化が瞬時に起こり、完結されたということなのです。

関節炎の癒着は物質として化学的であり、この物質の性質を変えることが、ヒーリングの目的です。変化の必要条件が、自然の摂理の力による理解であるなら、ヒーリングが、この変化のための力を供給していることになるのです。これらの力は、スピリットが生みだすエナジーであり、分子構造により成り立っています。これらが関節炎の分子を結合することで変化が引き起こされ、それらを分散させる、もしくは、体の機能にそれらを吸収させる、あるいは、撃退させる力を与えるのです。

主な関節炎物質は炭酸カルシウムです。これは $CaCO_3$ という、シンプルな分子であり、言い換えれば、カルシウム原子が一つ、炭素が一つ、酸素が三つで構成されています。この最もシンプ

1973年5月ロンドンのロイヤル・アルバート・ホールにて、公開ヒーリングが行なわれた。当時80歳だったハリー・エドワーズは5500人の聴衆を前に、キャリア最大のデモンストレーションを行なった。

ルな構成要素が、化学変化をやさしいものとするのです。熱の力が適応されれば、その編成が変化します。高級知性体を扱う次の章では、ヒーラーから患者への熱伝達について言及し、このスピリット熱（私たちが知覚できるもの）が、化学変化を引き起こし、炭酸カルシウムを他の形態へと変質させる手段となりうることを提案します。

炭酸カルシウムの化学状態を変化させる方法はほかにもありますが、右記の解説は、化学変化がどのように引き起こされるかを十分に説明しているはずです。

スピリット・ヒーリング・エナジーの源泉

すぐに思い浮かぶ、分析の価値のある、二つの問いがあります。

①スピリット・ドクターは、分散力を生みだす特定のエナジーを、どのようにして作りだしているのでしょうか？

②そしてこれはどのようにして、罹患部分に届くのでしょうか？

私たちには事実に基づく答えはありませんが、一定の可能性を示すことはできます。

原子爆弾の爆発に見られるように、人は原子を分割することができます。原子は非常に高い熱にさらされると分裂し、膨大なエナジーの蓄積を解き放ち、他の原子との連鎖反応を引き起こします。これは、エナジー媒体である原子核と電子がエナジーの起源に、または、エーテルに戻ったことを意味します。

ご存じのように、人が原子を分割するには、その実現のために、一連の強力な装置が必要です。これを為し遂げるために、ぞんざいな方法が適用されるのなら、むしろよりシンプルな方法で行なう、高級知性体（スピリット知能）が信頼されてよいはずなのです。人は熱エナジーの力を使って、原子を抱えているエナジーの力を征することができるのです。スピリチュアル・ヒーリングでは、スピリット・ドクターが、スピリット・サイエンスの知識を通して、それに対抗するエナジーを送り、同様の結果を獲得します。

病院において医師は、癌細胞を焼き払う意図で、癌腫の治療に放射線療法を行ない、その効力を主張します。スピリット・ヒーリングにおいて、私たちは完全なる癌細胞の塊（初期的なものだけでなく、浸透したものも含めて）が消えていくのを観測するのです——ときに瞬時に。これが示しているのは、細胞の化学的構成が急激に変化を起こし、その姿が物理的に突き止められない状態になったということです。次の節では、このことをより広範囲にわたって見ていくことにしましょう。

話を肩の関節炎に戻しましょう。固まってしまっている癒着物質は、主に炭酸カルシウムです。スピリット・ドクターは分子構造にエナジーや力を向けて、関節内だけでなく、組織や靭帯の分子を分裂させ、その結果、組織は解放され、靭帯はその機能を取り戻します。このヒーリング・

プロセスの計画図さえあれば、ただ単純なことなのです。そこには、なんの手段も存在しません。まずはじめに、分散させる力が炭酸カルシウムのみに働きかけた場合、そこに有害な成分は残り、のちに問題が生じます。このことが示しているのは、スピリット・ドクターは、**全体的な**分子構造の性質を把握することができて、発する分散エナジーが、他のすべての有害な化学的構造をも同時に分散させ、もしくは変化させるということです。次にこの分散エナジーは、細心の注意を払い、分別を持った上で、適応されなければなりません。さもなければ、炭酸カルシウムのための分散エナジーは、関節炎内の炭酸カルシウムを分裂させるだけでなく、骨の自然な健康的な炭酸カルシウムまでも分裂させてしまうからです。

医学は、大がかりな専門的装置の使用により、その結果を得ているわけですが、スピリット・サイエンスは、私たちが言うところの「想念のエナジー」の適用により、はるかにやさしい方法でそれを行なっているのです。

想念のエナジー

創造物が秘めているすべてのものは、エナジーで形づくられており、想念もまたエナジーです。想念により私たちは物事を判断し、ある事実に基づく結論に至ることができます。私たちは、今まで経験したことのなかった問題に対して答えを出すことが可能なのです。

音の振動や、形や面のさまざまな色の輝きは、特定の形態のエナジーを持っています。例えば、録音された音楽、カラーテレビなどが同様であり、ある特定の想念がそうさせていることにもなります。もしも異なった国籍や言語を持った人々が、杉材の黒鉛筆について考えたとしても、意識内に浮かぶ想念の図（思い描く鉛筆の姿）は同様のものとなります。鉛筆という呼び名は異なったものでしょうが、想念のエナジーは同様の構造、振動なのです。

同じように、ヒーラーがスピリット・ドクターに病状について、例えば関節炎についての情報を伝達する際には、そこに前向きな形態の想念のエナジーが存在し、ヒーラーのスピリットにより、それが「関節炎」と認識され、理解されるのです。

エナジー（またはエーテル）は、スピリット・ピープルの「土と石」であると先述しました。それらは、スピリット・ライフにおいて、想念の力（思考力）を適応させ、目的のために構造的なエナジーを巧みに扱うとされています。

私たちは、地球から必要なすべての物質を得なければなりません。私たちは土を掘りだし、石を切りださなければならないのです。スピリット・ピープルにもその必要があるとは、誰も言わないでしょう……。スピリット・ピープルは必要に応じて、その知識を活用して創造的な想念のエナジーを指揮し、根源的なエーテル・エナジーを具体的な物質に当てていくと考えるのが妥当でしょう。

もしもこの推論が筋道の通ったものであるとしたら、患者の疾患の性質・構造を観察しているスピリット・ドクターは、その叡智により、スピリットの元素エナジーを正しく融合させて形づ

くり、患者の疾患内に必要な化学変化をもたらしていることになります。

反応すべきものには反応するのです。化学式は、精巧で均衡のとれたものであり、例えばそこに、関節炎の沈着物内の炭酸カルシウム分子を分散させる目的があれば、そうなります。**それ以外のことは何も起こらないのです。**つまり、健全な骨のなかにある、他の性質を持つ分子に害は及ばないのです。

今日、想念の伝達は、事実に基づくものであると広く受け止められています。その想念を伝達させるためには、ある特定の形態が存在するはずです。**すべてのスピリチュアル・ヒーリングは、想念の過程です。**不調和をヒーリングするために、ヒーラーが想念による要求を出し、それをスピリット・ガイドが受け取る仕組みで成り立つアブセント・ヒーリングにおいては、特にそうです。ガイドは患者に接触し、ヒーリングの要求を把握し、問題を診断し、必要なヒーリングの種類を決定します。これらはすべて、理解と測定に基づく想念の過程においてなされるのです。特有のスピリット・エナジーの意図的活用です。

先述した黒鉛筆の例のように、「物事」や「事柄」は、「イメージ」として認識されるのではないか――そう考える読者もいるでしょう。しかし、木の鉛筆の代わりに銀のシャープペンシルについて考える場合には、脳のコンピューターは、私たちの意識的な心にすぐにこの新しいイメージを伝えるでしょう。そしてその「マインド・ピクチャー（心のイメージ）」は、調和しているスピリット・マインドによって即時に認識されます。これまで述べてきたように、想念そのものがエナジーの形態であり、その「マインド・ピクチャー」は、特有の周波、振動、エナジー形態によって、一つの視覚的イメージから他のものへと移り変わるものなのです。

さらなる比較として、テレビについて考えてみましょう。テレビスタジオの被写体の画は、連続した明確なエナジーへと変換され、その構造を保ちながら、テルスター衛星まで飛んでいき、反射し、地球の裏側の国で受信されます。完全で正確な情報（色も）がテレビのスクリーンに映し出され、それらの映像は人々に学ばれたり、重宝されたり、批判されたり、喜ばれたりしているのです。

ヒーリング過程は、これよりはるかにシンプルです。まずヒーラーの心が想念の要求を伝え、それを即時に調律《チューニング》状態にあるスピリット・マインドがさまざまな方法で受け取り、状況を確認し、疾患の原因がある場所を特定して、その症状を分析します。そしてここから、その原因を克服し、症状に打ち克つための救済的なエナジーを患者へと向けていくのです。

一般的に承認されていることですが、身体的な病気の主因は、非常に高い確率で、精神的不調、フラストレーション、たましい（スピリット）の病といった形態のなかにあります。病の原因が取り除かれないことには、どんなヒーリングも成立しません。スピリット・ドクターは患者との親密な関係を築くことで、患者のスピリットを通して、症状の特性、病の原因をあらわにする不調和なエナジーの発生を観察することが可能です。患者の心のなかの不調を落ち着かせてなだめるために、それらを矯正する想念のエナジーが患者へと向けられ、よって患者の意識的な心への道が開かれ、さらに充実した展望が広がります――病弊の原因は克服され、症状を消し去ることが、よりやさしい任務となるのです。

患者の心が、現実の問題や想像上の問題にとらわれている場合、患者の心や存在は完全に支配されており、この段階では、意識に矯正作用をもたらすのは不可能かもしれません。その入口に到達する機会がやってくるまで、ヒーリング計画は継続されなければならないのです。相手にされない可能性もありますが、ほとんどの場合は受け入れられ、実行が可能です。

栄養あるエナジー

✺第4章「細胞」はこの項目と関連していますので、併せてお読みください。

ヒーリング・エナジーは、患者の利益に則して、状態の変化を引き起こすために行なわれますが、ここには複数の異なった方法が存在します。これまで私たちは、化学変化を利用し、病弊の分散を促進する研究を行なってきましたが、今日、私たちの関心は、もう一つのヒーリングの大きな可能性へと向けられています。それは、患者に与えられたエナジーを支え、維持し、再構築することです。

関節炎を主題として、ヒーリング過程におけるその最初のステップを説明しましたので、続いてのセクションでは、「悪性貧血」と「栄養失調症」を主題として取り上げましょう。悪性貧血は、食事の栄養分不足、または、栄養を吸収する消化器官の不調が主な原因です。赤血球は侵され、体の他の細胞に酸素を運ぶことができなくなり、身体的衰弱、活力および生命力の欠如、疲労や機能不全をきたします。ときには、栄養素が作りだされない場合もあります。

赤血球は、主にグロビンと呼ばれるタンパク質と、ヘミンと呼ばれる鉄分を含む色素からなっており、貧血症とは他の欠乏症と同様に、血中のヘモグロビンが著しく欠乏している状態です。細胞は、タンパク質を栄養素とします。この過程は非常に複雑ですが、ヒーリングがこの状況とどのように向き合うのかを把握するために、一般的な細胞の組織図を理解しておくとよいでしょう。

DNA分子は、もう一種類の核酸分子であるRNA分子を形成するためのパターンを提供し、次にタンパク質を作りだすためのパターンを提供すると言われています。

それぞれのタンパク質分子は、計画に沿って作られているに違いありません。非常に複雑なエナジーの連鎖となっており、これらのエナジーは厳密な順序で結合している数百から数千のアミノ酸残基を含有しているのです。これは、個々の細胞の特性や目的にしたがって、それぞれにしかるべき栄養素を与えるためのものだからです。

新陳代謝が体の需要を満たすことができなければ、つまり、細胞のための栄養を十分に供給することができなければ、貧血症となるのです。

もちろんアミノ酸は、分子グループのなかの組織立てられたエナジーです。細胞が栄養失調や飢餓状態にあるということは、特定の栄養素が不足しているということであり、高級知性体は、その欠乏を感知し、細胞が必要としているタンパク質分子を供給するのです。

スピリット・ヒーリングは日常、多くの機能性疾患を回復させています。活力や生命力の回復、組織強化、正常な機能の回復、血液疾患の克服（医学的にはたびたび不治であると言われる）などがそうです。ヒーラーがこのことについて思い返すとき、それらの回復にはかならず過程があるはずです。まず、問題の根源にたどり着く必要があります。しかし、主因を克服しても治癒できない場合は、ヒーリングの二番目の務めである、病弊の駆逐を行なうのです。

科学者が多くのアミノ酸分子の構造を区別できるのなら、スピリット・ガイドもその大いなる叡智により、同様に区別することが可能なはずです。

ヒーリングに定められた規則はありません。ガイドは、一番よい手法を選択することが可能です。これは貧血症の原因研究において、説明することができます。貧血症は新陳代謝機能が不安定で、体の均衡が崩れ、それが化学的には細胞の飢餓状態となります。スピリチュアル・ヒーリングはこの不均衡を矯正し、正常な新陳代謝機能をふたたび取り戻すことにより、細胞の飢餓状態の起因、そして、貧血症を克服させるのです。

より明瞭な図を得るために、消化の過程をざっと見ていきましょう。食べ物は胃に入り、酵素と酸の化学作用を受けて、栄養分子へと分解されます。このように、食べ物は糜粥《びじゅく》と呼ばれる濃厚な流動物へと形を変えるのです。そして腸へと入り、糜粥は、自在に収縮し栄養素を循環器系へと取り込む絨毛と呼ばれる数万個の突起が並ぶ内壁と接触します。ここでその栄養素と複雑な炭水化物は、シンプルな糖分子、タンパク質分子へと変化し、それから分解されてアミノ酸成分の構成要素となります。これらの消化形態において、栄養素は絨毛の細胞壁を通過するために、十分に小さなものとなっているのです。

これは物語のほんのはじまりの部分ですが、私たちの目的には十分でしょう。これらの消化過程がなしとげられない場合、そこに障害がある場合には問題が生じます。

うまく流動物に変化せず、アミノ酸への栄養素の分解が損なわれた場合、その欠乏は、人体の化学を熟知しているガイドによって認識されます。ガイドは、望まれている特定のエナジーを必要としている箇所に送ることが可能で、このようにして化学的均衡を取り戻すのです。もう一度繰り返します。絨毛がエナジー不足によって機能していない場合、「刺激的なエナジー」が与えられるのです。

ヒーリングがいかにして消化機能を回復させ、長年にわたる痛みの症状を克服するのか、理解いただけるのではないでしょうか。

麻痺などに関連して、筋肉や組織に衰えがある場合、消耗したそれらがどのように処置されるのかを観察してみましょう。細胞はしばらく再生されておらず、軟弱になり、無力状態となっています。刺激的なエナジーを用い、細胞の知能をふたたび呼び覚ますための努力がなされ（第4章「細胞」を参照）、補助的な栄養素を供給します――例えば、病人食に見られるように。そうすることで、細胞に栄養素を吸収させるだけでなく、体を活性化させるための、指示的な知能を強化させることにも繋がるのです。もう一度言います。これらは、分子構造形態の、スピリットが指揮する特定のエナジーによりもたらされるものであり、必要とされる分だけが供給されるのです。

ヒーリング・エナジーの方向づけ

まだ質問が残っています。ヒーリング・エナジーはどのようにして、患者やそれが必要とされる領域に到達することができるのでしょうか？

スピリット内で生じることはすべて、スピリット的なものである——これは身体(フィジカル)的なものではないのです。したがって、高級知性体から創出されるヒーリング・エナジーは、はじめは身体的なものではありません。しかし、それらがスピリットの形態から身体的な形態へと変換されるときがあるはずなのです。

どうやらそれは、スピリットと調律《チューニング》しているヒーラーのスピリット・マインドとスピリット・ボディを通じて、スピリット的でないものと混合する過程で起こるようです。このようにヒーラーはコンタクト・ヒーリングにおいて、スピリット・エナジーの変換者としての役割を果たします。変換されるスピリット・エナジーは分子形態であり、ヒーラーのスピリットと融和しており、身体的なものへと変換されます。これらのエナジーは、ヒーラーが患者と融合することによって、患者へと届けられるのです。ヒーラーはたびたびコンタクト・ヒーリングにおいて、このスピリット・エナジーが流れていくのを知覚します。

もう一つのパターンは、その変換が、患者のスピリット内で起こるというものです。これは、アブセント・ヒーリングにおける結果です。患者がスピリットからのものを受信できる状態であるということは、患者自身がスピリットと調律《チューニング》状態にあるということです。このように、スピリット・エナジーの変換は自然なものなのです。

スピリット・ガイドは、病弊のある正確な箇所を突き止め、矯正的なエナジーを創りだし、それが必要とされている特定の箇所へと届けます。たとえ、それがどんなに小さなところであってもです。

分子は小さすぎて、顕微鏡を通してでもその姿を確認することができませんが、私たちは、その形状、それらを組み立てている原子構成については熟知しています。優れた高級知性体は、分散や性質を変化させる目的のもと、エーテル・エナジーを操作し、精緻な構造内へと導き、一定分子を他の分子と結合させる、こう考えるのが穏当でしょう。もう一つ例を挙げると、細胞に必要な栄養素を与える、もしくは、絨毛に炭水化物をアミノ酸に変えるために必要なエナジーレベルの高い流動物を与えるのです。

刺激的なエナジー

宇宙力は、私たちのまわりに満ちています。これらはフィジカル・ライフとスピリット・ライフの二つを「連接する」ものだと考えられており、身体的領域に存在しています。宇宙力、もしくは、宇宙エナジーは、私たちのまわりのいたるところに存在しています。私たちは毎日、潜在意識的に、その必要に応じて、これらの力を組織内に取り込んでいるのです。これらは生命の維持に不可欠なエナジーであり、活気に満ちた健康を与えてくれるものです。マグネティック・ヒーラーはこれを豊富に備えています（第2部第13章「ヒーリングの他の側面」を参照）。

これらの力の存在を説明するのに、木々を例に考えてみましょう。木々は栄養素だけで生きているわけではありません。その根元を通して、地球からも宇宙力を取り入れています。渦巻く海の力から、青々とした群葉とその命に欠かせない要素を吸収しているのです。ある一定の地域、例えば、松の木々が生息する地域は、結核や他の呼吸器疾患に苦しむ患者にとって有益な場所です。なかには、木々やある灌木からエナジーを吸収することができる人もいます。その意図を持つて、深い呼吸により、意識的にその力を自分自身に取り込むのです。

ヒーリングのセッション後、もしくは、患者の個別診療後、第3部第5章（「呼吸器疾患のヒーリング」）で説明したように、ヒーラーは意図的に「特徴づけられた呼吸」を行なう時間を作りましょう。消耗した感覚は克服され、貯蔵庫に新たな生命力を注ぎ込んでくれます。これは健康状態を整える直接的な方法なので、病気がなんであっても患者に奨励するとよいでしょう。「特徴づけられた呼吸」は、重要であるものを意識して**知覚する能力**です。私たちはオゾンを身体的に感じることができます。しかし、同じように存在している、他の宇宙力は潜在的に感じてはいても、身体的に感じることはできないのです。

心霊腺（心霊回路）

ここでいったん、少しほかのことを考えてみましょう。私たちは一人ひとり、導管のない腺を持っており、私はそれを「心霊腺（心霊回路）」と呼んでいます。

これは、鼻の後ろに受信端末を持ち、その「中枢」は脊椎まで伸びており、そこから体全体へと分岐しています。神経系や、循環器系と似たような構造です。この腺は、もう一つ、頭と脳へも分岐していき、松果腺と内分泌腺に連接しています。

心霊腺は、宇宙力のための導管であり、それを受信する役割を担っています。これを知識として覚えておきましょう。神経系と循環器系、大動脈と神経分岐、入り組んだ配列の毛細血管と神経線維、それから、この三番目の心霊腺システムが、前の二つと類似した過程で、組織に浸透するのです。この心霊腺にほかの呼び名をつけるとしたら、「状態」腺がふさわしいでしょう。

ヒーラーは、宇宙力をいっぱいに取り入れる方法を知っています。「特徴づけられた呼吸」で、ゆっくりと優しく、いっぱいに、息を吸い込むのです。宇宙力、宇宙エナジー、生命力、パワーを、自分自身に取り込む様子をイメージしながら、気持ちよく喜びを感じつつ行なうのです。海辺のオゾンのなかで、呼吸により、意識的に、生命力を吸収するのと同様です。息を吐き出すときには、いらないものや、自分自身の弱点を吐き出す様子をイメージしましょう。

ヒーラーは、自分が蓄えている宇宙力から、健康的なパワーを患者に自由に与えることができます。生気がなく、衰弱している患者を「再充電」するのです。ヒーラーはこれを行なう際、右記の呼吸で自然のエナジーを補給するよう心がけましょう。

すべての状態の変化には根拠があります。スピリチュアル・ヒーリングのあと、患者は高揚した感覚、活力がみなぎる感覚を得ることができるでしょうか？　答えはイエスです。特に、アブセント・ヒーリングにおいてはそうであり、身体的な上昇傾向だけでなく、精神的な向上をも観察することができるのです――この二つは、比例していると言ってよいでしょう。人が「充実した人生」を実感し、生命力で満ちあふれているとき、何が起こっているのでしょう？　その人の宇宙エナジーの貯蔵庫は満杯になっています。これが答えなのです。

スピリット・ヒーリング・ガイドは、これらのエナジーを使うのです。そのエナジーは組み立てられた分子ではありません（私たちが認識している範囲では）。これらは「力」であり――また、力はエナジーでもあります。スピリット・ガイドは、心を刺激することが可能で、当然、身体機能をも刺激することができるのです。彼らは、しかるべき場所の血流を促進させるのです。

それは例えば、害毒や結合組織炎の沈着物の分散などのためです。絨毛に刺激を与えることの必要性については先述しました。それらが、個々の任務をより能率的に遂行するための生気が吹き込まれるのです。衰弱した神経、無気力状態の神経を刺激するのです。

次の章では、高級知性体を取り上げます。誘導的手法で、刺激をもたらす宇宙力・身体力を活用するために、ヒーリングの作用がどのように身体的知能を活性化させるのかを説明していくことにしましょう。

これらを考慮する上では、スピリット・ヒーリングの可能性を、身体的法則内の働きだけに限定してはなりません。この部を進行させる上で、私たちは、既知の法則と親密に関係しているスピリットの法則についての理解が深まるよう、その歩みを進めていきたいと思います。この関係性を把握することで、新たなる可能性が見えるようになり、またいかにしてヒーリングが病気に働きかけるのか、その構造も見えてくるのです。

以下は、スピリチュアル・ヒーリングの概念を支えている基本原理です。スピリット・ドクターは私たちの病気の診断を深層的に行なうことが可能で、害を及ぼす性質の分子構造を正確に査定し、スピリット・サイエンスを通して、矯正的なエナジーを創りだし、有益な状態の変化を引き起こします。患者はみな、一個人であり、その病気一つひとつにも、それぞれの特徴がありま す。すなわち、健康をもたらすエナジーの性質やその強度も、個々に処方されるべきものなのです。

スピリチュアル・ヒーラーは、以下のような陳述をどれだけ頻繁に聞くことでしょう。「医師の診断が変わりました」「間違った診断があったようです」。これらは、医師がその想定外の回復を説明することができないからでしょうか？　医師から「自然治癒」という言葉を聞くことは、今日ではそんなにめずらしいことではないのです。これは、特に悪性癌があると診断された患者に言えることです。ほとんどの場合、病理学的に証明されているなかで、誰がそれをこじ開けて「癌はなくなりました、これは『自然治癒』の一種です」と言うでしょうか。この言葉は、医学的に説明がつかない回復を説明する場合に使うものなのです。

自然治癒については、そこに説明可能な道理に基づく過程があるはずです。偶然に起こることなどありません。すべての状態の変化には、法則に基づく過程があるのです。その誤りが立証されることがないかぎり、私たちは自然治癒のほとんどが、スピリチュアル・ヒーリングからもたらされたものであると断言します。すべてのヒーリングは計画された行ないであり、人間が持ち合わせていない叡智により、知的に実行されているのです。医学的に不治である病気をヒーリングし、体を有機的に変化させる唯一の方法は、必要な変化を引き起こす矯正的なエナジーを適用させることなのです。さらに、これらは分子エナジーを作用させ、他の構造の状態を変化させるという手法で、なしとげられなければなりません。だからこそ、私たちはスピリチュアル・ヒーリングが私たちの心が考察できる、最も高等なスピリット・サイエンスであると信じているのです。

私は本書で、以下のような私の信念を表わしたいと思います。スピリット・エナジーの力は、病的な有機物質の化学的性質を変化させることが可能であり、一定形態のエナジーと他のエナジーの結合反応がその状態変化を生む、と。これは一つの理論にすぎませんが、かなり可能性が高いものです。なぜなら人間は、日々のなかにおいて、これとまったく同じことを行なっているからです。病院にてラジウム放射線、コバルト放射線、レーザー光線等が、病に罹《かか》った人間の組織に使用され、分子構造内の化学変化を引き起こし、病的細胞が死滅させられているのは、まさにそうです。

第3章　ヒーリング知能

偶然に起こることはありません。これは事実です。宇宙におけるすべての状態変化には、道理に基づく過程があります。それは私たちの体においても同じなのです。変化には理由があります。まぶたのまばたきでさえも同様です。どうしてまばたきをするのでしょうか？　眼球の潤滑をよくするための潜在意識による働きです。強い光から目を守るのは、自発的な行為かもしれません。脅威を感じているときは、本能的な恐れによりまばたきをしますし、爆発音が起こったときも同様です。ユーモアを表現するためのものは、意図的なまばたきでしょう。また、「ウィンク」としての誘惑の意味を持つ場合や、慈悲に満ちた心を表現する際にも使われることがあります。内気で控えめな人々は、横柄な人が威嚇的な眼差しでまぶたを開けているのに対し、頭を下げてまばたきをします。多様なこれらすべてのまばたき、つまり、ときおり起こる、恐れや異変に対する本能的な反応にさえも、知的な目的が存在しているのです。

人間の神経系には、潜在意識的に機能する神経が存在しています。消化や、レジの機械などを管理しているようなものです。それらは、目的を遂行するための直接の命令を必要とせず、脳のコンピューターに統御されているものでもありません。自動的に機能するこれらの神経のほかに、脳から一定の仕事を実行するよう命令を受けないかぎり、働かない神経も存在します。

この章では、脳とは切り離された他の形態の知能が存在していること、そしてこれらの知能が、ヒーリングと直接的な関係を持っていること、これがスピリットにより使われうること、その方法さえ把握していれば、意識的な心で使用することができること。これらのことについて、述べていきたいと思います。

私たちの体の細胞は、それぞれ個々の命を持っています。これらは目的を、そして脳下垂体組織の影響下にある知能を、それぞれに所有しています。心臓は独自の神経組織を持っており、精神的なフラストレーションに敏感です。意識的な心と脳を除いた、主要な知能は「身体知能」なのです。

傷のヒーリング

傷のヒーリングを見ると、身体知能がどのように働いているのかがわかります。傷を負うとすぐに、出血を最小限に抑えるため、血圧を下げるようにと心臓に指令がいきます。それによって、血液を凝固させる能力が促進されるのです。血液を循環させるよう、白血球を加速させるよう、その命令は脾臓にまで伝達されます。傷を負った部分では組織が損傷し、細胞、神経、毛細血管は分裂していきます。傷は、多数の病原菌の侵入を許してしまうのです。知能はこの危険性と、白血球の一定した供給状態、食細胞について感知しており、バクテリアを殺傷するためのマクロファージ（貪食細胞）が傷口へと向けられ、死滅した細胞を除去し、他の残屑を処理します。そして、傷口の湿性を保つために、リンパとプラズマが働きます。これらが、傷の浄化と体を感染症から守るための、第一段階です。

通常、血液は固まらないようにできており、一方、傷口はすばやく固まる仕組みになっています。もう一つの血液成分は、血小板です。これは、その必要性がなくなるまで継続的に供給されるものであり、傷の表面にまで働きかけることができます。血小板が行き届くと、トロンビンと呼ばれる物質が創りだされ、そこからフィブリンと呼ばれる綿状の物質が毛細血管を封鎖し、リンパ管と毛細血管は閉じ、有害なバクテリアの侵入を防ぐのです。

毛細血管より白血球は注ぎ出され、傷口の病原菌、残屑、汚染物質を浄化します。これらの白血球は数万もの集まりで、傷が重症であれば、その生産を加速し、絶え間ない増援の流れを供給するよう、その命令は骨髄まで伝達されます。ほかにも複雑な変化が存在します。これらは、実際のヒーリング過程がはじまる前の、その予備段階で起こるものなのです。

傷のヒーリングは、まるでキャンペーンのようです。それを組織し、執り行なうために、知能を総動員するからです。傷そのものは、骨髄、または、血小板の供給との直接的な関係を持っていません。規則と統制が最も重要であり、これは身体的な知能の働きなのです。脳のメカニズム、

そして心は、傷口の具体的な需要に関する明確な命令を出す主導権を持っていません。したがって、この方向づけを行なう知能は、脳や心とは別の機能なのです。

傷を浄化するため、体を感染症から守るための予備過程は、その順序に基づいて進んでいきます。過剰な白血球の供給が必要量を超えた場合、その生産は緩和されます。さもなければ、血中のバランスが崩れてしまうでしょう。

さらに話を続けましょう。傷口に、血液から繊維芽細胞と呼ばれる新たな成分が創りだされます。繊維芽細胞は生きている物質で、傷の表面をふさぎ、つぎあてを創りだします。すぐにつぎあては強化され、フィブリン格子はもはやその必要がなくなるのです。傷口に血液の循環がなくなるからです。これらは細胞を養う栄養素へと変化します。

ヒーリング過程を実行するには、常にその原料の供給が必要とされます。これらの原料は、それにふさわしい場所にある体の他の部分から与えられるのです。その要求は、優先順位の問題ともなります。組織は分解されてアミノ酸に変化し、これらの原料は傷口へと運ばれます。これは、ふさわしい場所から運ばれたものなのです。

この命令はどこから来ているのでしょうか？　患者の心でないことは明らかであり、本来備わっている機能にちがいないのです。これは、体の機能を弱体化させることなく、筋肉組織の持ち出しができる場所を選ぶという、体の潜在能力に関する知識が必要となります。この働きを「自然的」、「本能的なものだ」と言うのは、適切な表現ではないでしょう。正しい査定をし、必要とされる物質の質と量を決定し、それらを傷口へと運ぶ手配をする知識豊富な機能があるに**ちがいないのです**。ここに、これらを機能させる身体知能が存在しているはずです。最後には、顆粒状の組織が創りだされ、毛細血管と神経終末につめ込まれます。それが他の場所へと向けられ、連帯するまでのあいだに、筋繊維が成長して互いに交わり、結びつくのです。かさぶたの下には、新しい皮膚が形成されなければならないからです。皮膚細胞は、それを引いたり伸ばしたりして、皮膚を再生させ、最終的には外側の皮膚細胞を強化し、丈夫な外皮を形成します。このように、傷が完治するまでのキャンペーンは、もっとも順序立てられた知的な行程で、進行していくのです。

これらはすべて、吊り橋や二〇階建てマンションを建設するのに必要な計画や技術とは比較にならない、建設技術やエンジニア技術の高さを表わしているでしょう。これらを達成するためには、設計する優れた頭脳、そして、計画を把握し実行する「現場監督」が必要です。人間の体でそれにあたるのは、「身体知能」だけなのです。

私たちの提言は以下のようになります。私たちは、脳とは別に、身体知能を所有しており、腺の統御が要である、と。これらは、将来ヒーラーがヒーリングの意図と協働する上で、非常に重要な働きをすることになるのです。

感染症のヒーリング

もう一つ説明をしましょう。インフルエンザや他の感染による病気に罹《かか》ったとき、大いに組織化されたキャンペーンのもう一つの例を見ることができます。侵入してきたバクテリアを打ち負かすためのものですが、これらは戦争に勝つための必要な準備と似ています。戦場での戦いは、技術や消耗においての一つの争いであり、たいていの場合、そこで終わるものです。しかし、人間の体内での戦いにおいては、その将来の「平安」が保証されています。その保証措置とは、類似したバクテリアの侵入に対する防御線として機能する抗体を作りだすことです。

私たちの健康を脅かす危険は、常にどこにでもあります。肺へと取り込む呼吸のたびに、数えきれないほどの病原菌が、私たちの体内で根付こう、繁殖しようとしており、それらが阻止されないまま残ったとしたら、それは病気やときに死までをも招くことになります。食べ物や飲み物も同様です。これらも感染しやすいものです。動物は殺されるとすぐに腐敗がはじまります。人間の結核の原因の一つが、感染したミルクにあることが判明しましたが、低温滅菌法によって危険は大いに克服されました。

このようなバクテリアの侵入は、いつでもどこでもありうることですが、予期されるかぎりにおいて、私たちの多くは病気に負けることはありません。それがなぜなのか、考えてみる価値があります。

有害なバクテリアと戦うために、広範囲にわたって、防御線というものが築かれています。そのそれぞれの線のもとで、知能制御が働いています。白血球は私たちの防御者で、彼らは侵入者を攻撃し、食べつくします。それから食細胞、さらにはマクロファージがそれらを運び去り、戦場をきれいに整えてくれるのです。ひと波の白血球が出動すると、つぎの波が加勢にやってきます。使者は骨髄の製造場へと行き、防御予備軍を結成するためのさらなる白血球の出動を要請します。それらも、累進的に戦闘に加わるのです。この戦闘場面は、「知能の長」が見守っており、予備軍が最も必要な場所や、その戦闘プランを決定します。防御者である白血球が広範囲にわたって招集されるとき、それは、敵であるバクテリア集団を孤立させるための強い攻撃が行なわれるときです。なぜなら、これがなしとげられれば、バクテリアは包囲され、全方向からの攻撃を受け、感染症の決着がつくからです。

こうして白血球は特別なバクテリアを攻撃するエキスパートとなり、この経験は生かされます。同種類のバクテリアを攻撃する「戦闘の専門家」として蓄えられ、そのときが来たらふたたび出動するのです。多くの感染病において、一度打ち負かされたものがふたたび席巻することがないのは、以上の理由からです。天然痘に対するワクチン接種はその一例ですが、このような目的のもとに行なわれるものなのです。

脳はすばらしきコミュニケーション・システムの中枢であり、命令を出すことができるものでありますが、それらが席巻し、その症状が出はじめるまで、脳は感染症の侵入には気がついていないことになります。侵入者があれば、防御システムはすぐに作動します。生きているあいだ症状をともなわず、無意識のあいだに、これが幾度となく繰り返されるのです。それは、脳がその危険性に**気がつく前に**、白血球がよい働きをしてくれているからです。

身体知能の存在を理解していただけたところで、次は、それらがヒーリングにおいて、どのように使われるのかを見ていきたいと思います。

心と身体知能の協働

意識的な心は、想念の図を映す鏡と関係しています。傷に関して、その怪我の状態は脳に報告され、痛みが感知され、この痛みの感覚が、意識的な心に経験として刻まれます。音楽的な音が耳に届くとき、それは意識的な心の経験として解釈され、その音色は聴神経から脳へと送られます。このことからわかるのは、すべての身体的経験は、感覚、記憶、刻まれた情報、知識と結びついており、その刺激が認識され、鏡に映り、そこから心が結論を出して理解をし、その後、行動を動機づけるということです。

傷を負うと、傷口に一般的な反応が起こり、これが意識的な心により、経験として認識されます。この傷を目で見て確認することができれば、これはさらに鮮明なものとなり、心のなかの写真は完成します。心から、身体知能に仕事にとりかかるよう指令が出されるのです。出血は止まり、心は起きている変化を認識することになります――**しかしながら、これらは観測できる種類の変化だけです。**心は、白血球が戦い、感染症を除去する実際の**過程**を知覚することはできないからです。白血球を招集し増強する流れを作りだすことはできません。また、傷口と血小板の架け橋となることもできず、緻密に組織された他のすべての状態の変化は、ヒーリングのなかで起こるのです。

心と身体知能は、互いに親密な協働関係にあります――ここに最も素晴らしいチームワークが存在します。心がその解決法を知っていれば、身体知能は特定の行動を起こすよう導かれ、それがなされるのです。これが、スピリチュアル・ヒーリングの知能が、患者の心を通して、身体知能にその解決法を伝える方法の一つなのです。

ヒーリング知能に付随する組織

脳は、すばらしきコンピューターです。数えきれないほどの神経から、情報が与えられます。手触り、音、そのすべてが記録され、もしも私たちの内部組織の円滑な働きが干渉されるようなことがあれば、脳にその情報が伝えられ、それに対抗する措置がとられます。脳は私たちの知識、経験事項を受信し、一つの情報事項を他のそれと関連づけることができます。

体がそれぞれの働きを円滑に進めており、すべてが正常にまわっている状態でも、その状態が伝えられ、脳のコンピューターは常に状況を把握し続けるのです。いつ何時も、脳は感覚を通して、見たもの、触れたもの、聞いたもの、味わったもの、匂ったもの、これらの刺激を受けています。目を通して、その眺望の変化さえも、常に記録しているのです。また、音楽を聴くと、幾千もの神経が内耳で活発化し、管弦楽の音の調べをクリアに受け取り、これらを脳へと送り届けます。そのあと、「経験」として心へ届くのです。そして、触覚が活発化し、身体的な刺激の流れが休みなく脳へと送り届けられます。靴がきつい感じ、衣服の肌触り、椅子と体の接触部分の圧力などです。触覚は敏感で、小さな虫が髪の毛を伝って歩いているのも、すぐに意識的な心に認識されるのです。

同時に、数えきれないほどのメッセージが脳に送り届けられ、身体組織の状態や体の各部の状態が報告されています。例えば、消化や循環に不調があれば、それが報告されるのです。脳は、心拍や呼吸などの、体のすべての動きを感知しており、それらを厳重に取り締まっています。老廃物の処理も、健康を促進するエナジーの取り入れも行ないます。腎臓の働きや他の臓器、それらの働きぶりを監察し、適切な体温を維持します。私たちの脳はコンピューターであり、素晴らしいコミュニケーション・システムを持っていると言われるのは、以上のような理由からなのです。

脳は、心の使用人であり、内部機能の潜在意識的な制御を除いて、執行能力を持っていません。

脳が記録しているすべての経験は、心や身体知能に有効で、これらは必要とされるときには独自に働きます。例えば体が摂取するべき燃料を増補するために、体の各部に堆積している脂肪沈着が必要とされる場合、**脳ではなく**、身体知能がどの部分から脂肪を取り出すのかの決断を下し、消化器系へと運ぶ手配をするのです。このような積極的な改善措置には、指示力と決断力が不可欠であり、脳も心もそれらの能力を有していません。ビタミンを過剰摂取した場合、血糖値が高すぎる場合などには、その過剰量を測るための知能的な監察力が必要となるのです。

身体知能の指令本部

方向づけを行なう知能が存在する場所には、その働きかけを行なうための中枢が必要となります。その身体知能の指令本部の位置を考えてみるに、それはどこに存在しているのでしょうか。それを立証するための証拠はありません。しかし、推断の末、考慮に値するだけの導き出した結論があります。

身体知能、フィジカル・マインド、スピリット・マインド、脳、これらの間に、親密な関係性があることは明白です。もしそうでないなら、スピリチュアル・ヒーリングは起こりえないからです。スピリットからの思考命令を受け取る、その中枢が存在するはずです。これらは身体的経験へと変容する可能性もあります。この中枢は、松果腺であると考えられます。

松果腺の役割、機能については、科学的に詳細には突き止められていません。これは、中脳上部に位置する小さな赤みがかった組織のことであり、「第三の目」がある場所と言われています。従来より、この腺は神通力と関連づけられてきました。これは、情動性のストレスに反応する脾臓に影響を及ぼすもので、内分泌系、脳、身体知能、それからスピリット・マインド（これが一番重要かもしれません）とも親密な関係にあります。

ここで、さらに提唱しましょう。この腺はスピリットとの通信における受信中枢として働き

（鋭い洞察力も持つ）、スピリットの所見や指示を意識と身体知能へ伝達し、その結果、身体知能はヒーリングとの協働方法を示すのです。

周知の通り、ほとんどの身体的な病気は心身障害と因果関係にあります。ゆえに、もしも松果腺がスピリットそのものと密接に関係しているのなら、これらの不調和は憂慮されるべきことであり、これが精神的、身体的健康を害している可能性があります。逆に、松果腺は、病を克服するためのスピリチュアル・ヒーリングの取り込み口としての役割を果たし、体調と心のバランスを整えてくれるとも言えるのです。

身体知能の活用

身体知能の存在を理解したところで、ここからはこの理論をどのように実践に移していくのかを見ていき、そのいくつかの方法を提案していきましょう。人間の知恵の範囲内での、このアプローチは、中身をともなったものというよりは表面的なものです。私たちの心は、いつ、どのように身体知能を導き、特化された方法で作用させるのか、その知識を持っていません。しかし、私たちの理論を、一般的な方法に適用させることはできます。

身体知能と「話」がしたいなら、それとの調和状態を得る必要があります。それを、何気なくなしとげることはできないのです。自分自身のなかにヒーリングの目的との調和状態を築くためには、少しばかりの時間が必要でしょう。そして身体知能に何を行なってほしいのか、心に描かなくてはなりません。私たちの意識的な心は、脳を通して想念を身体知能に伝達する特有の能力を持っています。

あなたに何かしらの痛みがあるとしましょう。そして、それについて調査してみるのです。精神的な分析を行ない、その強度を測り、痛みのある場所を突き止めるのです。そうすることで、心はそれを正確に把握し、全身の健康状態に影響してくるその要因を追い払うことができます。その結果として、痛みは和らぎ、その意味を失います。

次に、痛みの原因を特定しましょう。もしもそれが敗血症や炎症により生じているものであれば、身体知能に仕事にとりかかるよう、自分自身の内側に問いかけてみてください。迅速に痛みを鎮めるために白血球に活力を与え、状態を浄化するように、と。

結合組織炎やリウマチなどのように、筋肉に痛みの感覚がある場合は、身体知能に痛みの原因を克服するという想念の命令を向けて、同じ過程をたどりましょう。組織に沈着した粒子を取り除くという目的のもと、患部の循環が促進されていきます。さらに、患部へのやさしいマッサージや、体を温めていくことなどが加われば、通常ストレスはすぐに解消されていきます。

患者のヒーリングにおいて、ヒーラーはスピリット・ドクターと患者のスピリット、その両方と調律状態《チューニング》にあります。さらに、ヒーラーのスピリット・マインドは患者のスピリット・マインドと連結しており、患者のスピリット・マインドは患者の身体知能と親密に関係しています。以上のことから、ヒーリングの命令が、スピリットとスピリットの融合を経て、どのように患者

の身体知能に影響を及ぼすのか、容易に理解できるのではないでしょうか。

ここでは、ヒーラーの体、心、スピリットはヒーリングの目的と一体となっており、意識的な心からの命令を通して、それらの間に親和性が生まれます。これが、ヒーリングの意図のもと、患者の精神的、身体的不調に焦点を定めることになり、患者の身体知能をフルに活用されうる状態にし、実際に作用させるのです。そして、スピリット・ガイドからは目的ある指示が出され、患者の回復を加速させるのです。

ヒーラーの心は、これを実行するための知恵を所有していませんが、スピリットからの指示が与えられるための条件を整えていくことは容易に行なえます。ヒーラーは、スピリット・ドクターの完全なる受動的な道具となる代わりに、スピリットによりよく利用されるための協力的な道具となるのです。

ヒーリング意図は、身体知能を利用するために定められます。わかりやすい例としてこれからお話しすることは興味深いでしょう。

ある夜、私と同僚はヒーリングを行なった患者について議論していました。左目のまぶたが開かず、目がかすんでいて見えないという女性に関する話です。その会話のなかでこのようなことが言及されました。「あの目は、対話ができる目」だと。この出来事は数年前に起きたのですが、これが身体知能を機能させるというアイディアのはじまりだったのです。

この女性は、目が開かず、よく見えないという症状でした。そこで、患者の心を通じて目に話しかけ、まぶたを支えている神経と筋肉が指令を受け取り、そこに動きをもたらしたのです。こうして、まぶたはそれに反応を示し、視覚は正常に戻ることに成功したのです。

「あの目は、対話ができる目」とはどういう意味であるのか、私が同僚に尋ねると、「あの目は、心で話しかけることによって克服することができる、そんな種類の目だと思います。ですから目を助けるために、ヒーリングに対してどのように反応すればよいのか指示してあげればいいのです」と言いました。そして私たちは認識したのです。私たちは今まで、その真実、含意を理解することなくヒーリング・ワークに臨んでいたのだ、と。

このまぶたの話は、麻痺のヒーリングにも当てはめることができます。ほとんどの麻痺治療において、今日では、目に見えた成功が観察されています。例えば、ポリオ、多発性硬化症、脳卒中などです。脳卒中では、その指令が脳の機能的均衡性を回復させます。硬化症においては、その問題の発端は脊椎が神経を圧迫していることにあります。たいてい、脊椎は硬直し、動かしがたいものとなっており、沈着物が厚くなっています。結合組織炎では、組織同士が近接してしまっているのです。しかし、脊椎の可動性の回復は、通常ごくわずかな時間で、なんの痛みもともなわずにもたらされます（第3部第2章「脊椎のヒーリング」を参照）。神経にかかっている圧力を取り除くことで、それらはふたたび機能する機会を得るのです。麻痺においては、神経機能が不活性な状態になっているため、それらをふたたび刺激し、脳からのメッセージが運ばれて筋肉運動が誘発されるように促進する必要があります。

神経への刺激は、ヒーリング・ガイドの責務ですが、肢体に話しかけること、つまり、動きを統制している知能に話しかけることで、協調性の回復をかなり助けることができます。例えば、足が重く活動がままならず、持ち上がらない。または動きに制限がある場合、私たちは足に「話しかけます」。そうすることにより、メッセージが心を通して神経へと運ばれ、どの動きが求められているのかを伝えるのです。メッセージの伝達のために、少しばかりの時間が必要かもしれません。最初はわずかかもしれませんが、メッセージは運ばれ、動きをもたらすための意図は維持されるのです。最低限の介助のもと、指示されたように足が動くよう、患者は優しい助けを得られるのです。

このようにして目に見える進歩は多くの場合、かなりの回復を、そしてときには完全なる回復を導いてくれます。ヒーラーは、患者の考えを「あれもできない、これもできない」という希望のないものから、希望が持てる方向へと導いてあげる必要があります。後ろ向きな考えでいては、何も起こりません。私たちは、患者の精神的、身体的知能をヒーリング意図と結びつけてあげる必要があるのです。

とても多いケースは、長期にわたる症状によって、心と体が肢体の機能しないことを受け入れてしまっており、なんの努力も探求されていないという状態です。身体知能もまた、脳がもはや動作を探求するための指示を出さない状態を受け入れてしまっており、あまり活動しない状態が続いているというものです。もしもスピリチュアル・ヒーリングを通して、より幸福な状態を取り戻すことができるのなら、まずはじめに尽力することは、間違いなく、身体知能を呼び起こしてふたたび働かせることであり、心から神経にメッセージを伝達させ、動きを回復させることです。これが私たちの言う「患者の肢体に話しかけること」なのです。ただしあくまで、私たちがここで伝えたいのは、心と身体知能についてです。

ここには、ヒーリングの他の要素も含まれているのですが、ヒーラー自身の調律《チューニング》と、患者のフィジカル・マインド、スピリット・マインド、脳、神経、筋肉、身体知能の連帯を示すには、これで十分でしょう。これらは、ヒーリングの全行程と密接に関係しているのです。

意志の力と信念

患者の信念、決意、意志の力により、「不治の病」や深刻な状態から回復した。このような話を聞くのは珍しいことではありません。患者に不屈の精神、妥協しない強く前向きな展望、弱点を乗り越える姿勢があれば、医学では説明のつかない回復が起こるのです。これはまぎれもない事実です。

このようなヒーリングが起こることは、疑いようがありません。ご存じのように、理由もなく偶然に起こる変化などはなく、その回復の裏側には計画された過程があります。これらのヒーリングは、「意志の力」によるものだと言われ、そのままにされてきました。医学になす術《すべ》がないというのに、意志の力が、病気の原因や症状のヒーリングにおいて、どう責任を持てるのか。しかるべき問いです。これは提言のための貧弱な論法です。それらは「本能」、「自然性」、または脳のコンピューターが計画したものなのです。

完全に身体的な性質を持つ病気からの回復において、私たちはその変化を引き起こすために化学的な調整が行なわれてきたこと、さらには、これが知能による命令と統制によりなしとげられてきたものであることを見てきました。患者の心も脳も、このような結果を得る術を知らないわけですが、「絶対に屈しない」という心構えにより、強い刺激が身体知能に与えられ、それが作用している、そう考えるのは合理的です。

傷のヒーリングにおいて、赤と白の血液細胞を増殖し、出動させるよう命令が与えられ、血液に刺激が促されて傷の構造に化学変化をもたらすことを思い出してみましょう。意識的な心から脳への、そして脳から身体知能、腺知能への絶え間ない要求のもと、身体知能に継続的に命令が与えられ、必要とされている懸命なヒーリングの努力が持続されていくのです。この仮定は、さらなる示唆を与えています。

患者の身体知能への働きかけ

身体知能は、必要とされたときに、その力を行使します。これは認めざるをえない事実です。例えば、感染症と戦うこともその一つです。患者の心から出される持続的な要求を通して、効果的に利用されるのは、この能力なのです。例えば、心臓の働きを刺激する、循環を促進する、体温を調節する、一定箇所の血流をよくする。これらは神経中枢を援助し、その機能を高めるのです。

しかしながら、ヒーリング作用の裏側には、身体知能の能力よりもはるかに進化した、より高度な叡智が存在しています。これには十分な証拠があるのです。この高度な叡智が患者の心と調律《チューニング》されると、指令を直接、身体知能に伝えることができるのです。

ヒーラーはこれをよりシンプルに理解することができるのではないでしょうか。思い出してみましょう。透視力のもとに思い描かれたイメージは、スピリットから霊媒の意識的な心に伝えられるのです。同様の方法で直感的な想念が活用され、スピリットからの想念の流れは、患者の意識的な心を通して患者の身体知能に届く。こう考えるのは、理に適っているのではないでしょうか。

患者に指令を届けるもう一つ方法は、患者とスピリット・ドクターの両方と調律《チューニング》しているヒーラーを経ることです。この調律《チューニング》の手法では、ヒーラーのスピリットそのものとヒーラーの心が、患者のそれらと非常に近いところにあるため、患者の意識的な心はヒーラーの心と触れ合う可能性があります。ここには二つの重要な意味が含まれています。

一つ目は、スピリット・ドクターは、ヒーラーをコミュニケーション手段として利用しながら、患者の身体知能に歩みの進め方、病状との向き合い方を教示することができます。

二つ目は、精神状態のヒーリングにおいて重要なものです。患者のスピリット・マインドとしつかり調律《チューニング》されているヒーラーのスピリット・マインドを通して、患者の意識的な心には、矯正的な思考作用が働きます。どういう状況かというと、ヒーラー自身の知識の蓄えと経験が引き出され、これらが影響力のある媒介者となりうるということです。そしてこれらは、フラストレーションを鎮め落ち着かせて、よりよい将来への見通しの感覚を導くための手引きを与え、患者がより満足した人生の展望を取り戻すための一助となるのです。

心臓と身体知能

この章は、心臓についての言及なくして完全とは言えません。心臓は非常に複雑に調整されている神経系であり、知能そのものです。また、他のすべての知能とも深く結びついています。情緒の状態に反応を示しますが、それらは想念の作用によって鎮められるものです。心臓の鼓動は恐怖や心配で加速し、その恐怖や緊張が治まれば、動きは正常な状態に戻ります。

ヒーラーが思いやりのある自信に満ちた態度で患者と話をしてあげれば、これらの状態は乗り越えられることが多いのです。フラストレーションから心とスピリットを鎮めてあげることが、動悸を引き起こす神経の緊張を抑える基本です。ヒーラーの慰めの言葉が心を落ち着かせ、心臓の高鳴りを抑えるように、霊的なレベルの思考で心に話しかけることによって、より幸福でより安らかな状態がもたらされるのです。

心臓は、神経の緊張を緩和することでよりよい方向性を見出すことができます。ヒーラー自身と患者自身の間に築かれた親密性を通して、心臓の働きを調整している筋肉運動を制御するよう、身体知能に救済的な指令が届けられるのです。いかなる言葉も必要としません――心臓のリズムある働きのなかに変化をもたらすのに必要とされるのは、ほんの一瞬の目的を持った指令だけなのです。そこには決まって、改善のためにもたらされる、知覚できる変化があるのです。

「特徴づけられた呼吸」により、心臓の律動を改善する方法については、第3部で述べました。ここでもう一度繰り返します。想念は、体の宇宙エナジーの補給を助ける仲介者です。患者の心の力、健康のために必要とされるものなのです。想念が受理されるその場所には、その働きかけをする知能の存在があるに違いありません。

ヒーラーが患者と調律《チューニング》するときには変調が正され、正常な働きが安定するよう、心臓周辺に手を当てて、心を通してスピリット・ドクターに求めてみましょう。心臓周辺に手を当てることは、ただの行為というわけではなく、その働きのなかに有益な変化を引き起こすための方法です。手は、ヒーラーの心のなかにあるヒーリング意図を表現するために利用されるのです。「心が手と指に宿っている感覚」を持つヒーラーは、これをよりよく説明することができるでしょう。

類似した結論が、他の心臓の病気にも当てはまることがあります。とりわけ血栓症においてです。血栓の分解、分散が同時に起こり、血液そのものの濃度が改善されるのです。同様の方法で、静脈炎の症状もたやすく改善します。

癌と白血病の観察による器質性疾患と身体知能

私たちはいくつかの知能システムを所有しており、それらはそれぞれに独立して働く能力を持ち、かつ、互いに結びつき一体となる能力も持っています。この章ではここまで、以上の立証に努めてきました（これは細胞を扱う次章で、より明確に示されます）。これらに加えて、心と身体知能に影響を及ぼし教示を与える、高度な高級知性体が存在しています。それは私たちの健康のために、分散的な、建設的な、力を高める、栄養あるエナジーを指揮することができるものであり、最後にはよい作用、導きをもたらすのです。

器質性疾患のヒーリングは、この身体知能と完全に協働することで起こります。ただし、ヒーリング・エナジーが瞬時に腫瘍や不要物を分散させた場合は例外です。しかしながら一般的には、そこに協働作用が存在します。この事実を受け止めるなら、次のようなことが言えます。身体知能はヒーリング過程と調和して働いており、そこではさらなる協働が指示され、内在するヒーリングの可能性がフル活用されるよう力を注いでいる可能性があると。

身体知能の知識を所有しているヒーラーは、ヒーリングの目的との意識的な協働作業者となります。現在ほとんどのヒーラーが、ヒーリング・エナジーが流れるための受動的な道具となる傾向にありますが、ヒーラーシップの才能が進化していくにつれ、より完全な調律《チューニング》と意識的な直感的な想念の命令の受信を通して、彼らはヒーリング行為において、より協働的な目的を満たすことになるのです。それ相応の経験を得てきたヒーラーにとって、調律《チューニング》の技術は「第二の天性」となるのです。これとともに、スピリットからの直感的な想念の命令を受信し取り込む能力が、彼らをより意識的な協働作業者にし、ヒーリングの命令において患者の身体知能がより積極的な役割を果たすよう作用します。これ以上よい状態はありません。

この過程を説明するために、一つの例を挙げましょう。憂慮すべき深刻な腫瘍があり、それが癌かもしれない、そんな患者の例です。ヒーラーは、こうした病気の患者には、医学的になす術《すべ》も希望もないことも知っています。それでもヒーラーは考えられるすべての方法を駆使して、ヒーリングを探求するのです。いかなる場合もあきらめないのです。ヒーリングが可能でないと判断した場合も、霊的な力が最大限に癒してくれること、それについての自信を失うことはないのです。これは、コンタクト・ヒーリングにもおいても、アブセント・ヒーリングにおいても同様のことが言えます。

コンタクト・ヒーリングにおいては、ヒーラーは腫瘍が位置している箇所に手をかざします。そして、ヒーラーによる精神的指令が分散を作用する力と調律《チューニング》されるのです。ヒーラーはこれを感知し、患者はこのヒーリングの目標に意識的となることで、受容性のある状態となります。そこに意思の統一が生まれ、もしも腫瘍の構造内の原子エナジーを変化させる漸進的な過程で分散が起こった場合、患者の意識的な心を通し、身体知能が付加的に掃気作用を持つ白血球、食細胞を指揮します。有害物質を洗い去るように指令を出し、協働してくれるのです。そこで新たな変容が起こるのです。

ご存じのように、身体知能の指揮のもと、身体組織内に化学変化が引き起こされます。と同時に、高級知性体の指揮のもと、身体知能に、腫瘍物質の性質を順々に変化させるという、援助方法が示されるのです。これを否定することはできません。それらは吸収され、その後、排泄されるのです。

医師が「自然治癒」と呼ぶような、多くの癌の治癒例が記録されているのは、こうしたスピリチュアル・ヒーラーのたゆみない献身があってこそなのです。この方法で治療されうる癌があることは、医学的にも承認された事実です。医師たちは、この回復がなぜ、そして、どのように起こったのかは知らないのですが。

癌と白血病、両方のヒーリングにおいて、ここにあるパターンが築き上げられていることがわかります。例えば、白血病においては、スピリチュアル・ヒーリングが開始されることで、血球数に著しい改善が観察されることが期待できるでしょう。これらの改善は、ヒーリングによるとりなしが開始されたその日からはじまります。

これらの改善が見られる期間を緩解期と呼び、医師はこの状態からの回帰（もとの状態に戻ること）がきまって二年以内に起こると見込んでいます。**回帰が起こらないようにするために、ヒーリングを持続的に行なうことが非常に重要です。そうすれば、もしそれが起こっても、すぐに打開することができるかもしれないからです。**

白血病の子どもたちに関する、以下のような症例が記録されています。白血病に苦しみ、数週間以内に死を迎えると見なされた子どもたちがそうはならず、何年も生きている子どもたちがいます。多くの症例では、子どもの健康状態がよいので、親がヒーラーのところに通わせるのをやめていたり、もしくは、アブセント・ヒーリングの継続のための報告をやめていたりします。そして私たちはあとで聞くのです。非常に調子のよかった子どもが、病気の新たなる攻撃に負けた、と。こうしたことは、親がヒーラーとの連絡を維持していれば、防ぐことができたかもしれないのです。

白血病の治療では、医学治療とスピリット・ヒーリングは互いに補完し合うものです。ヒーラーは、医師のように輸血を行なうことはできないですし、他の有効な治療を施すこともできません。一方医師は、特有の強化的な援助や刺激的エナジーを与えることはできません。また、健全な白血球を運び、患者の生命力を維持するヘモグロビンの生産を増加させる方法を示してくれる身体知能に、指令を与えることもできないのです。

ヒーラーは、癌や白血病の患者に、目的を持った「特徴づけられた呼吸」を促進することが有益であると気がつくでしょう。もちろん、気管支の病気や貧血症、そして、他のすべての病症に対しても同じです。特に、あらゆる形態の癌腫に有効なのです。胸を広げ、鼻孔からゆっくりと息を吸い込む。患者はこの呼吸法を学び、同時にヒーラーにより以下のことを強く意識づけられなければなりません。**呼吸により、空気、酸素、宇宙力、新たな活力、ヒーリング・エナジーをいっぱいに吸い込むことを意識し、空気を排出するときには、老廃物や病気を吐き出すことを等**

しく意識するように、と（第1部の「宇宙呼吸」の節を参照）。

その利益は明らかです。これは、患者の意気を維持するのです。このことによって患者は、ヒーリング意図の協力的な味方となり、意識的にヒーリング過程を助けることになるのです。これは、すべての身体知能に目的と刺激を与え、身体知能は積極的に患者に新たな力を与えるようになるのです。体が望んでいない物質も洗浄します。そして、健康と体の抵抗力を増進させるのです。患者の親族がこの「特徴づけられた呼吸」に参加して、仲間になるのもよいかもしれません。そうすることで、この効果を持続させることができるのです。

熱の力と身体知能の協働

器質性疾患の治療においては、手から強い熱が発されるのを感知します。これは、ヒーラーの普遍的体験であると言えるでしょう。また、患者もこの深度ある熱が自分の体に沁みこんでいくことに気がつくのです。ヒーラーと患者の両者は、特異な熱を感知しているにもかかわらず、両者の間に温度計をおいても上昇しません。この熱は温度計には記録されないけれど、事実に基づくものです。この熱は明らかに力を表わしているものなのです。ヒーラーはこれを意志により創りだすことはできません。事実、彼が患部から手を離せば、熱の感覚はなくなり、ヒーラーが患部へとふたたび手を戻せば、それは戻ってくるのです。

これは意義深いことです。このことが示唆しているのは、ヒーラーを通して超自然的な力が作用しており、そこに動機があれば、力が働くということです。いかなる人も意志の力により、体のほんのわずかな部分、例えば手において、瞬時にその体温を上げることはできません。また、描いたような変動を引き起こすこともできないのです。これはあくまで付加的なものであり、ヒーラーシップを通してのみ経験されうることです。

この熱の力は、計画された意図を実行する特性を持っています。これは目的あるもので、例えば関節炎では、血流を刺激し、患部の化学変化を引き起こし、組織内の癒着を分散させて、望まれる変化をもたらすという命令が出されます。

注目すべきは、患者がこの熱を身体的に感じるという点です。つまり、ヒーリング・エナジーとは、身体的表現に変換されるものであるということです。その一定不変の結果は、痛みの症状の除去、または、痛みの大幅な減少です。ここにもやはり、ヒーリングと身体知能の協働関係が表われているのです。

再発の危険については、以下のことを覚えておくとよいでしょう。関節炎の主な沈着物質は炭酸カルシウムです。これはシンプルな分子で、一つのカルシウム原子、一つの炭素と三つの酸素で構成されています。熱の力が適用されると、これらは状態の変化を起こします。ヒーラーを通して体感されているこの熱エナジーは超自然的な熱であり、身体的に記録されることはありません。そして、この**スピリット・クオリティ**の熱は、炭酸カルシウムの沈着物質を一定状態から他の状態へと変容させることができるのです。これがめざましい変化をもたらします。ときに、関節炎である固まった関節内の「固着物質」が即時に除去されることもあるのです。

この点が立証されれば、私たちはもはやその可能性を心で制限するべきではありません。ヒーリングの実践においては、身体知能がパートナーとなってくれます。また、メソッドを制限するべきではありません。利用できるものは利用し、発せられる新たな指令から利益を得る方法を限定するべきではないのです。将来の人間の肉体の進化においては、身体知能もまた革新的に進化を遂げていくでしょう。次章にて細胞知能への働きかけを見ていく際には、体と心の知能の他の側面を検証していきます。

まとめ

ヒーラーは、ヒーリング・ガイドから使用される上で、この知識がどのように役に立つのか知りたいことでしょう。思い出してみましょう。ヒーラーはヒーリングのための道具なのです。ガイドは患者にヒーリング・エナジーを運ぶ役目を担う存在として、ヒーラーを利用します。例えば、大工仕事において、大工は鋭利なたがねを使用し、こみ入った見事な仕事をなしとげます。同じようにヒーリング・ガイドは、ヒーリングの道具（ヒーラー）を使用するのです。覚えておきたいのは、ヒーラーの主な機能は、ガイドと患者と調律《チューニング》した調和状態を作り上げることにあるということです。**そうしていないなら、なんの目的も果たしていないことになります。**ヒーラーが患者と調和状態にあると、ガイドはヒーラーをさまざまな方法で利用することができます。スピリット・エナジーを身体的なエナジーに変換したり、刺激を運んだり、患者と融合し、その見通しを確認したり。命令・教え・目的を患者の多くの知能に伝達するものとして利用できるのです。命令はスピリットを経由して心臓や血流に送られます。このことは否定できないのです。ヒーリングにおいて、命を奪うほどの深刻な血栓症が、ときには一晩でたちまち分散する、これは稀なことでしょうか？　私たちがここまで検証してきたように、調律《チューニング》を通して正しい機会と条件が築き上げられた場合、血球が個々の知能の目的のもとにヒーリング命令と積極的に協働する、このように信じることは盲信でしょうか？

私たちはヒーリングにおいて、機械的な過程と手法を避けることを学んできました。ヒーリングの意図のために装備するのではなく、全体の知能を利用するのです。この、より進化したヒーリング・ガイドとの協働形態が適用され、患者の身体知能が利用されれば、不調和や病気はたやすく克服されるのです。

第４章　細胞——個々の命と知能

細胞の命と知能の研究は、ヒーラーがヒーリング過程を理解していく上で必要のない分野だと考える人もいるでしょう。確かにそうかもしれません。しかし、これはヒーラーが自分自身に制限を設けることにも繫がります。ヒーラー自身のヒーリングの才能は、研究の成果がそのまま反映されるものです。一方、細胞の研究は、人間のシステムにおける最も興味深い側面の一つであり、スピリチュアル・ヒーリングの機能に関する非常に重要な結論を導いてくれるものでもあります。特に、心身障害と病気の予防においてです。そして、幸福な人にさえも関係のある研究なのです。

人間の体のなかの、五〇兆の細胞のそれぞれが、完全なる個々の生き物です。細胞には、人間の体と心との類似点があります。皮膚を持ち、呼吸し、タンパク質の食べ物を取り入れ、消化器系を持ち、老廃物を排出する。細胞が吸収する栄養素は、豊富なエナジーを維持するための燃料として利用されます。「脳」としての細胞核を持ち、それぞれ個々の目的を持つため、意識と知能も備えています。

ですから、細胞も満足したり、フラストレーションを感じるのです。所有している知能は個々の目的を管理しており、その制御作用が乱れると、正気を失います。細胞は、規律ある制御の法則のもとに存在しています。絶え間ない自己再生プログラムのもと、毎秒、数百万もの新しい細胞が誕生しているのです。これらには遺伝形質を維持する責任、そして、その命における進化的変化の責任があります。「スピリットの命」を所有しているのです。

細胞は、すべての生体を作る単位です。それぞれが数十億ものなかに存在しているにもかかわらず、化学変化さえもやってのけるのです。彼らは調和のなかで働いており、お互いの健康を支え合う役割を担っています。

体内の細胞には四六本の染色体があり、それぞれが多くの遺伝子を含んでいます。この章で主に扱うのは、遺伝子の目的と機能についてです。遺伝子は細胞の中心的知能なのです。個々の細胞は、その精神的・身体的状態における経験、調和・不調和を記録する身体知能も包含しています。

遺伝子

遺伝子は親から子どもへと直接渡されるものであり、人間の物語がはじまったそのときから、受け継がれてきたものです。したがって細胞の特性は、大昔の人間の命から影響を受けていると言えるでしょう。ときおり、私たちは不運にも、一本の過剰な染色体の存在によるダウン症候群に出会うことがあります。

遺伝子は人の考え方、生き方の影響を受けており、人間や動物の命の進化はこの作用を通して起こるのです。植物においても、同様の進化の過程があります。

人間のシステム内には、数千の遺伝子が包含されていると伝えられています。個々の細胞にそれぞれの個性、すなわち、独自の動機を持っているのです。生存期間は、その機能によりさまざまです。皮膚細胞を例に挙げると、これらは数日ごとに再生されています。それに比べて、神経細胞はまったく再生しません。人間の皮膚を研究すれば、血管から栄養を与えられている最下部の細胞の層がいかに絶え間なく新しい細胞を作りだしているか、そして新しい細胞がいかに古い細胞を皮膚の表面へと押し出しているかがわかるでしょう。これらの古い細胞は、栄養分から切り離され、徐々に飢餓状態となり、細胞核は消えていき、原形質は乾いて、剝がれやすくなっていきます。体を洗うとき、最上部の皮膚の層は剝がれ落ち、新しいものと入れ替わっているのです。このように私たちの皮膚は、いつも新しく生き生きとした状態なのです。

血球の生存期間は、わずか三か月から四か月ほどです。肝細胞もそれほど長くはなく、脳と骨細胞は不定の期間存続します。その過程では一〇億もの細胞分裂が常に起こり、一日に二〇〇億もの細胞分裂が完了していると考えられているのです。

細胞の健康は、私たちのように二つの方法で維持されています。身体的機能と、そして精神的ハーモニーです。後者は、命の目的が遂行できるかどうかにかかっています。細胞には意識があり、これは知能の一面でもあります。細胞も、その機能を果たしていれば満足します。そして細胞の再生時には、その満足している状態が、新しい細胞へと受け継がれるのです。逆に、不満足な状態の細胞は、類似した性質の細胞を再生します。

異なった性格を持つ細胞は、異なった形態の栄養素を必要とします。体の特定の需要を満たしている一定の細胞のグループが栄養失調に陥ると、体の調子にも影響し、器官や体の部位の機能が崩壊してしまい、その結果、病気になります。

不調和な状態が脳に、そして身体知能へと伝わると、脳は通常の状態ではなく、身体的な症状の詳細を報告するのです。例えば、腎臓が正しく機能していない。このことが十分報告されていなければ、より正確な情報が必要とされます。例えば、左右どちらの腎臓？　どの部分？　どの細胞？　痛みは、炎症はあるのか？　そこには妨害物があるのか？　栄養失調？　といった情報です。

そうすると身体知能が作用し、消化過程を通して、化学的に必要とされているものを作りだすよう指令を出します。それらは、血液やリンパ系を通して細胞へと運ばれ、細胞の健康を回復させます。もしくは、必要とされる他の働きをするのです。すでに議論してきたように、正しい種類のアミノ酸分子が与えられなければならないのです。もしもこれが、正常な体の化学作用を通して作りだされなければ、スピリチュアル・ヒーリングやヒーラーの調律《チューニング》を通して、ヒーリン

グ・ガイドがこれを「生産」し、不足している分子エナジーを必要な場所へと届けるのです。

フラストレーションの要素

私たちが身体的な病や精神的な病を患うように、細胞にも同じような患いがあります。彼らの任務の遂行が妨げられれば、フラストレーションを感じ、不活性や無反応の状態になるのです。赤ちゃんのために母乳を作るというたった一つの目的を持つ、女性の胸のなかの腺細胞の例を挙げてみましょう。これらの細胞も一つひとつの生命であり、特定の目的のために存在しているものです。

細胞の意識は遺伝子のなかにあり、これらの細胞と心にはわずかな繋がりがあります。胸の腺に炎症があり、自身が心でそれを恐怖に感じるあまり、症状が悪化してしまった女性の患者の例を見ていきましょう。この炎症は、卵巣腺と脳下垂体による乳腺細胞の正常な働きを妨げてしまう可能性があります。通常、主に脳下垂体が細胞の働きを良好に維持する役割を担っています。それは、赤ちゃんへの授乳時に活発に働きます。

女性が子どもをほしいと強く願っているにもかかわらず、なんらかの理由でその特権が否定されると、心とスピリットの間にフラストレーションの状態が生まれ、これが乳腺の染色体内の遺伝子に伝わります。それから、女性が望まない妊娠をした場合は、内側に心のストレス状態が築き上げられ、このフラストレーションが細胞へと伝達されます。

また別のフラストレーションのかたちは、娘に対する母親の強い支配にあります。男性との親交を深めたいという、娘の本能が妨げられた場合です。

注目に値するのは、調査により、乳癌に心身相関の原因があると判明した場合はいつでも、そのすべての症例において、右記の三つのいずれかが原因となって、女性が強いフラストレーションを感じていることが判明したことです。胸の細胞がフラストレーションを感じ、それらはその命をまっとうすることが妨げられたことで無反応になり、すべての規律性が失われて暴走し、正常に規律を保っていた細胞が正気でないものになってしまうのです。

人類の進化は、種の継承の変化、すなわち遺伝子の変化がもたらしたものであることを思い出すと、私たちの心のフラストレーションが細胞内の遺伝子に伝達されることはたやすく証明できます。遺伝子は、心の状態、気質の影響を受けているのです。人生における心理的な傾向、例えば、芸術や科学への愛着、温情の徳、母性愛などです。同時に、その反対の嗜虐的傾向、憎しみ、嫉妬なども、遺伝子の性格とその質に反映されており、良くも悪くも、精子と卵子に含まれている遺伝子を通して、子孫へと伝わるのです。

子どもが両親と類似した遺伝的傾向を持つのは、以上の理由によるものです。遺伝子は両親の行ないや見解の影響を受けているものなので、その特質をよく示しています。これは、遺伝的命令が両親のフラストレーションの影響を受けることを意味します。フラストレーションとは、細胞が自身の存在をかけてその任務をまっとうする機会を奪うものなのです。

ヒーラーにとって、心やスピリット・マインドは遺伝的命令と非常に深く関係していることは明らかです。主に、私たちのフラストレーション、観念、志、感情、愛情と憎しみ、これらのほとんどはスピリット・マインド内に残り、とどまっています。それゆえ、ヒーリング過程は、フラストレーションの原因を克服するために、誰がなんと言おうとも、スピリット・マインドから開始する必要があるのです。不治の病の主因が、スピリット・マインドの不調和にある場合、ヒーリング作用を通して緊張が和らげられ、身体がひらき、ヒーリングの目的に反応を示すようになるのです――いわゆる「不治の病」がスピリチュアル・ヒーリングを通していかによくなるのかが、これでよく理解していただけることでしょう。

コントロールとコミュニケーション

すべての細胞は、その命の隅々まで脳下垂体のコントロール下にあることは先述しました。このコントロールが素晴らしいのは、私たちが所有する数一〇兆の細胞の規律が保たれたままの状態で、その働きかけを行なうことです。これはエンジンの調速機のような働きをします。体のメカニズムや細胞の再生の進行が速すぎていないかの確認をするのです。

すべての生物が、命の摂理のもとで何度も自由に再生するのは、生まれながらの動機によるものです。すべての細胞の究極の目的は（すでに述べたように、神経細胞は再生しないので除きます）、分裂して別の細胞を創りだし、命の循環を持続していくことです。

脳下垂体によるコントロールは、肢体、顔立ち、骨、器官の身体的発展をおおよそ一様にすることで、私たちの体のバランスを保っています。この腺のコントロールが弱くなると、規律がゆるんでしまい、「先端巨大症」として知られるような状態になってしまいます。細胞が抑制なく増殖するのです。肢体、特に手足が過剰に大きくなったケースがそれにあたります。**通常、細胞は決められた時が来るまでは再生しないのです。**この不思議なコミュニケーション・システム、コントロール・システムは、私たちの想像を絶するものです。

コミュニケーションとコントロールが働くところには、それを維持する知能形態が必要となります。そしてそれが、対象物に規律ある作用を行使するために利用されるのです。これまで見てきたように、細胞は指示を受け取ることが可能な知能を持っています。また、このコミュニケーションとコントロールは、個々の細胞と脳下垂体の心との間に知的な連帯関係があることも示しています。

細胞の知能

似通った例が、細胞の知能と心、細胞の知能とスピリットの間に存在します。細胞はその命の目的を達成したいという願望、その幸福、そして身体的な衰弱があるときにその必要性に意識的になるのです。そこには、人間の個性の感情や展望と連帯し、その命をコントロールする存在であることを受け入れる知性があります。

電子顕微鏡の助けのもと、細胞は何百万倍にも拡大され、一つの細胞が映画のスクリーンいっぱいを占めます。この方法で、私たちは規律ある確かな細胞の、命の働きを観察することができるのです。

細胞のなかには、他の細胞よりも活動的な知能を持つ種類のものがあります。例えば、筋肉を構成する細胞はその任務をたやすくなしとげることができます。なぜならフラストレーションを感じる機会が少ないからです。このことから、いかに病気が高い知能を持った細胞と密に関係しているかがわかります。

細胞の知能は、心と比較されます。人の心が恐怖、悲しみ、ショック状態、失恋による失意などにとらわれた場合——それらすべては「フラストレーション」に分類されます——、通常の精神的過程が損なわれ、体の調子が崩れ、身体的消耗がはじまり、病気を受け入れ進行させる機会ができてしまいます。フラストレーションがその威力を持続させれば、精神的展望をゆがませ、その状態が続くと、**精神障害や自殺的傾向すら現われてきます。細胞もまた同様なのです。**

細胞がその目的を失うとき

ここでふたたびフラストレーションの要素について考え、女性の胸のなかにある乳腺の例を見てみましょう。これらはある一定の、肉感的経験のもとに活発化するものです。この刺激は、心の知能と細胞の知能との間に、直接的な連帯があることを紛れもなく証明するものです。一つの知能が他の知能に反応し、作用するのです。しかしながら、性欲に関する継続的なフラストレーションやその履行が乳腺の調子を狂わせた場合、これらの細胞はフラストレーションを感じ、失望してしまうのです。**遺伝子は反抗的で半狂乱となり、極端に不幸なものとなります。その結果、細胞は正気でないものとなり、コントロールのためのくびきを投げ捨て、脳下垂体の作用の規律を拒絶してしまうのです。**

これらの暴走した細胞の状態を電子顕微鏡で調べてみると、抑制なくすさまじい速度で再生し、極めてコントロールのきかない状態となり、その働きがひどくスピードアップされていることがわかります。この細胞は捕食性の状態になっており、正常な細胞の栄養分を奪います。まさに荒れ狂っている状態なのです。**私たちはこのなかに、癌の主因を見ているのです。**

心と細胞の類似点のさらなる例は、正気のなさが遺伝的である可能性があることを考えると、わかります。正気でない癌細胞は、まさにこのようであると言えるでしょう。再生時に他の正気でない細胞を生みだすのです。悪性腫瘍にも同じことが言えます。ここに、以下の結論を記します。すべてのヒーラーにとって最も重要なのは、このことを認識することであると。**癌の原因は心身相関のものです。**これはウイルス感染や刺激物から生じたものではありません。**癌細胞の知能が正気でない状態にまで傷つけられたのです。これが重要な事実です。**例えば、打撲傷、切り傷、敗血症など、かたちはどうであれ私たちの体が損なわれるとき、細胞は苦しみ、燃え尽きることによってこれらは完全に崩壊しますが、**正気でない状態にはなりません。**もしも刺激物が癌の原因であるとすれば（医学的権威によりそのように言われています）、持続した形態である損傷、例えば、炎症や紫外線は細胞を正気でない状態にし、癌を形成するはずですが、そうではありません。

ここから導かれる結論は、癌には心身相関の原因があるということです。そこには、意識的、または潜在意識的に、規律あるフィジカル・マインドとスピリット・マインドの行ないを乱すフラストレーションの存在が関係します。そのフラストレーションが生命の目的の実現を妨げれば、遺伝的な可能性について説明してきたように、遺伝子も同様にフラストレーションを感じたものとなり、狂暴なものへと変化するのです。

癌腫の扱いについては、第2章「ヒーリング・エナジー」で論じてきましたが、とりわけヒーラーにとって、より重要であることは、癌の**予防**です。癌の専門家であるヘネッジ・オリヴィエ卿がこう言ったことを思い出します。「幸せな人は癌になることはありません」。フラストレーションの原因に関してはさらなる研究が必要となるでしょう。フラストレーションの形態を認識するため、個々の人格をもとにその分析を行なうためにです。乳癌の原因となるいくつかのフラストレーションの形態については、すでに述べました。

これらの特質をつかむことができれば、ヒーラーはそれをイメージとして描きます。そして、ヒーリング・ガイドを通して、患者により幸福な心の状態をもたらすための矯正的作用の探求を行ない、それらを指揮するのです。先に述べたように、スピリット・マインドのフラストレーシヨンを抑える唯一の方法は、それらと同じ次元に存在しているスピリットを経ることです。

今日、スピリチュアル・ヒーリングの恩恵に与《あず》かっている人、そのなかでも特に精神的「病」（安楽を否定するもの）に苦しむ人は、癌の危険から守られていることになります。これはまだ証明されうるものとはなっていないので、以下のように考えるのが論理的でしょう。スピリチュアル・ヒーリングがなければ、癌に罹《かか》っていた人が多くいるのではないでしょうか。彼らはヒーラーシップを通したスピリチュアル・ヒーリングにより救われたのです。これが意味していることは重要なことです。これについては「心身症のヒーリング」を扱う次の部で見ていくことにしましょう。

第5部 心身症と精神的ヒーリング

イントロダクション

これまで、ヒーリング・エナジー、高級知性体、そしてその構造、細胞の命について研究してきました。細胞の命は、それらがどのようにスピリチュアル・ヒーリングと関係しているのかを教えてくれました。これらについて深く研究してきたわけではありませんが、ヒーラーがヒーリングのイメージを描くのには十分です。より理解を深めるためには、イメージを全体としてつかむ必要があり、そこに欠かせないのが心身症と精神的ヒーリングの研究です。これらは重要な繋がりを持ちます。私たちがこれまで励んできた研究はヒーリングの力学であり、病気の原因そのものや、ヒーリング過程がスピリットの側からどのように実行に移されるのか、その実態について、それほど多くは扱ってきていません。この部では主に、その働きと心がどのように利用されるのかについて見ていきたいと思います。まずはじめに、心の働きについて説明しましょう。

フィジカル・マインド

すべては精神的な経験です。意識的な心は、想念のイメージと想念の印象を受け取る心の鏡とリンクしています。私たちは、自分自身を傷つければ疲労し、楽しい夕食を楽しむことができればあたたかく満足した気持ちになり、音楽を聴けば……、醜い不愉快な光景を目のあたりにすれば……、——これらはすべて、心の鏡によって受け取られる精神的経験なのです。

私たちは、脳のコンピューターにある記憶のなかに、知識と経験の詳細を蓄積しています。そして私たちがそれらを意図的に思い出すと、マインド・ピクチャーとなり、結論として心の鏡に映し返されるのです。例えば、2足す2の答えを脳に尋ねてみれば、すぐに4という答えが返ってきます。過去に宿泊したホテルの名前を尋ねてみましょう。コンピューターが、記録されているすべての詳細、名前、建物の外見、庭などを心の鏡に映してくれます。

フィジカル・マインドは、身体的事柄のみを扱っています。これは体の快適さや身体的需要と関係しています。また、知識の細目や記録された経験を保持することにより、コンピューターとしても働くのです。意識的な心が考え、結論に達するための情報の細目を提供しているのです。

スピリット・マインド

スピリット・マインド（または「潜在意識」、「精神」、「内面」、「エーテルの心」などとして知られているもの）は、フィジカル・マインドが持っている心の鏡までを自由に行き来する通路を持っています。これは、自然淘汰による、伴侶の選択を経た、感情、志、愛と憎しみ、善と悪、安心と不安、優しさと残虐性、寛大さと冷たさに関係するものです。これは、志や理想のための動機を与え、理解力を深め、芸術と科学の修養を導き、悪との戦い、そして正しい目的のための労働を促すものです。そしてこれは、すべてのヒーラーを動機づけている愛と慈悲の源泉でもあります。

なぜならスピリット・マインドは非常に個人的で、繊細で、細かく調整されているものだからです。そして、スピリット・マインドのなかには、動揺、フラストレーション、心身相関の不調和といった原因があり、これらは心の鏡の経験となるものなのです。

人には良心というものがあります。隣人が困っていれば、助けに行きます。泣いている子どもに出くわせば、その小さな子を助ける方法を探すでしょう。そこで通り過ぎるのはあんまりというものです。捕えられた動物を解放する、残虐性に抗議する。これらは思いやりからくる自然な行動です。**これらすべてが良心と呼ばれるものなのです。**

別の視点から、他の特性も観察することができます。例えば、発見されるおそれがなく、盗みを働く機会が目の前にあるとしましょう。しかし、実際に盗みはしません。なぜなら、それが間違いであると知っているからです。何が正しくて、何が間違いなのか。私たちはみな、そうした生まれながらの感覚を持っているのです。では、この良心は、どこから湧き上がってくるのでしょうか？

良心とは、気づきの状態であり、脳の資質ではありません。例で挙げた盗みのように、善悪の区別をするために脳を鍛えることはできますが、**人の意識とはスピリチュアルな能力であり、スピリット・マインドという指揮者のなかにあるものなのです。そのことにほとんど疑いの余地はありません。**

残酷な悪しき人々にも良心はあります――悪いほうの良心です――、にもかかわらず、それは彼らに満足感を与えるのです。私たちは、人生において良いことと悪いことがあるのを知っています。だから、良いことと悪いことのあいだに、果てしない葛藤が存在するのです。スピリチュアル・ヒーリングは、この葛藤に直接関係しているものです。

本来の良心とは、スピリチュアルな性質であり、ヒーリングの裏側のインスピレーションとなるものです。良心とは、生まれながらの神聖な特質なのです。それは、私たちのフィジカル・ライフとスピリット・ライフの間に関連があります。

以下は、今日事実として承認されていることです（実証可能な事実です）。ほとんどの病気の主因は、心の不調のなかに、そしてさらに深い魂の病のなかにあります。フラストレーション、恐怖、抑圧、良心に対する罪と、このように表現されるものです。これらは精神的障害だけでなく、ほぼすべての体の病気の根源となっています。

それゆえ、スピリチュアル・ヒーリングの過程をあらゆる側面から理解していく上で、心の研究が非常に重要なものとなってくるのです。これについて、ヒーリング・ガイドに使用されるための、より調律《チューニング》された楽器（道具）になることを望んでいるすべてのヒーラーが関心を持つはずです。**私たちの病気の性質や原因についての理解が深まれば、ヒーラーシップは病気の発症を防ぐ上で、卓説した能力が発揮できるようになります。ここには、とてつもない将来性が秘められているのです。**

心の動揺は、主に二つに分類されます。第一はフィジカル・ライフに関係するもので、不安感、心配、責任、経済的な気苦労、他人を気にしすぎること、癌への恐れ、その他の健康問題などです。第二はフラストレーションに関係するもので、望んでいるような人生が送れないことへの無力感、子どもを持ちたいという強い願望があるにもかかわらず実現しない場合、報われない恋、生物として生まれながらの機能が満たされないときです。これらはすべて心の展望、願望、実現とのあいだの完全なるバランスを崩し、さらに破壊することによって、健康状態に悪影響を及ぼします。

アレルギーのヒーリング――花粉症

アレルギーの原因は、はっきりとしませんが、心身相関なものである可能性があります。これらは、他が身体的根源を持つのに対し、特別な精神的習癖を生むものです。身体的なものには、花粉やほこり、一定の植物、染料、臭気などにふれることで生じるアレルギーがあります。最も一般的なアレルギーはおそらく花粉症でしょう。これはスピリチュアル・ヒーリングにたやすく反応します。一年のある時期、空気によって運ばれてくる、害のある花粉を吸ってしまうことが原因です。花粉が舞う季節の前にヒーリングの援助が探求されると、その症状は表われません。このようにしてヒーリングの効果は確認されるのです。ここには、説明できるいくつかの反応が起こっているのです。身体知能が警告を受け、刺激性のほこりに対する身体反応を取り消すよう働きかけたのかもしれませんし、心と体が、アレルギー症状を受け入れないという心理的準備を整えたのかもしれないのです。「特徴づけられた呼吸」（第3部第5章「呼吸器疾患のヒーリング」を参照）を実行するというヒーラーのアドバイスに従うことで、呼吸の過程が強化され、刺激に打ち克つ抵抗力が高まったのかもしれません。もしくは、ヒーリングが抵抗力を高め、アレルギーにおとなしく降伏していた習性が改善されたのかもしれません。

このように、いかにヒーリングが花粉症の回避に貢献し、実際の発症を抑えていくかがおわかりいただけるでしょう。ヒーラーは、ガイドが病気に対する防御線を整えられるようとりなすのです。患者は「特徴づけられた呼吸」を取り入れるよう助言され、その目的が血液のより高い酸素吸収を可能にすること、それは体を強化し、花粉症の犠牲とならないようにするためであることが告げられます。そして熱症状に対する患者の期待を、より前向きな抵抗力の展望へと変えることで、症状は表われなくなるのです。

喘息のヒーリング

神経性喘息の克服においても、この例が当てはまるでしょう。喘息は、たびたび花粉症と関連づけられます。神経性喘息の患者はよく、日中、夜間など、決まった時間に発作に襲われます。例えば、午後五時、早朝三時など、発作には習慣性の傾向があるのです。これらは予期されているもので、じき起こります。ヒーラーがこの詳細を知れば、治療はよりシンプルなものとなるでしょう。ヒーラーは患者に午後五時の日常の規則を変えるよう助言し、やかんのお湯が沸くのを立って待っているのではなく（発作がよくくる時間です）、お茶の時間を一時間遅らせて、他の活動に従事するよう伝えるのです。そうするとたいてい、喘息の発作が起こらなくなります。発作が午前三時に起こるのなら、患者は自分自身に精神的指示を与えればよいのです。眠りは元気が得られるように深く、日の出まで目が覚めないように、と。そこに、ヒーリングの目的がともに働くのです。ほとんどの症例において、ヒーリングは効果的であり、喘息は克服できます。

肺気腫を含む、すべての喘息や気管支の呼吸器疾患においては、ゆっくりとした、穏やかな、深い「特徴づけられた呼吸」を実践することで、患者とヒーリングの意図を連帯させることが賢明です。酸素と宇宙力をたくさん吸い込み、浅い呼吸や息苦しさを克服するのです。

胃潰瘍と胃腸障害のヒーリング

胃潰瘍の原因が精神的緊張、不安、心配などにあることは、よく知られている事実です。重荷を背負うほど、胃潰瘍になる可能性が高くなるのです。消化不良や吐き気、鼓腸などの他の消化不調にも同様のことが言えます。便秘や胆汁の障害、代謝障害などは、他の原因も考えられますが、一般的な原因のほとんどが精神的なフラストレーションです。

問題を緩和し分散させるためにヒーリングが腹部に適用されているあいだ、その主な指令は、精神的な展望の鎮静作用を促進することです。このとき、ヒーラーは患者と親密な調律《チューニング》状態にあります。ヒーラーのスピリット・マインドが患者のスピリット・マインドに触れられることを思い出しましょう。そこは通常、フラストレーションの根源がある場所です。ヒーラーはその不調の原因、傾向を突き止めることができたら、まちがいなく、患者により満足した展望をもたらす救済的な想念の作用の影響を患者に伝えようとするでしょう。患者はこの有益な想念の作用に反応するので、永続的な治癒がもたらされる可能性が高くなります。

精神的なストレスの原因を見つけるのは、ときに難しいものです。身体的に良好で、自分自身に心配事はなく、すべてが順調で家でも幸せ、経済的責任もないと言い、おおむねとても調子がよさそうで、神経の緊張の原因になるものは何もない。ヒーラーはこんな患者に出会うことがあるかもしれません。しかしながら、以下のような知られざる理由があるかもしれないのです。患者は病気の友人のことを極度に心配しており、もしも亡くなったら家や家族はどうなるのか、そう考えてひどく悩まされている、と。この種の不安は、来月のローンの支払いをどうやって工面するかなどよりもずっと深刻なのです。この患者は、他人の問題を自分の心に背負いこんでしまうような感受性豊かな人であり、心配し続けているのです。

精神的不調と皮膚病

だいたいすべての皮膚病の背景には、心身相関による原因があります。ヒーラーはこのことを、医療が認識するずいぶん前から指摘しています。乾癬、にきび、帯状疱疹、皮膚炎、ほとんどの皮膚疾患や炎症の背景には、過度の精神緊張や心配事、フラストレーションの形態があります（第3部第9章「皮膚病のヒーリング」を参照）。発疹やひどい皮膚の炎症にさいなまれている、幼児のいたましい症例においても言えることです。こうした場合、いかなるローションや軟膏にも反応を示さないものです。このような子どもたちに対しては、「生まれつきの皮膚病」などという言葉が使われます。

これらの皮膚炎はアブセント・ヒーリングに反応を示します。すでに指摘してきたように、ヒーリングの作用が不調の原因をなだめることで、皮膚の再生がはじまるのです。

子どもの場合、特に男の子の場合は、**恐れが皮膚炎の原因となっていることがあり**、ヒーラーが自信をつけてあげれば、子どもは何に悩んでいるのかを伝えてくれるでしょう。それは、両親ですら認識していないような、家庭の生活様式に関係するものかもしれません。もしくは認識していたとしても、十分に思いをめぐらせていないものかもしれません。よくある徴候は闇への恐怖です。このことが判明したら、両親には子どもの心の恐れを回避するため、小さな明かりを照らしてあげることが求められます。子どもを恐れと戦わせることは間違っているのです。ここではヒーラーは、理解ある心理士になってあげる必要があります。子どもの恐れの原因に向き合うだけでなく、両親に対しても助言を与えるのです。

夜尿症

子どもの恐れに関連して難しい問題なのが、夜尿症の悩みから子どもを救ってあげることです。ここでもやはり、神経が入り組んで関係しています。たいていの場合は心配事です。原因はいくつか考えられますが、その主因はおそらく神経の整合性と膀胱機能に対する制御力の欠如でしょう。この問題のヒーリングはよく、親の適切でない処置により複雑化します。子どもはこのことでひどく叱られ、おどされ、脅かされており、ときにベッドを濡らすたびに叩かれたりしているのです。ヒーリングの目的は子どもの意識的な心を鎮静し、同時に膀胱の筋肉運動におけるより強い神経制御力を直接的に促進することです。にもかかわらず、親の適切でない処置により、不幸にもその恐れを深めてしまっているのです。

多くの場合、子どもより親のほうが、ヒーリングが必要なのです。それゆえ、ヒーラーはアブセント・ヒーリングを通して理解を促し、親に寛容な心を持たせるよう努めるのです。と同時に、親は子どもが夜中のあいだ、寝小便をしないで保つことを見守るように、というヒーラーからの助言を受けます。親のちょっとした愛情ある寄り添うような援助が子どもの心を落ち着かせ、幸福感に満ちたものにするのです。その結果、朝ベッドが乾いていたら、子どもは褒められ、なんらかのごほうびを与えられるべきです。

診断

重要なことなので繰り返しましょう。診断はヒーラーの任務ではありません。スピリット・ドクターの任務なのです。理由はシンプルで、ヒーラーの心はヒーリングを行なう知識を持っていないからです。ヒーラーはもちろん、問題ある分子の構造を知りませんし、矯正的なエナジーを適用させて化学変化を引き起こし、病弊を滅ぼす方法も知りません。身体知能に正確な指令を出し、作用させる付加的知識も持ち合わせていないのです。例えば、疲弊したアミノ酸細胞にふたたび活力を与えたり、代謝作用を調整したり、腫瘍や白内障を分散させることもできません。ヒーラーは、知り得た症状についての情報を伝え、理解のもとに媒介者となり、患者とヒーリング・ガイドとの調律状態《チューニング》を築くことだけで十分なのです。

これまでのすべてのヒーリング実践例において、ヒーリングの目的は、指令による方法で心の鏡を通してやってきていることが理解いただけたと思います。コンタクト・ヒーリングとアブセント・ヒーリングは別々の療法ではなく、互いに補い合うものであり、コンタクト・ヒーリングを施したあとは、アブセント・ヒーリングのメソッドにより、さらなる援助を行なうことがいかに重要であるか。そしてこれは、症状が精神や神経に深く関連している場合には、特にあてはまります。ヒーラーはこうした事実に気がつくことでしょう。

想念力

スピリチュアル・ヒーリング・サイエンスについて深く研究すると、より明白な結論が浮かび上がってきます。それは、その「手法」が**想念**を使ったものであるということです。スピリット・ドクターは診断のために、聴診器や体温計を使用しません。彼らは想念を使用した手法で診断をするのです。

ヒーリングは想念の要求を受けて開始され、とりなしによる調和を通して、想念によるコミュニケーションが築き上げられ、維持されます。もしくは、コンタクト・ヒーリングのあいだにです。

つまり、心身症の原因や症状のヒーリングも想念の作用を通して実行されるのです。バランスを崩した心の矯正や麻痺における制御力、整合性の再構築も、想念の命令を経て行なわれるのです。

「ヒーリング・エナジー」（第4部第2章）の章では、正しい分子構造を生みだすには、患部に化学変化を引き起こす必要があり、それらは特徴づけられたエナジーが適用されることにより――言い換えれば想念の力が適用されることにより――結集することを述べました。繰り返しを承知で言うならば、想念のエナジーの研究を重ねていくことは、多くの心身症の原因に対する理解を深めていくのです。

個々のテレパシーの力は、今日、事実に基づくものとして権威筋からも認められています。一卵性双生児が、数キロ離れていても、ときに同じ時間に同じ思考をし、一連のある行動を起こすことを、私たちはしばしば耳にします。また夫婦間に特別に優れた相性と結びつきがあれば、ふたりの間にはテレパシーが働きます。これはよくあることなのです。動物界も同様で、多様な種の間に、数多くの行動パターンが存在します。これもやはり、特別な精神的コミュニケーション手段のみで説明がつくことです。**想念が、ある心から他の心へ移動するということは、それが規律ある形態のなかにあってはじめて、その存在との橋渡しをする媒介物であるという説明がつくのです。**

想念とはポジティブなものです。私たちの脳はこれらを保持し、蓄えています。求められたときに、脳が想念を意識的な心に差し出すのです。宇宙に属するもののすべてがエナジーによって形づくられており、それゆえ、想念もまた、この定義のもとに存在しているのです。

想念は言葉ではありません。言葉は想念をわかりやすく表現するものとして使用されるのです。私たちは物事を考えるとき、心の鏡に絵を思い浮かべます。もしくは、それら（マインド・ピクチャー）は情報やアイディアの一つとして意識的な心にやってきます。説明的な言葉が、心に想念のマインド・ピクチャーを思い浮かばせるのです。例えば、十字架という想念が国籍の異なる多くの人々に与えられるとき、想念のマインド・ピクチャーは類似したものとなりますが、十字架という呼び方はそれぞれの国で異なります。

千里眼の人がスピリットの領域でコミュニケーションをはかっているとき、その人の意識的な心（鏡）は、そのビジョンをマインド・ピクチャーの形態で受信し、それをその人なりの言葉で表現します。直感的な想念を受信するとき、これらは想念の印象として位置づけられ、その人が言葉に変換をします。

光や音の変化においては、個々に固有の放射の周波数があります。これは特徴づけられたエナジー形態で、この宇宙に存在する万物のように、一定の構造を持っています。同じように、個々のポジティブな想念も一定のエナジー構造を持つのです。ロンドンに住む人の心に描かれてもパリに住む人の心に描かれても、そのもののエナジーの周波数は同じです。スピリットの認識も、身体的なものの理解も同じなのです。**実体のあるものには一定の構造があるのです。**

音の周波数は、光のそれよりもはるかに遅い速さで移動します。光は秒速一八万六〇〇〇マイル（約三〇万キロ）、音は五秒間で一マイル（約一・六キロ）移動することになります。周波数は最低音から最高音になるほど速くなります。通常の聴覚の範囲では、毎秒ごとの周波数の変化にはまた別の特徴があります。周波数が人間の耳の聴覚能力を越えて加速された場合、音は続いており、動物だけが認識できるのです。この周波数がさらに加速することで、最終的には光の経験として位置づけられ、赤外線となります。そして周波数が上がり続ければ、紫外線にまで達し、それ以上となります。この周波数の加速がさらに高いところにまでいくと、それは想念の領域に入り、ここでふたたび意識的な心によって認識可能なものとなるのです。

つまり、音の変化や光の屈折作用に一定の形態が存在するように、想念も一つの定まった形態であり、記録可能なものなのです。もしも想念が一時的なものであって、規律ある形態をともなっていなければ、記憶のなかにとどめておくことはできないし、必要なときにそれを呼び起こすことはできません。脳は何も記憶できないのです。

脳コンピューターが蓄積している記録された想念の数は無数です。どんな想念も失われてはいません。精神治療的リラクゼーションのもとでは、脳がこれまでの過去の記憶を取り戻す可能性があります。これは意識的に呼び覚ませるものではないのです。

それゆえ、もしも思考経験が実体のあるもの、つまり特徴づけられたエナジー形態であれば、私たちはこれらを高級知性体と結びつける方法を探求することができます。また、その状態に他形態の想念のエナジーを負わせ、**科学的に精神状態を変化させていく**方法のなかで、何がこれまで承認されていないものであるのかを観察していくことができます。そうして、これらは元の状態と溶け合い、展望に変化をもたらすのです。

化学変化に関して、ある形態の分子エナジーが他の形態の分子エナジーを変化させることができるということは、さらに高い場所にある想念のエナジー構造の領域にも、類似した過程があるということです。ある規律を持った想念のエナジーが他のものと溶け合い、マインド・ピクチャーに変化が表われるといった具合です。

一例として、木の十字架を想念し、それから銀の十字架の想念を抱いてみましょう。そうすると、「銀」を表わす想念のエナジーを取り入れることで、十字架の想念のイメージが木から銀へと変化するのです。

これは、私が知るかぎり、新しい概念です。この概念を支える証拠となるものはまだありません。公算をもとにした仮説です。もしも私たちがさらなる想念に挑もうとするならば、身体的ない（スピリット）原子を利用した「想念の分子」からなる想念構造を視覚化することが可能です。さらにこれは、想念の流れを他の想念の流れに作用させ、フラストレーションを克服するその仕組みについても教えてくれるのです。

スピリット領域において、スピリットと地球の命の親密性について考えるならば、そこには何かしらの「もの」が存在しています。もしも私たちがこのことを認めることができるのなら、このように言いましょう。スピリットの世界の物質は、私たちの世界と同じようにエナジーからなっており、周波数だけが異なるのだ、と。

想念の感情

心身相関な原因の不調和や病気を研究していく上で、感情的な状態についても考えていく必要があります。これらは私たちの健康に対して、刺激的な効果も、抑鬱性の効果も持っています。私たちの憶測が正しいのであれば、実体ある想念は一定のエナジー構造の形態をとっており、私たちはこれらを感覚で「嗅ぎ分ける」必要があります。幸せ、喜び、みじめさ、恐怖、これらは

「想念」ではなく、「状態」なのです——感じてみればわかります。真の想念は、影響を受けるものの、感情的な状態を促進したり拭い去ったりすることができます。

人が恐れを抱くとき、それはマインド・ピクチャーにも表われます。恐れている状態が反映されるのです。これが私たちの思考や意識に作用し、問題がはっきりと表われてきます。逆に、人が自信に満ちた感覚や幸福感を持つとき意識は明るいものとなり、「意気揚々」とします。

想念の認識によって、感情的な感覚が芽生えるのです。例えば、日常生活のなかで、私たちの環境や安心感が脅かされた場合、もしくは、私たちの健康状態に重々しい深刻な医学的診断が下された場合、恐怖心が生まれ、それが私たちを支配するでしょう。逆の場合も同様のことが起こるのです。成功が手中にあるとき、心が愛で満たされているとき、人生は「バラ色」となります。また、生き生きとした健康状態であれば、体調がよい感覚を保ち、人生の問題にも怖れを抱かず、勇気を持って向き合うことができるのです。

フラストレーションに関しては、恐れや心配事が健康不良の心身相関な原因となっているのであり、それらは想念のエナジーや思考状態から生まれる「感覚」として認識することができるでしょう。

恐れのヒーリング

恐れや他の不利益である感情的な感覚を乗り越えるためには、その反対の状態が促進されなければならないことは明らかです。例えば、旅行することに恐れを抱いているとすれば、友人はあらゆる方法で安心させてあげるとよいでしょう。一緒に行く仲間を見つけてあげるのもいいでしょう。思考と行動を援助し、その恐れを乗り越えるために、ありとあらゆることをしてあげればいいのです。私たちは日常生活のなかでもこれを行なっています。「がんばれ」と言うとき、自信と愛情を込めて握手するときなどがそうです。

つまり、スピリットや内面の心のなかに、不幸を克服する状態が築き上げられるのです。なぜならフィジカル・マインドとスピリット・マインドの両方が、マインド・ピクチャーにアクセスできて、**それらは互いに作用し合うことができるからです。**このようにヒーリングにおいては、ヒーラーの言葉や作用が患者の展望に影響を及ぼし、フィジカル・マインドをなだめるだけでなく、ほとんどの感情的な状態の根源があるスピリット・マインドにまで達するのです。ヒーラーがヒーリング・ガイドと親密に調律《チューニング》している場合に、このようになることが多く、ヒーラーはガイドから直感的に想念の命令を受け取り、正しい言葉で話をすることができます。この言葉が、患者の精神的不調をやわらげ落ち着かせるのに、最も効果的なものとなるのです。すでに述べてきましたが、ヒーリングにおいては、それらが存在するところと同じ次元での処置が必要です。スピリット・マインド内に感情的な激しい動揺があれば、それは同次元、すなわちスピリットの次元で処置されるのがベストなのです。

私たちが身体的に望みを表現するように、同様の方法でスピリット・マインドもスピリット・

ガイドに対して、それを明らかにします。そうすると、ガイドは患者の思考を他の回路へと導き、フラストレーションを和らげ、患者は克服するのです。

心はまるで入り組んだ迷路のようです。はっきりとした道筋はなく、多くの考思が錯綜し、答えにたどり着くまでに脱線し、精神状態が乱れると、状況はより複雑で絡み合ったものとなり、それが定着してしまいます。マインド・ピクチャーは、もはやクリアなものではなく、形が定まらず葛藤する考えや、明晰な思考を妨げる印象でいっぱいになってしまうのです。

心の乱れをヒーリングするためには、クリアな想念の命令が心の鏡に映され、それを意識的な心が受け入れる必要があります。この想念の命令は主にスピリットから生まれるものですが、ヒーラーの助言からも生まれるものです。矯正的な想念が知覚されて受信されるということは、入口ができヒーリングの道が開いたことを意味します。多くは、その後に続く想念の目的にかかっているかもしれません。これらは患者の生き生きとした展望や、よりよい考え方を回復させるための作用をサポートするものです。

疲れ果てた心が、不満や喪失感などに深くとりつかれているとき、マインド・ピクチャーはこれらに支配されている状態にあり、スピリットの命令は意識的な心への入口にたどり着くことができないかもしれません。これは事実なのです。しかし不断のストレスにさらされている心は、最終的には苛立ちのもとに反抗し、変化を要求するようになり、連絡点にたどり着くのです。ヒーリングの命令がよい作用をともない、意識的な心に到達する場所です。

ヒーラーが心身相関の病気に苦しむ患者と一体になるのを感じるとき、そして、ヒーラーのスピリットと患者のスピリットの融合という力のもと、ヒーラーが正しい診断を行なうための十分な調律《チューニング》状態にあると感じるとき、ヒーラーは導きを与える想念のポジティブな流れを患者に届けることが可能なのです。

話し言葉は、患者の意識的な心に、ヒーラーがガイドから直感的に受け取った想念の命令を印象付けるのに役立ちます。例えば、ヒーラーがスピリット・ヘルパーから「音楽」が患者に利益を与えると印象づけられた場合、患者に毎日少しずつでもインスピレーションを与えてくれる音楽を聴くよう、音楽に「ひたり」、その感情やテーマを感じ取るよう提案するかもしれません。こうして患者の心は向上していくのです。繰り返しますが、ヒーラーは、ヒーリングの主要な目的を高めてくれるいくつかのクリエイティブな活動の利点を患者に指摘するよう印象づけられているのかもしれません。

強迫観念のヒーリング

先の一節では、強迫観念に苦しむ人々のヒーリングについて触れました。「強迫観念」と「憑依」はたびたび互いに関連付けられ、ときに症状も類似しています。しかし、これらはまったく異なったもので、極めて異なった原因があるのです。熟練のヒーラーによる識別が必要なのです。「強迫観念」は、心がある特定の精神活動に過剰に集中している状態のことを示しています。これは単に程度の問題です。分別のある人はみな、ほどよい衛生や清潔感というものを持っています。しかし人が触れるものすべてを、たとえそれがドアノブであっても汚染されているかのように感じ、常に手を洗うことに「とりつかれて」しまった場合には、状況は病的なものとなります。これを私たちは「とりつかれている」と表現します。また他のよくある強迫観念の形態として、被害妄想が挙げられるでしょう。あることを何度も何度も確認すること、過去の悪行に対しての深い自責の念、友情の裏切りによるアンバランスなどがあります。不幸なことに、強迫観念というものは高まりうるもので、心を完全に支配しながら存在し、意識的な心へと繋がるヒーリング作用を妨げ、ヒーリングにとって手ごわい状態をつくりあげる可能性があります。

強迫観念は個人的なものなので、個々の診断が必要で、そこにはヒーラーの治療に適ういくつかの規則が存在します。

主にこのような不幸な人々に対するヒーリングの一番強力な方法は、アブセント・ヒーリングです。通常そこには、身体的に施すべき援助はほとんどありません。これは主にスピリット・マインドの病気なので、治療の論理的方法は、スピリット・ガイドからの想念と作用を通したものとなります。コンタクト・ヒーリングが施されるときには、アブセント・ヒーリングによる想念の命令が維持されていなければならないのです。

患者への直接的処置法

コンタクト・ヒーリングにおいては、ヒーラーの役に立つだろう、いくつかの一般的な手順があります。患者は感情の蓋を開けたがっているし、自分の精神的不調やその症状について話したがっているので、通常ヒーラーは、患者が精神的に問題を抱えていることにすぐに気がつくでしょう。

重要なのは、患者への接し方です。ヒーラーは思いやりを持ち、忍耐強い態度で臨む必要があります。そして、よい聞き手となるのです。また同時に、その状況を司る厳然とした態度も維持するべきです。患者と話をするときには、親切でありながら、確固たるべきなのです。ヒーラーが効果的に働いているということは、彼を通してより強い作用が働いているということであり、これが患者の心を印象付けることになります。これは、特に患者の心のなかにアンバランスな状態が定着している場合には、やさしいことではないかもしれません。

哀れみ深い態度で挨拶をしたあとは、患者に自分の問題について話してもらうことからはじめましょう。一般的に、その話は情報豊かで長いものです。ヒーラーはそれを聞き、その状況や患者の直面している困難への理解を示してあげるのです。話のあいだ、ヒーラーは心のなかで患者の問題の根本を、核を見定めるのです。それが自責の念なのか、被害妄想なのか、コンプレックスなのかなどです。そうしてヒーラーは、患者の意識的な心に重ね合わせる想念の種類を決定するのです。

確固たる態度の必要性

ヒーラーが親切であり、確固たる必要があるのは、まさにこのときでしょう。患者はよく、ヒーラーの言っていることに口をはさみたがったり、さえぎったりして、自分の話をし、繰り返したがるものです。患者の心をより規律ある回路へと導くために、よい見通しや「すべてはよくなる」との考えをもたらすために、ヒーラーが可能なかぎりのことを行なったとしても、単に、患者がその悲しい物語をまた一から話しだすための準備が整っただけだった。このようなことがよく起こります！　ヒーラーが用心して防がなければならないのは、こうしたことです。そうすれば、なれあいにならずにすむのです。

ヒーラーは自信を持って率直に話をしましょう。患者に、その苦悩をよく理解したこと、そして、これからその援助を行なうことを伝えましょう。患者の方はヒーラーのところに自分の問題をヒーリングしてもらいに来たことを忘れないことです。動揺した想念から心を解放してあげるのです。あとはヒーラーの手中にあるのですから、目的を援助計画のなかに入れればよいのです。ヒーラーはその強迫観念の性質に配慮した上で、自分が印象付けられたように患者と話をすればよいのです。過去の境遇とその問題は、もはや過去の話であり、新しい毎日は新しい心の力、新しい目的の力とともにはじまるのです。そしてそれには、スピリットの力も味方しているのです。

もしも患者がふたたび強迫観念の詳細を話そうとしたら——実際、こうしたことはこの病気特有の症状です——、ヒーラーはその必要はないと強調しましょう。なぜなら、その話は過去に属するものなのですから。この言葉はそう長く続けるべきではありません。患者の心に新しい想念の命令を印象付けるだけで十分です。ヒーラーは可能なかぎり前向きに話をし、自信を持って、患者に助言に従う必要性を印象づけましょう。

状況が確かであると判断する場合には、患者の不安や展望から緊張を取り除くという前向きな目的のもとで、ヒーラーはコンタクト・ヒーリングを施すことがあるかもしれません。単に心理的なものかもしれませんが、それが患者の心に精神的な恐れやストレスの原因を消し去るような印象を与えることになるのです。それでもやはり、ヒーラーは患者との調律《チューニング》を通して、ヒーラーのスピリットから患者のスピリット・マインドに印象付けを行なうことに、より意識的になるべきです。そうしてマインド・ピクチャーがきれいになるのを助け、よりよい見通しを回復させるのです。

憑依のヒーリング

好ましくない存在が「憑依している」とされる患者のヒーリングは、とりつかれた心の治療よりもより難しいものです。

憑依と統合失調症は互いに似ていますが、異なった症状を持っています。統合失調症においては、患者は別の人格を持っているとされています。イエス・キリストのような、尊敬されている重要な人物です。憑依は、患者の心に他の心が押しつけられることで、声が聞こえてきて、患者に「これをしろ、あれをしろ」と言うのです。それは、意見を言うことであったり、命令を出すことであったりします。このような声は、「霊聴能力」と似ています。けれどもそれは、ふさわしいコントロールのもとに利用される能力です。憑依の症例では、これらの声は、粗野で冒瀆的で、言葉が卑劣な傾向にあり、患者にとっては非常にストレスのかかるものです。これらは患者に行動を指示し、ときにその指示は非常に不当なものなのです。これは最も悲惨な病気の一つであり——身体的苦痛よりもはるかにひどいものです。

ここでもやはり、アブセント・ヒーリングが優先されるべきでしょう。スピリット・ガイドが、侵入してくる人格から患者を解放することが期待されます。しかし、これは簡単な仕事ではありません。好ましくない存在が一度餌食を捕まえると、カサ貝のようにへばりつくのです。

いくつかの症例において、成功が確認された方法があります。それは、「救助サークル」の専門家に診《み》てもらうことです。熟練の霊媒が、被害者へ侵入してきた存在を孤立させるよう探求するのです。**これは高度に特殊化された治療であり、ある特定の形態の心霊能力を発達させてきた霊媒のみが遂行できるものです。**

コンタクト・トリートメント

しかしながら、ヒーラーは特に、患者が自分のもとに連れてこられた場合においては、それを援助することができます。ここでもやはり、ヒーラーのふるまいは思いやりを備え、かつ断固とし、牽引していくようなものでなければなりません。患者の協力が得られれば、ヒーラーは侵入者を追い払う能力を持っています。ヒーラーは患者にそのことを認識させる必要があります。それから、悪のパワーよりも強い善のパワーを通して、ヒーラーの力を患者のマインド・ピクチャーに投影させる必要があります。そうして、患者から期待感や意思が湧いてくる状態を生みだし、侵入者を打ち負かすために協働するのです。

患者には以下のことが告げられます。患者は治療を受けてからは、心のなかに入ってくるいかなる言葉も思考も印象も、**完全に無視すること**。それは患者が「よくない」と知っていることです。もしも声が呼びかけてきても、何か言ってきても、患者はそれを完全に無視するのです。例えば、声が患者に庭へ行くよう呼びかけてきても行かずに、ほかのことを続けるのです。それがたとえ一杯のお茶を入れることでもかまいません。このシンプルな方法で、患者は自分の心の制御機能を取り戻すのです。患者はいかなるときも、それがどんなに小さな呼びかけであっても、絶対にその声に反応しないという何よりも強い意志を持つよう印象づけられなければなりません。憑依している存在に、時間の無駄であると知らせるのです。必要ならば、注意を何か別なものに向けて集中するため、行動を起こします。例えば、読書をしたり、細かいパターン（刺繍）をしたり、ウォーキングのエクササイズに出かけるなどです。讃美歌や民謡あるいはポップソングなどを歌うのもよいでしょう。重要なことは、精神的にその声をかき消すことです。

これが実行されるとまもなく、憑依の存在は疲労し、患者のもとから去り、平安が訪れます。ヒーラーは、患者と言い争ったりしないことがベストです。声が患者に言ったことについても議論しないようにしましょう。なぜなら、それは反発を引き起こし、反論によってその存在の力を強めてしまうだけだからです。覚えておきましょう。議論が終わったあと、その存在は決定的な言葉を浴びせてきます。それまでに、たっぷりとした時間があるからです。だいたいは罵詈雑言を浴びせてくるというパターンでやってきます。それに対して、一つだけ方法があります。ヒーラーは患者に、その声を笑い飛ばすよう促すのです。侵入してくる存在は、基本的に笑われることに耐えられないため、これはとてもよいことなのです。

患者の身内には、患者を日常の環境から連れだし、日々の生活から休ませてあげるよう助言するとよいでしょう。新しい場所、新しい風景、新しい人々は心を埋めてくれて、通常の物の見方を呼び起こしてくれるのです。これらは、真新しい経験とともに、心をふたたび満たす機会を与え、患者の心にある存在の癒着を解き、ヒーリングの目的、とりわけアブセント・ヒーリングの命令を援助してくれるものとなります。ときに、野外での手仕事が理想的な場合もあるでしょう。

痙攣のある子どもと、心に障がいを持つ子どものヒーリング

これは壮大なテーマではありますが、スピリチュアル・ヒーリングは人間の幸福に寄与する役割を担い、有効的な働きかけを行なうことが可能なものです。ヒーラーにとっては最もやりがい

のある仕事です。それぞれの症例は個々のものですが、それらを繋ぎ合わせるいくつかの共通の性質があります。

ヒーリングは二つの機能に分けられます。一つは、ヒーラーにより施される援助によるものと、もう一つは、親がヒーリング目的と協働する方法によるものです。

これらの子どもたちに対するヒーリングは、本書ですでに扱ってきたことを実行することです。すなわち、より自由な動作をもたらすために必要な化学変化を引き起こすこと、痙縮からの解放、身体知能を活発化させ、潜在的な精神的機能を呼び起こすことです。一般的に、ヒーリングの命令は、心との大いなる協調作用をもたらすことであり、脳を通して、身体知能を働かせ、神経によって筋肉などを活性化させます。神経の緊張、恐れをなだめ、神経反応を刺激し、良心を刺激して正しいことと間違ったことの区別をつけ、精神的な不安を静めます。さらにヒーリングは、子どもの健康を増進させる新しい力、活力を与えることができるので、障害をよりやさしく克服することができるのです。

これらの子どものヒーリングは、有益な変化が表われるまでにある程度の時間が必要です。スピリット側においては、ヒーラーシップの能力を通してヒーリングの目的を実行するヒーリング・ガイドの任務です。それに続くのが、親がどのようにヒーリングの目的と協働するのかを示していく、ヒーラーによる導きです。

子どもは総じて、楽なほうに流されるものです。肢体が機能しない状態であるならば、それを習慣的な状態として受け入れ、弱点を克服するための前向きな努力を自分自身ですることはありません。

痙縮の場合、精神的な展望は明るいものであるかもしれず、整合性もよいかもしれません。肢体にだけ身体的な障害があり、使用が制限されているという場合です。ヒーリングの命令は、脊椎が動くかどうかを確認し、関節を解放し、筋肉や腱をほぐすことです。しかし、ヒーリングがもたらす改善という利益を子どもに与える努力が何もなされなければ、子どもは以前と同じ状態が続くことに満足するのです。それゆえ、親には関節の緩和を**優しく**探求することが求められるのです。可能なかぎり動かし、よりもう少しだけ動作を探求し、**優しく**肢体を伸ばし、それが反応するかぎり真っ直ぐにしていくのです。その際に子どもも、ヒーリング意図と協働する目的に参加するよう励まされるべきです。これと同時に、血液の循環を刺激するよう、筋肉を促進するよう、腱を柔らかくするように、肢体をマッサージしましょう*。

麻痺症状で肢体が無気力状態にあるときは、それは脳との協調がうまくいっていないことが原因であり、神経に生命力がなく、筋肉を働かせるための意図を伝達するメッセージが、神経細胞を通して運ばれない状態にあるのです。子どもは肢体を動かす精神的欲求を持っているかもしれませんが、それができないのです。もう一度繰り返します。障害に慣れて育った子どもは、その状態が保たれることが普通だと思っており、改善を探求するための努力をしません。不幸なことに、また親もその状態を避けられないものとして受け入れてしまうのです。特に、医師から「これ以上できることはない」と告げられた場合にはそうなのです。

親の関わり方

これらの症状のヒーリングにおいては、神経が刺激される必要があります。一定の動作を行なうために脳から発されるメッセージをしっかりと運ぶためです。神経を伝って肢体の患部へと運ばれるのです。その唯一の方法は、口頭による指示のもと、心と身体知能を通して働きかけることです。そうして、筋肉の反応が誘起されるのです。例えば、子どもが膝を上げることに困難が生じるのなら、ヒーラーは親に両手を使った足のとり方を教えましょう。そして子どもには「膝を上げるのを手伝ってね」「ちょっと待って、はい、『今』！」などと伝えましょう。子どもがそのようにしたところで、親は膝をゆっくりと上げる十分な動作のサポートをしてあげましょう。それから足を支えながら、親は「さあ今、ゆっくり、もっとゆっくり、膝を押し下げて」などと続けましょう。

これらすべてが、神経に筋肉を働かせるため、そしてそれらに知能を与えるためになされることです。

＊ 専門的なマッサージは必要ありません。優しい「母親のマッサージ」でよいのです。オイルやクリームを使用し、タルカムパウダー（ベビーパウダー）などで手を滑らかにしてこの動作を行ないます。その価値はマッサージにあり、オイルやパウダーにあるのではありません。

とです。ヒーラーは自らこれを子どもにしてあげて、親にその方法を示してあげましょう。ヒーラーと親は子どもの反応を感じとるように努め、それが感じられたら、子どもをほめてあげるのです。さらにもう少しだけ動作を探求するよう、子どもを励ましてあげましょう。

このメソッドは、筋肉の衰弱があればいつでも実行されるべきです。これは腕の衰弱にも等しく適用できるものです。両方の腕をとって、ヒーラーは言葉を使って、子どもの協働を探求しましょう。後方へ引き、それから前方へ、上方へ、まるで手足が「話しかけられている」かのようにです。指も同じようにして、曲げられたり、ヒーラーや親の指をできるだけしっかりと握ったりするのです。

心に留めておきましょう。これらの取り組みは熱心なものでなくてはならず、子どものエナジーをかなり消費するものであり、一度に何度も行なわれるべきではありません。**最も重要なことは、子どもの心が意図と協働していることです。**

ほとんど反応が得られなくても、神経の本来あるべき姿を心と身体知能に示すために、治療は一日に二、三度続けられるべきです。繰り返し働きかけることにより、神経は動作と力の進歩的な徴候とともに、反応を示すようになるでしょう。

子どもや赤ちゃんがこれを体得できず、心が機能しない場合、ヒーリングの目的は意識を通して協働作用を呼び起こすこととなります。このようなより困難な症例においては、さらなる忍耐力が必要とされます。ヒーラーは親に、脚が無気力な状態になっているので、膝を上方に曲げた状態で支えることを伝えましょう。そして、「押しあげる」という言葉を繰り返し使い、脚をまっすぐに伸ばしていくのです。

この方法により、子どもは「押しあげる」という言葉の響きを受け取り、心がこの言葉と脚の動作を結びつけはじめ、体得する能力を呼び起こし、神経に働くよう指示を出すのです。こうして同じように、この言葉の響きを繰り返し動作に結びつけるのです。飲み物を与えるときに、「ミルク……ミルク……ミルク」、靴を履くときに、「くつ……くつ……くつ」と言う具合に。子どもは、意識的な心の喚起を探求するスピリチュアル・ヒーリングをいつでも受信しています。したがってこの種類の行ないは、心と脳を呼び起こし活性化させるのに効果的な役割を担うのです。

精神が正常に機能していない子どもの多くには、二つの要素が存在します。一つ目は、非常に愛情深く、愛されることに必死であることです。愛情を表現するときにも、あるメソッドを適用させて、意識的に期待に応えてあげることができます。子どもをなでる場合には、はじめの愛情表現のあとに、親はまず片腕を優しくなでてから、もう片腕もなでて、それから指に移り、指をからめ、親の指をつかめるようにしてあげます。次に脚をなでてあげ、足を上下に動かしてあげます。親が適用するいかなるメソッドも、一定の手順に従って実行されるべきです。そうすることで子どもの心はそれを自然に探しはじめるようになり、精神的自覚、精神的目覚めがはじまるのです。

二つ目に、このような子どもたちは決まって音楽が好きなことです。特にリズミカルな音楽がです。気難しい子どもの場合、落ち着かせるのに音楽が役立つことが少なくありません。このような音楽を特別に演奏すべきであり、親は自らも、子どもが反応を示す世界に入っていくよう心がけるのです。もしも腕が動いたなら、そのリズムに合わせてその動きを促してあげましょう。最後は子守唄をかけて子どもの心を落ち着かせ、心がより穏やかなものとなるようサポートしてあげましょう。子どもの寝つきがよくない場合、子守唄が助けとなることが多いことでしょう。子守唄の穏やかな調べが眠りへと導いてくれるのです。子どもが暗闇を恐れていれば、夜用の照明、もしくはやわらかい照明をつけてあげましょう。

他の提案としては、いくつかの異なった音を聞かせてあげることです。鐘、音叉、カップのなかでスプーンがカタカタする音などです。そしてこれらの音それぞれに一定の機能を結びつけるのです。例えば、何かを飲む時間、またお風呂の時間などです。これらすべての行ないが、協働作用を促進させるのです。

このような方法により親の協力が得られ、アブセントとコンタクトの両ヒーリングが持続できるようであれば、ハンディキャップを背負った子どもたちに、よりよい協働作用や精神的進展がもたらされるのを観察できるでしょう。心に留めておかなければならない重要なことは、肢体と「話をする」うえで、子どもが意識的に協働できるよう、起きていることを「感じる」ことができるよう促進させることです。そうすることで、この経験が子どもの意識的な心に記録され、のちに同じ動作が探求される際に呼び起こされるのです。

子どもの麻痺

第3部にて、麻痺の治療についていくらか扱いました。制御能力、協働作用を促進する原理は、痙攣や知能の発達が遅い子どもの治療も同じです。

ダウン症児童へのヒーリング

ヒーラーは「ダウン症」として生まれてきた悲しく哀れな子どもたちについてよく知っています。彼らには、典型的なダウン症候群の特徴と精神的発達の遅れがあります。ダウン症候群は病気ではありません。これは、人間進化の初期段階への「戻り」であると、とらえることができるでしょう。これは、スピリチュアル・ヒーリングに反応を示さないと考えられており、多くの場合において、やはりそのようです。一方同時に、私たちはダウン症候群の傾向を克服した記録も持っています。それがまだはっきりとしていない頃、とりわけ、子どもの誕生後すぐにヒーリングが開始された場合においてです。

心身症的不調のヒーリング

繊細な性格を遺伝的に受け継ぐものもあれば、「生まれつき心配性」の人もいます。そのなかには、環境により精神的均衡をひどく崩したものも存在します。例えば、幼少期に経験した恐怖などがそうです。愛する存在を失ったこと、辱めを受けたこと、傷つけられたことなどです。これらすべてはフラストレーションであり、病気の前触れになりうるものなのです。

心の不調はその存在と同じ次元で正される必要があることは、すでに述べてきました。スピリットの想念の作用が意識的な心に届くことによって、私たちはもう少しだけ前へ進むことができるのです。

松果腺が意識的な心とスピリットを繫いでいる出入口だとするならば、この腺は、スピリットと高級知性体からの命令、思考印象を受信し、伝達する能力があると考えることができます。

想念の衝動は神経まで届き、筋肉にある特定運動をするよう指示します。神経細胞を通して伝達された特徴的な振動を通して、それらは指示通りに働きます。しかしながら、異なった過程が生じる場合もあります。精神的な経験により、身体知能が活動するよう呼び起こされたときです。

ヒーリングの実践においては、ヒーラーとスピリット・ドクターの間に、また同じく、ヒーラーのスピリット・マインドと患者のスピリット・マインドの間に、親和性が築かれています。心身障害のヒーリングにおいては、ヒーラーを通して、スピリット・ドクターから発される矯正的な思考が患者へと向けられる必要があります。特に、不調の原因に作用し、それを克服するためのスピリットからの直接的な働きかけが、患者の意識的な心に届かないときにはです。

患者はヒーラーに、自分が「神経症」に苦しんでいることを伝え、自分の状態をよく知っています。患者の心は途切れることのない心配事に支配され、負担がかかりすぎている状態なのです。眠ることができず、怒りっぽく、モチベーションが低下し、集中することができない。心を**解放**させることができないのです。

患者は概して、自分のさまざまな問題について饒舌です。ヒーラーは、思いやりを持って注意深く聞きましょう。経験とともに、ヒーラーはすぐに自分の見解を持てるようになることでしょう。問題を抱える心を鎮め落ち着かせるための一番よい方法に、たった一つの方法があるわけではありません。すべての症例は個々のもので、そこには考慮に値するいくつかの一般的方法があります。これらのうちでまずはじめに考えるべきは、ヒーラーと患者の関係でしょう。

ヒーラーと患者の関係

患者はヒーラーのところに援助を求めにやってきます。患者は、ヒーラーが助けてくれると期待しているのです。彼らは現実的な援助、前向きな治療を求めています。彼らの心は問題を抱えており、安心感、人との交わり、自信の回復を切望しています。ヒーラーは、自分が患者を救うことができるという印象を、患者の問題を十分に理解しているという印象を、患者に与えてあげなければなりません。そうしてから、患者にそれらに打ち克つ方法を示してあげるのです。

そこにはいくつかの異なったアプローチ方法があります。まずは、症状の**事細かな**話をしないことです。患者に、過去は過去のものとして位置づけることを促すために、一般的な確認方法で向き合えばよいのです。スピリットからのよいヒーリング作用を通して、患者は日ごとに心のもつれが解けていくのを感じるでしょう。いくつかの効果的な方法がある場合には、一つの観点から事細かな話をしないことがベストです。これは患者の心にさらなる混乱をまねくことになります。

例えば家庭の問題など、もしも問題がシンプルなものであれば、ヒーラーはいたわりの心を示しながら、どちらかに味方になることを避け、よい作用を通して、その問題の一番の解決法を探求するのです。

ヒーラーはいたわりの心とその理解を表現し、自分の手を患者の頭の上、またはその近くにかざして、緊張を緩和させ、怒りを静め、精神的動揺を落ち着かせ（ことによると、なだめるような言葉とともに）、より満足した展望を促すのです。ヒーラーが患者を笑わせることができれば、半分は戦いに勝ったようなものです。

ときおり一見、精神的動揺と関係しないような症状と向き合うことがあります。例えば、関節炎です。この場合、問題の心身相関な原因を突き止めるのは、より困難なものとなります。例えばそれは、志が叶わないことにその原因があるのかもしれません。患者にその原因がなんであるかを問いただすのは、言うまでもなく得策ではありません――ことによると患者自身もそれがわからない状態かもしれないのです。このような場合には、このままにしておき、ヒーリング・ガイドに対処してもらうのがベストです。

1日のヒーリングを終え、物想いにふけるハリー・エドワーズ。

患者の治療におけるヒーラーのふるまいについて考えていく上で、私たちは根本的な事実を見過ごしてはなりません。患者に有益な変化をもたらすのは、スピリット・ドクターであるということです。これは、ヒーラーの労が重要ではないという意味ではありません。ヒーラーの言葉が思慮深く、ヒーリングの動機に基づいたものであれば、それは患者の意識的な心に記録され、ヒーラーは患者と融合し、患者が重荷である精神的ストレスを振り払うことに大いに貢献することになるのです。

病気の予防措置としてのスピリチュアル・ヒーリング

スピリチュアル・ヒーリングは、ヒーリングにより病気が治癒した無数の人々の家庭のなかで、その生命力を高めてきました。医師になす術《すべ》がない場合、特にそうです。スピリチュアル・ヒーリングは、これまでに多くの利益をもたらしています。そして、今後もその利益をもたらし続けてくれ、幸福の回復、心や体、魂の失調の浄化など、この上なく気高い働きをしてくれるものなのです。**生きとし生けるものは、この地球上の一生命として、スピリットと同類です。このことから言えるのは、スピリチュアルの規範の価値を進化させていかなければならないということです。これは避けては通れません。戦争、貧困、動物虐待など、私たちの文明に恥をかかせてきた無法な風潮を排除するために、国家的にも、国際的にも、私たちの人生の概念を統御していかなければならないのです。**スピリチュアル・ヒーリングは、この事実に即した真理を証明する上で、大いなる役割を果たしてくれるのです。

この救済においては、スピリチュアル・ヒーリングの未来に新たな指令とより重要な役割が課されるのです。現代は、科学的にこそ進化してはいますが、私たちは**真の**自己について学びはじめたばかりなのです。人間の進化とは長い道のりです。スピリット・ヒーリング・サイエンスが開花するにつれ、ヒーラーシップはさらに重要な役割を担わなければならないのであり、私たちはその発展段階にいるのです。

このビジョンは二面性の要素に基づきます。医学的権威にもスピリチュアル・ヒーラーたちにも認められていることですが、ほぼすべての病気の主因は心身の不調和にあります。そして細胞の病気は、その命のフラストレーションが身体的な病弊となって表われたものです。骨折した手足、やけど、感染、脱臼などのまったくもって身体的である症状を除いて、私たちの健康不良の根源は、そこにあると考えることができます。

今日では周知の通り、癌の主因はフラストレーションであり、たいていそれは通常の生活を妨げるようなものです。**もしもこれらのフラストレーションを早くから認識することができれば、スピリチュアル・ヒーリングの治療作用を通して、それらは克服され、その代わりに他の指令が命に与えられます。この方法で、私たちは癌の発病を防ぐのです。病気の予防は、スピリチュアル・ヒーリングの究極の目的です。**

精神的不調和を克服するスピリットの能力について知るならば、スピリチュアル・ヒーリングを通して、すでに多くの人々が癌の発病から救われていることを、誰が疑うでしょうか？　私たちはこれを統計により証明することができませんが、論理がこれを支えており、私はそう唱えるのです。私の経験において、ある病気のためにスピリチュアル・ヒーリングを受けた患者が、その後、癌を発病したなどという例は一つも思い出せないのです。

癌、胃潰瘍、皮膚病などの病気を直接引き起こすフラストレーションの**性質**を解明するためには、人間の感情や不安についてより深く学ぶ必要があり、今後さらなる研究が必要とされるでしょう。例えば、命の機能の促進がフラストレーションにより妨げられることが、癌腫の原因の主な要素であること、そして仕事上の心配、責任などが胃潰瘍の原因となることを、私たちはすでに知っています。仕事の重役や専門家に、不安な状態を静めるため休暇を与えましょう。彼の潰瘍はなくなるでしょう。胃の問題に対する医学的処置は、「病院で休暇をとること」です。同様に、血流の機能を妨げるのもフラストレーションの性質である可能性が高く、リウマチや関節炎の病気の類は、これが原因かもしれないのです。

未来におけるヒーラーの役割

本書では、スピリチュアル・ヒーリングとヒーリング作用の化学的構造の関連について、スピリット・エナジーの活用について、私たちがスピリットからの作用を受容できるいくつかの知能組織を持っていることについて、そして、これらと細胞知能の連帯についてなど、心身の不調の

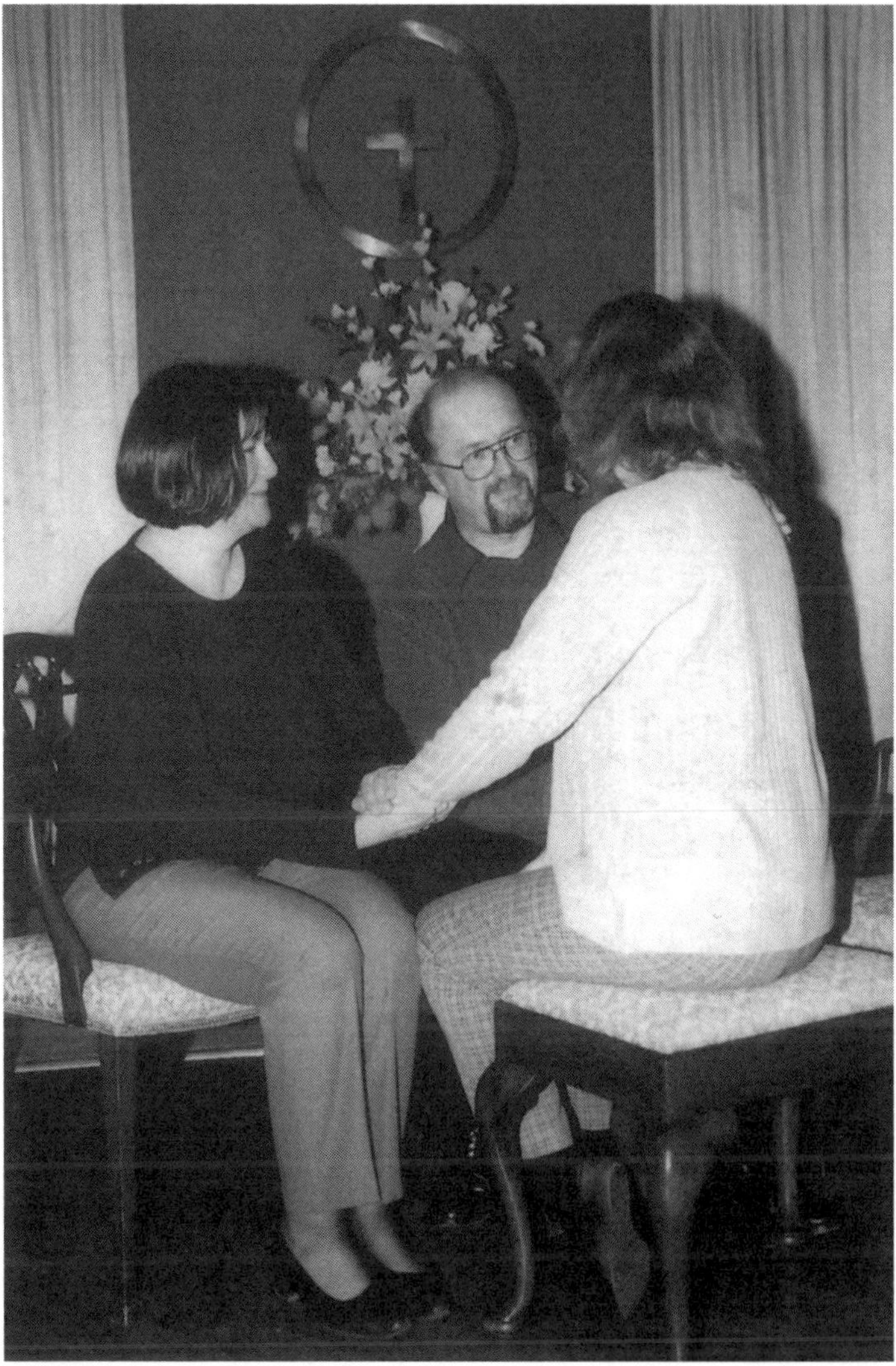

ヴィンセントとジーン・ヒル、ヒーリング・サンクチュアリにて。

原因とこれらが健康に与える影響について立証するよう努めてきました。加えて、そこには高度な高級知性体が存在し、それらは心と身体知能に作用し、私たちの健康のために分散的な、構造的な、力を与えるような栄養エナジーを指揮するよう働きかけることを見てきました。

右記の事柄についての知識や能力を持っているヒーラーは、ヒーリングの目的との有能な協働作業者となるのです。ときに、このことに意識的でないことがあったとしてもです。今日、平均的なヒーラーは、ヒーリング・エナジーの流れを媒介する受動的な道具となる傾向にありますが、彼らのヒーリングの可能性に対する理解が深まるにつれて、彼らの調律《チューニング》がより確かで自然なものとなるにつれて、想念の命令を意識的に受信し、ヒーリング実践においてより大きな役割を果たすようになるでしょう。

ヒーリング経験を得てきたヒーラーにとって、調律《チューニング》はよりやさしいものとなる――「第二の天性」として。これとともに、スピリットからの直感的思考命令を受信し伝える能力が、彼らをヒーリング命令との意識的な協働作業者とするのです。これにより、彼らは患者のスピリットやフィジカル・マインド、それから身体知能に作用し、それらにヒーラーにはできない働きをさせることが可能になるのです。

これを説明するための、最後の例を挙げましょう。患者に腫瘍があるとします。嚢胞、甲状腺腫、癌腫などかもしれません。コンタクト・ヒーリングで、ヒーラーは腫瘍に手をかざし、彼のヒーリングの意図は、ガイドに自分自身を使用させ、分散を起こすこととなります。ヒーラーの精神的意思はその目的に集中しています。ヒーラーはこのことに意識的です。患者はヒーリングの目標を認識しており、受容性のある状態です。そこには**目的の結束**が生まれ、ヒーラーは腫瘍構造に化学的変化を引き起こすための、ガイドが指揮する特徴づけられた分子エナジーを知覚しているのです。そして、患者の意識的な心を通して、身体知能が付加的な白血球を患部へ指揮することで協働し、形を変化させたその有害物質を取り除くのです。一度そのプロセスが開始されれば、腫瘍が分散させられるまで、持続されるべきです。

ヒーリングは、身体的、スピリット的法則の範囲内でのみ起こりうることですが、この範囲内でかなりのことがなしとげられうることは、すでに述べてきました。難しいのは、どの症状が反応を示しやすく、あるいはそうでないかがわからないことです。診断はスピリット・ガイドまたはスピリット・ドクターの任務なので、ヒーラーは何が可能で何が不可能なのかを自分自身で判断することがあってはなりません。患者がどのような病気と闘っていようが、ただその病気のためのヒーリング探求に努めることが望ましいのです。

この観点で言うと、ヒーラーはたとえそれがやさしいものであっても、病弊が治癒するなどと前もって保証したり約束したりしてはいけないのです。また、ヒーリングが起こるまでのおよその時間を示すことがあってもなりません。ガイドやヒーラーの責任外のところで、ありとあらゆる事情が、順調なヒーリング過程を干渉しうるのです。

このように私たちは、そこに望まれている進展が見られなくても、自分自身や患者、スピリット・ガイドを責めたてないことを学んできたのです。

基本原理の概要

本書においては、事実に基づくものから、論理や可能性に基づくものまで、いくつかの基本原理を提示してきました。これらすべての基本原理はスピリチュアル・ヒーリングと結びついており、調律《チューニング》されたヒーラーは、これらの要素を実際のヒーリングへと移すための道具として使用されます。それらは次の通りです。

物質の状態には、いかなる変化も起こりえません。そこに変化にともなう、道理に適った自然法則（自然の摂理）の過程が存在しないかぎりは。

変化を意図的に引き起こすためには、自然法則の過程を導き変化を生みだす、高級知性体の存在が必要です。

この高級知性体は、その過程を利用して計画的な結果を生みだすための知識を持ったものでなければなりません。

医学的に不治とされる病気のヒーリングに臨むにあたって、私たちは以下のように認識しています。高級知性体が人間でないのなら、それは人間の源泉でないところ、つまりスピリットからやってくるものなのであると。

エーテル・エナジーとは、この宇宙の根源的要素であり、一定の形態であらゆる物質を構成する自然原子を生みだしているものです。

原子は特徴づけられたエナジーであり、正確に編成された組織のなかにあり、その目的と「性質」とを持っています。

あらゆる物質――液体、固体、気体――は原子からなっており、二つ以上の原子が結合して分子を形成しています。

二つ以上の分子が結合するとき、原子が混ざり合うことにより発生するエナジーが合成物を作りだします。

人間の体の患部に化学的な状態変化を引き起こすためには、病気の分子を中和させるために構造分子を適用させる必要があり、このようにして改善のための化学変化を促進していきます。

それゆえ高級知性体は、患者の病からその病気の有害な分子構造までを診断する能力を持っているにちがいないのです。

高級知性体は、エナジーやそれらの可能性を巧みに操る知識を豊富に持っており、対抗するエナジーを増進させ、ヒーリング分子を形成し、それらを状態変化が必要とされている患部に正確に送り届けることができるはずです。

私たちはフィジカル・マインドとスピリット・マインドを持っており、これらは互いに親密に関係しています。脳は、この両方のマインドの使用人、コンピューターなのです。

あらゆる形態の想念や感覚は、心の経験です。

脳に独立して働きかけを行なう、身体知能というものが存在します。

脳下垂体と松果腺は知能を所有しており、それは独立したものでありながら、心に対して協調的なものでもあるのです。

あらゆる知能組織は、フィジカル・マインド、スピリット・マインドにより作用されます。

私たちは高級知性体から想念の命令を受け取り、それが私たちの精神的認識に作用し、すべての身体知能組織に指示を与えます。

細胞は、完全なる有機体であり、知能を所有しています。

細胞は、その命に明確な目的が存在し、フラストレーションが異常に高まれば、癌細胞となります。

遺伝子は、遺伝の種であり、人間に進化を与えるものです。遺伝子は、心の細胞です。

個々の思考は明確なエナジー形態を持っています。

分子のように、ある想念のエナジーの構造は、他の想念のエナジーの構造に作用するのです。

意識的な心は、身体的経験から生じた思考構造と、スピリットから発される思考エナジーにより作用されます。

このように私たちは、ヒーリングにおいて、機械的な過程や技法を避け、その代わりに全知能をヒーリング意図に向けて活用することを学んできました。ヒーリング・ガイドとのこのより進化した形態の協働が築き上げられ、患者の知的能力が活用されることにより、不調や病気がたやすく克服されていくのです……そして最終的には、それが予防されるのです。

私たちは、これらの事柄に対するこのアプローチの方法において、科学的であるからこそ、よりスピリチュアル的になれるのです。つまり、自然力やスピリットに対する確かな知識を増やしていくことによってのみ、これらの真実の境界から生まれてくる道徳性や命について、理解を深めることができるのです。私たちは無知からゆっくりと上昇してきたからこそ、新約聖書のなかのヒーリングの奇跡は、私たちが今日、目のあたりにしているヒーリング力の活用による能力の現われであることを理解できるのです。私たちが、物事の性質、存在、スピリットとの協働について十分に学び理解するまでに、二〇〇〇年もの年月が経過しなければならなかったのです。

〔付録〕第6部

癌の原因、予防、治癒の研究

付録１　「癌における心の役割」

英国スピリチュアルヒーラーズ連盟による声明原文（一九七三年）

なぜ細胞は悪性腫瘍となるのか？

今世紀（二〇世紀）、医学者たちは、なぜ正常な体の構造内にある、規律ある細胞に変化が起こり、その規律が失われるのか、そしてその後、なぜ悪性腫瘍として再生をはじめるのか、その解明に努めてきました。悪性腫瘍は治療されなければ、命を脅かすものです。

これには数百万ポンド（数億円）を投じて研究が行なわれてきました。理論や統計は無数にあります。食べ物、タバコ、化学製品、ウイルス、大気汚染――私たちの身のまわりの環境はその罪を免れることはできません。事実、それらの多くが悪性の変化を誘発するものであることが判明しています。また、このような事実も残されています。百年前と比較して、なぜ細胞が悪性腫瘍となる傾向が強くなっているのか。私たちはその答えにたどり着けていません。私たちはみな、環境による身体的要素に身をさらしているわけですが、私たちみなが癌になるわけではないのです。

二〇年前、英国にて、七歳の子が癌で亡くなりました。一〇年前は、六歳の子でした。今日、五歳の子が癌で命を落としています。この怖ろしい病気を回避する方法が見つからないかぎり、次の一〇年が経過する頃には、四歳の子になってしまうかもしれません。

病んだ心

今日ほとんどの医者が、病における心の状態の重要性を認識し、認めています。生活のペース、心配、不安、フラストレーション――すべてが、身体的な病――が、高血圧、ビジネスマンの胃潰瘍、偏頭痛、その他すべてのよく知られている症状を起こしうるのです。看護師はあなたに教えてくれるでしょう。病人の多くが、実際の治療を受ける前に、**ただ病院にいるだけで**回復していくことを。なぜなら、日々の生活の心配事、責任がなくなるからです。

体は器官の集合体です――皮膚、骨、脳、腎臓など。そしてこれらの器官のそれぞれは数百万もの特殊化した細胞からなっており、個々の細胞は完全なる単一体であり、それらは全体として、体の健全な機能に従属しているものです。そうして個々の健康状態が保たれているのです。細胞は死んだあと、規則的に制御された方法で、その命を自ら再生します。器官が病気に罹《かか》ったり、損なわれたりすると、器官が回復するまで、もしくは傷ついた組織が修復されるまで、細胞はその制御に忠実に自らを再生させるのです。

　しかしながら、ときおり、何かがおかしくなり、この極めて重要な再生の制御能力が失われ、細胞がむやみやたらに再生をはじめ、それが全方向に広がり、周囲の健全な組織を破壊することがあります。この現象が、非常によく知られている癌の構図です。

私たちがその答えを探求している問いは、細胞の規律や再生を統制しているこの「知能」とはなんであるのか、そして、それがどのようにして失われるのか？　です。

　医学者たちが癌の原因を解明するためにしてきた大変な努力は、多くの賞賛を得ています。と同時に、多くの人がいまだにその答えが見つかっていないことを残念に思っています。医師は身体的原因のみを探っており、その方向性は間違っていたのではないでしょうか？

　ヒーラーが直感的に、より広い視野が必要であることに気がついてから数年が経過しました。私たちはこれから、この主張に実体を与える理由づけを行なうことにします。

　精神的な攪乱が、フラストレーションという要因となり、これを引き起こしているのではないでしょうか？　例えば、ある女性が家族を欲しているが子どもを授からない。これが細胞の構造内に根本的な変化を起こすことによって、制御が失われます。そして細胞は、悪性の変化をもたらすとされている特定の環境のもとの、物理的要素の作用を受けやすい状態となります。しかし、健康的な状態であれば、細胞はそれに抵抗できるのです。

　これを認めることができれば、個々の細胞内のフラストレーションという要因が、機能不全や悪性腫瘍を引き起こすと仮定することは、理に適っているように思われます。その命のたった一つの働きと目的が、赤ちゃんのための母乳を作りだすことである乳房の細胞を例にとってみましょう。もしもこの目的が妨げられれば、ときに細胞は悪性の変化を経験し、それを引き起こすことがあります。医学的統計によると、あらゆる種類の癌のなかで最も一般的であり、最も深刻なものの一つである乳癌は、赤ちゃんに授乳するというその命の役割を果たした胸よりも、そうでなかった胸にできる傾向が強いのです。

アメリカで行なわれたストレスや病についての調査で、故ハロルド・ウルフは、戦争で収容所に監禁された日本人捕虜男性の命についての研究を行なっています。収容所での環境は陵虐と壊乱の極限状態でした。そこで判明したのは、解放されてからの六年間に癌で亡くなった人の数は、一般平均の二倍以上でした。

身体的虐待による損傷、病は理解できますが、その後六年間の一般生活におけるこのような病の急激な増加を、どのように説明することができるのでしょうか？　とりわけ癌のような根源がはっきりとしない病において。このことが示唆しているのは、引き続きフラストレーションにさらされることにより、ある精神状態が生まれ、それが体全体、とりわけ細胞に反映されたということです。これは、めったに生じることのない思考なのです。癌における心の役割に関する研究は、急務なのです。

付録2　癌研究

ハリー・エドワーズによる声明（一九七三年）

癌研究における新しい思考

癌研究におけるザッカーマン卿のレポート

ザッカーマン卿（イギリス政府の科学アドバイザー）の癌研究レポートで、彼は心強いニュースを発表しています。稀な癌形態であるホジキン病の克服に関する展望がより明るいものとなり、睾丸腫瘍患者は生きながらえ、治癒されており、バーキットリンパ腫や絨毛癌は抑制可能な状態にまで進歩したのです。今日では、多くが治癒しうるものだと見なされています。

消化管、乳房、頸部などのよく知られている原因のほうは、今世紀において世界中の癌研究が一体となって取り組んでいるにもかかわらず、いまだ解明されていません。この声明は、主にこれらの癌の形態に関係するものです。

ザッカーマン卿のレポートが示しているのは、医学が「ゆきづまり」、今日大いに必要とされているのは「新しい刺激的な思考」であることです。

新しい見解

私は、私たちがこのような「新しい刺激的な思考」を持っていると信じるヒーラーのひとりです。

悪性変化の主因は、人生の思惑から生じる心理的フラストレーションがもたらす知性の攪乱です。通常は従順な状態であるものの、これが、制御能力のある細胞による反乱をまねき、独立した無制御な存在を生みだしてしまうのです。

問題

単体であり、規則に従順な正常な細胞が、なぜ病的で背教者のような「狂気じみた」細胞となり、悪性腫瘍を作りだすのでしょうか？

医学においてはその答えが出ていません。スピリチュアル・ヒーラーとして、私たちはその答えを知っていると信じています。

私たちが、論理的に有効な論文を主要な癌研究の権威に提出した際、「医学的に根拠が薄弱」という理由で、それははねのけられました。

私たちが「なぜこれが根拠薄弱なのですか?」と尋ねると、「なぜならこれは広くゆき渡っている癌の医学的見解と一致していないため」とされました。私たちはこの件について言い争うつもりはありません。もしもこれが医学的見解に関連するようなものであるならば、医師たちが探してきたもの以上の答えにたどり着くことはできないからです。

私たちはこう言明します。悪性腫瘍の原因は身体的なものではなく、心身相関に根源がある、と。例に挙げる、子どもを持ちたいという女性の願望に対する、根本的な対象関係の喪失がそうです。

私たちはこのように信じています。癌の傾向がある細胞は、制御に従順な、賢い生物体であり、これらは意識的に心、感覚、意識と連帯関係にある、と。

人が、人生の根本的な目的を果たせないと思い知ったとき、将来への見通しにフラストレーションを感じることとなり、これが、その影響下にある器官、そしてそれらの細胞に感知されます。この規律というくびきを投げ捨てた余分で繊細な細胞が、狂気じみた細胞となり、独自に存在することとなり、可能なかぎりのスピードで正気ではない自己を再生させ、他の細胞が必要としているタンパク質の捕食者となるのです。この細胞はなりふりかまわず増殖し、最後には身体を破壊します。

細胞の知能

それぞれの器官は、目的ある働きを実行する能力を持った細胞で形成されています。個々の細胞は、達成するための一定の目標を持った生物体です。その働きを統制し、再生が必要なタイミングが規則化された規律に従っているのです。

器官の一部を通して細胞は、感覚、心、感情から間接的に刺激を受け取ります。それが、身体と心、両方の作用に反応するのです。さらには他のあらゆる生物と同じように、細胞は呼吸をしていて、酸素を必要としています。これを養うためには注意深く準備された食べ物が必要で、老廃物の排泄も必要です。また、独自の体温も必要です。細胞は、染色体や知性、人格の遺伝子も包含しており、私たちの人生を形づくって作用するだけでなく、人生の問題との関わり方（進化のメカニズム）にも作用するのです。細胞は私たちの精神的、スピリチュアル的意識への、きわめて精密に整調された知的な意識性を持っているのです。

仮説

私たちの仮説は、以下の見解に基づいたものです。

関係している器官内では、個々の細胞が知性を持っており、これは人の展望、振る舞いの影響を受けうるものであると。例えば、生殖器官の細胞は、触覚、視覚、聴覚、嗅覚、味覚を通し、または精神的印象や他の感情を通して得られる刺激に間接的に作用されるのです。

腫瘍ができた場合

　ここで起きているすべては、一つの細胞が異常な状態となり、腫瘍を形づくっているということです。調査は行なわれていますが、あいにく有益な情報が得られないのは、その変化を引き起こす過程についてです。品行方正で規律を保っている細胞の、常識はずれで無責任な癌細胞への形態の変化、これが問題の核心なのです。

　私はあえてここで繰り返します。人がその人生の主目的において、抑鬱性のフラストレーションを高めるとき、このフラストレーションが関係している器官に、そして細胞に伝えられ、それらが順番にフラストレーション下に置かれ、力を失い、意気消沈したものとなるのであると。そして一定の行動規則に反抗せざるをえない状態となり、身体的機能をかき乱し、脳下垂体の規律を捨て、発狂し、精神年齢の低いものとなるのです。狂気も知性の状態の一つであり、新しい細胞が抑制なく次々と可能なかぎりのスピードで増殖されてゆくのです。

乳房細胞の例

　赤ちゃんに乳を供給する機能を持つ、乳腺とその細胞について説明しましょう。ある女性が切に子どもをほしいと願っていますが、それが叶わない。家族がほしいのに、子どもを授からない。母親になりたいという根本的な願望が阻まれている状態だとします。すると心は落ち込み、それが心理的に患いとなります。子どもが産めないというフラストレーションの感覚が支配的なものとなるのです。なぜなら、乳腺やその細胞は、女性の意識や精神的状態と深く結びついているからで、これらも知的な病となるのです。これらの存在理由が否定され、結果として一つ、もしくはそれ以上の細胞が無責任で、狂気じみた捕食性のものとなり、抑制なく再生するのです。

狂気は知性の状態の一つ

細胞の性質は遺伝的なものです。狂気じみた細胞は、他の狂気じみた細胞に分裂します。または、それを作りだします。それゆえ、初期の腫瘍もすぐに成長し、体の隅々にまで浸透し、患者の元気や生命力を奪ってしまい、最終的に死にいたらしめます。

癌は知性の病気

人々の支配的な対象関係は、愛と性です。この働きを否定すれば、生きる権利を否定することになります。これは、多くの癌がなぜ生殖器官――乳房、子宮頸部、子宮、卵巣、精巣――に発症するのかを説明しているのではないでしょうか。内部器官はストレスや心の状態と深く関係しているものであり、腫瘍もこれらの範囲に起こりうるのです。腸の潰瘍は精神的不調、恐れ、責任、心配事、不安から生じている場合が多いでしょう。新しい方法や心の平安によりストレスを取り除けば、潰瘍はなくなるのです。

医学的援助の仮説

一九五五年に、私は「スピリチュアル・ヒーラー」を執筆しました。

癌の治療と原因に関する絶え間ない調査は、今日、医学者たちを新たな目覚ましい地平に導き、驚くべき手がかりが見つかっています。いつの日か、以下の挑発的な質問にも答えられる日がくるかもしれません。

持続的な恐れ、心配、失望は、癌の重大な原因となりうるのでしょうか？

患者の人生の過ごし方によって、癌は体のなかで競い合ったり、かたつむりの歩みにまでその進行速度を落としたりするのでしょうか？

癌細胞は、攻撃する器官を意図的に選んでいるのでしょうか。その選択は、患者を悩ませる一定の感情的問題に基づいているのでしょうか？

私たちはみな、癌細胞に侵されるのでしょうか。それが、感情による不思議な過程により引き起こされたとき、細胞は暴れまわるだけなのでしょうか？

こうした問いは、以前から提起されてきたものです。これに対する医学的回答が得られないいま、一八年の歳月が経過しました。今日この問いは、私たちが掲げる主張を通して肯定されるときが来たと言えるのではないでしょうか。同じ論文で私はこう指摘しました。カルフォルニアのロングビーチの病院運営事務局において、医師は、癌の進行が「早い」二五組の親と、癌の進行が「遅い」親がほぼ同数であるとの比較をし、この二つの間には、その性質に著しい違いが存在していたのである、としました。

またシカゴでは、乳癌の手術を受けた四〇人の女性が、類似した傾向の性質や習性を持っていることが判明しました。彼女たちはセックスに対し嫌悪感を持っていたのです。彼女たちのほとんどが子どもをほしがっていませんでした。彼女たちは実は、母親と健全でない関係を持っていたのです。

コロンビア大学の精神科医、ジュースト・メーロー医師は、「ストレス、精神的ショック、もしくは適応障害が癌のセンシティブな要素ではないか」と述べています。

オンタリオの癌研究の財団理事、イヴァン・スミス医師は「癌腫進行の抑制と患者の人格との間には関係性があり、それを模索することができる」との声明を発表しています。

トロント精神病院のジョン・ロヴァット・ドウスト医師は、「心と体を切り離すことはできない。崩壊は偶発的なものではなく、人の遺伝と結びついており、それは癌が発生する場所にも作用している可能性がある」と述べています。

有数の癌医であり、シカゴ腫瘍研究所所長のマックス・カトラー医師は、リチャード・レネカー医師とともに、乳癌の手術を受けた四〇人の女性について研究を行なっています。そのうちの子どものいない女性の二〇人中一九人が、どんなことがあっても妊娠はしたくないと述べています。また、子どものいる二〇人中一七人が、子どもは持ちたくなかったと述べているのです。ほぼすべての女性が、自分の母親との間で困難で不幸せな時間を過ごしていたのです。

ニューヨークのコーネル医学校のジェームズ・ステファンソン医師とウィリアム・グレース医師は、子宮頸癌である一〇〇人の女性と、他の箇所の癌であるほぼ同数の患者との比較を行なっています。その結果、子宮頸癌患者は、セックスや母性、結婚という項目において、その調整がうまくいっていないことが明らかになっています。彼女たちはセックスに嫌悪感を抱いていたのです。そして彼女たちの夫のほとんどがアルコール依存症、もしくは不誠実な人物だったのです。

一九六六年八月二〇日の『The Times』では、ニューヨーク科学アカデミーの報告の、以下の文章を引用しています。

「一定の形態の乳癌がホルモン依存性のものであることは、今日十分に認識され、広く一般に受け入れられていることである。もしも癌が生ずるものでないのなら、心、精神、感情、それらをなんと呼ぼうとも、これらは誘発作用を持っている可能性が大いに考えられ、考慮に値するものだ」

ニューヨークで行なわれた研究によると、成人四五〇人の癌患者のうち、七二%の患者が「核となる人間関係の喪失や絶望感、そして人生にこれ以上意味が存在しないことへの確信」を胸に抱いていることが明らかになりました。

スコットランドでは、感情を解放し吐き出すことが苦手な男性の肺癌による死亡率は、通常の四・五倍以上であるとの報告が発表されました。

コロンビア大学の内科外科医であるフランダース・H・ダンバー医師によると、癌は一定の感情や人格、特性と深く結びついていると考えられるそうです。「一定タイプの人々だけが癌に倒れる」証拠を示しているかのようです。

ニューヨークの応用生物学研究所の癌患者研究においては、心理学者のローレンス・ルシャン医師が、命を落とした人の四人に三人が、癌の症状が出てくる前から「人生の真の実感、意味、喜びを達成することへの荒涼とした絶望感」を抱えていたことを見つけだしました。ルシャン医師はまた、彼の患者の多くが、類似した生きざまを持ち、幼年時代から孤立感、孤独感を抱えてきた痕跡をとどめていることに気づきました。多くの人が、両親や兄弟・姉妹、子どもの死、離婚などのトラウマ的なショックを受けており、犠牲者は突然そこに、「これ以上人生の意味がない」ことを悟ったのです。

この絶望感については、ローチエスター大学医療センターのアーサー・シュメール医師とハワード・イケール医師による研究においても見出しています。彼らは、子宮頸癌の疑いで入院している女性を調査し、これらの女性が「絶望」感や「奈落の底」を感じていたことを発見したのです。彼女たちはそうした感情に対して自責の念にかられ、かつて持っていたであろう幸福を取り戻すために、「もはやできることは何もない」と感じていたのです。

癌の原因と、人の展望や人生との関係を結びつけるのにさらなる関連性が必要ならば、ギリシャの精神科医であるアテネ大学のN・C・ラッシダキス医師が、一九七二年にこう述べています。

「悪性腫瘍により死亡した精神疾患患者の割合は、悪性腫瘍で死亡した全体の三分の一弱である」

ラッシダキス医師はイングランドやウェールズ、スコットランドからも似たような結果を得ています。イングランドとウェールズでは、癌による死亡者は全体の二〇％であり、そのうち六・九％が精神疾患患者です。スコットランドでの数字は一七％のうち五％です。これらが示唆しているだろうことは、知性がその均衡を失うと、癌の危険性が全体の三分の一ほどになるということです。

これらの証拠は、以下の私たちの主張をしっかりと支えてくれています。癌は、心のフラストレーション状態を引き起こす（おそらく無意識に）知性によって生みだされる病気であると。これらはたいてい、生きるための主な目的を喪失することにともないます――これらは人生における根本的な対象関係になります。これらが正しければ、それは一般に典型的な連鎖を表わしていることになります。これが暗示することは、遠大なことです。本来、癌は身体的原因から生じるものではないのです。

ザッカーマン卿の報告は、癌の心身相関な原因を調査するための参考例がなく、国家プログラムからはずされています。これはおそらく、心理的証明が身体的証明よりも、客観的視点で証拠を見つけることが困難であるからでしょう。高倍率の電子顕微鏡、色層分析、ラジオ・アイソトープなどが、癌を生みだす要素を検出できていないのは、以上のような理由からではないでしょうか。フラストレーションを顕微鏡の台にのせることはできないし、ないものを映すことはできないのです。

谷口雅春氏は、同様の結論を別の言葉で導き出しています（一九七二年一〇月）。

「腫瘍は、組織化された潜在意識の抵抗を通して生ずる病弊である。心配、恐れ、嫉妬心、癇癖などの感情が、内面の緊張と不和を体の細胞内に作りだす。これが無秩序な状態をまねき、これによって不満を抱く小さな細胞のグループが反乱を起こすのだ。それらが独自に作った小さな世界だ。これは、その世界のなかだけでまわっているものであり、全身の各存在を脅かす、寄生生物である。最も重要な事項は、病気は無意識の活動を通して突発するという事実のなかにあり、意識的な注意と理解のなかにある不調の存在を通じて、これが癌へと導かれるのだ」

英国スピリチュアルヒーラーズ連盟の癌調査プロジェクト

これは、この仮説を立てた英国スピリチュアルヒーラーズ連盟（NFSH）が、医学的承認や協力*、対話さえも得られないために設立したものです。掲げている主張が立証されうるものであるかどうかを確かめるためには、独自の調査を行なうことしか、その方法がないと判断したためです。

例えば、「ルシャトリエの原理」です。この原理とは、思考に対する抵抗は、その思考の重要性に比例するというものです。

＊　一九七七年、英国王立医師協会（General Medical Council）は、医師には医学的治療を続けることに対する責任があることを定めた上で、医師から患者の両親に対して英国スピリチュアルヒーラーズ連盟の会員であるヒーラーからの援助を探求することを提案、もしくは、それに同意してもよいという趣旨の声明を出しました。動物が癌になる原因は喫煙の結果であると説明する以外に他の方法がないのなら、私たちの主張は無となるのです。

ザッカーマン卿は、刺激的な新しい思考を希求してきました。この仮説を立てるなかで、私たちが最終的に期待しているのは、医学者たちから歓迎されることとです。メンデルの日が、彼の死後しばらくしてから「メンデル遺伝の法則」としてその日が承認されたことを、科学者たちが歓迎するように。同じく、ガリレオが地球が太陽の周りをまわっていると告げたことで投獄されたことを思い出します。

こうした私たちの仮説を証明する上では、今日の癌研究全体の概念を思い切って変えることになります。原因の調査においてだけでなく、その病気の治療においてもです。ザッカーマン卿の報告で言及したように、この計画は二度くつがえることになるかもしれません。「職業構造」のための資金を提供し、長期計画で臨まなくてはならないからです。そして「職業的地位」を差し出すことが求められているのです。

喫煙と癌

もしも私たちの仮説が有効なものとして確立されれば、一般的に受け入れられている結論について考え直す機会が生まれるのです。例えば、「喫煙が肺癌を引き起こす」といったことです。癌腫には複数の原因があるという可能性を否定することがばかげたことであると同時に、癌の主因が「身体的」なものではなく「心身相関なもの」であるという原理が確立するならば、なぜタバコの煙にさらされた動物が癌になるのかについても、ほかにいくつか論理的に有効な説明があるはずなのです。

私たちの望みは、医学的結論に問いを投げかけることではありませんが、もしも論理的に有効な異議があるならば、それは唱えなくてはならないのです。医学的調査は、これについて私たちを非難するのではなく、歓迎するべきです。

これまで動物は極度の拷問を受けてきました。ぞんざいな鎮痛剤、炎症、放射線など、外科的処置によるありとあらゆるストレスを負わされてきたのです。この拷問がどれだけ苛酷なものであっても、また、これがどれだけ長く続けられても――死を迎えるまでであっても――、**一つの正常な細胞が、腫瘍を促進する正気でない細胞に変化したことは、今までに一度もありません。**

タバコの煙は悪性腫瘍の構造の原因となっているか？

有効な情報は乏しいのですが、そこから実験で起こることについて考察してみましょう。動物は十分に飼育され、目を配られており、直接的な身体の痛みはありません。しかしながら、彼らは極めて不自然な制限を受けています。多様な手段でタバコの煙が肺に送り込まれるあいだ――鼻孔から管を通して、ガスマスク、咽頭の穴を通し、動物が呼吸を行なう限られた空間に煙が吹き込まれます――、彼らはそれに抵抗できないのです。この処遇が一週間、一か月、一年と、死ぬまで毎日続けられるのです。

私は、なぜ私たちの仮説が医学的に根拠薄弱なのか、その理由について調査しました。英国癌協会（The British Cancer Council）を含む、医学的癌研究組織の報告書や、王立外科医師会（The Royal College of Surgeons）、タバコ・リサーチ協会（The Tobacco Research Council）、米国軍医総監（The United states Surgeon General）、世界保健機関、産業調査団体の報告書を研究したのです。

しかしそのどれもが、物理的要因により悪性細胞が作り上げられているという証拠をあげることができていないのです。どの調査組織も、彼らが煙で死に追いやった無数の動物たちに、喫煙が悪性肺癌腫瘍を引き起こしているという証拠をあげることができていないのです。

このように私は、十分な理由のもと、この声明に概説されている主張を論破できる証拠はどこにも存在しないことを、そして、私には以下のことをはっきりと述べる資格があることを明言します――。

喫煙が肺癌の原因であること、または、悪性腫瘍に身体的根源があること、この主張を立証する証拠はどこにも見あたりません。

喫煙者の癌傾向

私たちの主張が説明すべきさらなる同意を促す声明は、なぜ肺癌患者の多くが喫煙者なのか？ということです。人間はストレスや不安をやわらげるために、リラックスした時間を楽しむためにタバコを吸います。このことは、今後一般的に広く同意されるでしょう。そしてこの考えは、喫煙は何かを防ぐためのものであり、癌を生みだすものではないということになります。現代生活のなかでは、非常に多くの人々が心理的に不調に陥りやすく、そのことが原因で癌を発症しやすい傾向にあります。解釈はこういったものになるでしょう。人々は喫煙という手段を通して、安らぎや、心・神経の救済を求めているのであると。これが、なぜ肺癌患者の多くが喫煙者であるのかという問いの答えを示しています。

治療的処置

注目すべきは、女性は生殖器官に癌を発症する傾向にあるということです。彼女たちの主なフラストレーションは、家族を持つことへの願望のうちにあるからです。一方、男性は性的なフラストレーションだけでなく、仕事での成功、人生をうまく舵取りしていくこと、安定や家族の幸福などへの切望があるため、腫瘍は主に肺や腹部に生じます。

医学的調査は引き続き癌細胞を根絶する方法、手段を探求していくのでしょうが、新しく開かれる道となるのは、人々を、癌を患う傾向にする心のストレスを防ぐ目的のもとになされる人間の行動パターンの研究です。私たちは英国スピリチュアルヒーラーズ連盟の調査から、一定の器官において腫瘍を促進するフラストレーションの性質を立証できるよう努めており、そこで最も重要なのは、現象の分析を提供することです。なぜなら、その認識のため、そしてそれをどのように中和していくのかを示していく助言のためです。

ニューヨークのゴサード・ブース医師は（英国スピリチュアルヒーラーズ連盟は、一九七二年のヒーラーの日の彼のマンチェスターでの講演に大変感謝しています）、癌克服を援助するメソッドの実践的な適用方法の概要を詳細に述べています。そこには、バイエルンのイッセルズ医師から与えられた治療法が挙げられています。彼は、末期癌からの一六％の回復を証明した人です。まず患者は癌への恐怖をなくすよう励まされ、未来は大いに自分自身のふるまいにかかっており、とりわけ新しいスタートを切るための動機にかかっているという完全なる真実が、患者に告げられます。

二番目は、ブース医師が指摘するように、医学的治療の意義は、癌の除去という任務を越えたところにあるべきことです。腫瘍の破壊は、従来の考え方を捨て、ふたたび人間的交流に参加するのだという決意を表わすスピリチュアルメッセージが加わることで起こるのです。つまり、精神的に生まれ変わることが必要なのです。

三番目は、患者が以下のことを知ることです。患者にとって重要な人物が、患者の健康回復のために配慮しているのだということ。そこに連帯感や必要とされている感覚、愛されている感覚が芽生えるのです。

癌の自然治癒

癌の**自然治癒**とは、末期例において、医学やそれらの予想に反して、腫瘍が消えることです。これらはスピリチュアルヒーリングにおいて観察されていますが、英国癌協会の名誉書記長であり広報責任者でもあるベネット医師も、彼の論文「人々と癌」（People and Cancer）において、「今世紀初頭から、エヴァーソンとコールにより、一〇〇〇以上の自然な見解が寄せ集められた」と言及しています。ヒーラーはよく、「癌の痕跡がどこにも見あたらない」と言われる経験をするものです。医師がそれらを見つけることができないという意味です。そこには**かならず**、物質の状態に変化をもたらしている論理的に有効な自然法則力の適用があり、その一定の変化を得るためには、計画された変化を引き起こすための知識を有した、高級知性体の存在があるはずです。

これらの**自然治癒**はスピリチュアル・ヒーリングを通して起こり、これらはスピリット知能が指揮する計画の一部です。高級知性体は、悪性細胞を分解し分散する質的な特徴づけられたエナジーを指揮することができるのです。これらの**自然治癒**は、そこで何が起こったのかを理解することができない医師によって、稀に観察されるものではないのです。医学は、癌の原因を切り離す電子機器同様に、これらのヒーリングについて調査できていないのです。言うならば、癌の自然治癒はスピリチュアル・ヒーリングの証明なのです。

付録3　悪性癌腫瘍治療における、さらなる観察

この章における観察は、癌のヒーリングのための教え、または、メソッドとして解釈してはなりません。議会法には次のように定められています。公認の専門家以外はいかなるものも癌のヒーリングの治療を施してはならない、と。したがって以下の観察は、読者の考察のための提言にすぎません。

信じることに理由があるように、もしも悪性腫瘍の原因が心身相関なものであれば、その治療法も心身相関なものである必要があります。治療がその病弊と同じ次元で行なわれるとき、病気は治療可能なものとなるのです。

医学の世界は、医学的予測や経験に反して、腫瘍がその姿を消すことを認めています。この分散は、医学的には「自然退縮」と呼ばれています。これまで医師は、これらの見解を説明するに十分な理論を提唱できていません。

主体に対する自然法則力の適用なくして状態の変化は起こりえないのです。これは自然の摂理

です。**自然治癒**についても同じことが言えるのです。

自然治癒は、スピリット・ヒーリングと直接的に関係しています。この改善のための変化は、ヒーラーたちが自信をもって、待ち望んでいるものです。これは計画的な目標なのです。典型的な例を挙げてみましょう。医師は、患者に悪性腫瘍があり、それは「手術不能」という表現に値するほど進行していると診断します。私たちはこのような症例をどれだけ多く目のあたりにすることでしょう？　外科医により患者の心は閉ざされ、患者は帰宅し死を迎えるのです。**そのときになって、最後の望みとしてヒーラーが呼ばれるのです。**その後まもなく――ほんの短時間のことなのですが、コンタクト・ヒーリングにより――腫瘍はやわらかくなり、小さくなり、ついには完全にその姿を消します。そのようなことが起こるのです。このような症例においては、腫瘍が観察不能になったとき、患者の症状は消えはじめ、病弊がなくなるのです。食欲も正常なものとなり、体重も回復し、死を迎えることなく、通常の生涯を送り続けていくのです。

何年も前、大司教コミッションに、六つのスピリット・ヒーリングの症例を提出するよう求められたことがありました。そこで私は六つではなく、七つ提出しました。これらは驚異的な回復に関する報告書で、医師の名前、病院、診断ほか、可能なかぎりの詳細情報が記されているものでした。これらそれぞれの回復は、過去三か月のあいだに起こったものであり、担当内科医からは「奇跡」、または他の類似した表現で説明されたものでした。これが彼らに起こったことです。私はコミッションに対し冒頭陳述を行なったあと、七つのヒーリングについて言及しました。すると医師（「テレビで有名になった医師」）は、私が提出した書類を一式抱えながら立ち上がり、こう言ったのです。**「ここにスピリチュアル・ヒーリングの証拠はない。なぜならこれらは自然治癒であったかもしれないからである」**。そしてこれらの言葉とともに、書類を投げ捨てたのです。私は医師に次のように指摘しながら返答をしました。個々の症例は三か月以内に起こったことであり、医学的検査を受けることもできました。そして医師はこれらを「不治」であると診断してきたのだ、と。医師の驚くべき返答はこうでした。**「あまりにも多くの医師たちが、実際にそうではなくても、人々に不治であると宣告している」**。加えて言うならば、これは医師の典型的な回避策の一例です。彼らはスピリット・ヒーリングの証拠について研究するよう求められると、こうした反応を示すのです。

一九〇〇～一九六六年に、世界的に発表された文献の研究から、エヴァーソンとコールは、十分な証拠資料を持つ一七六の癌の症例（悪性腫瘍の組織学的確証も含む）を収集し、彼らはこれらを癌の自然寛解の例だと位置づけました。エヴァーソンとコールは、このような見解の理由が知られていない点を強調し、こうつけ加えています。**「収集された多くの癌の自然寛解の症例においては、自然寛解をもたらす要素、またはメカニズムは、今日の知識という灯火のもとではつかみがたく、解しがたいものであると承認される必要がある」**

癌だけでなく、他の病気の自然治癒も、直接的にスピリット・ヒーリングに関係しているものです。これらは日々の出来事なのです。近年のスピリチュアル・ヒーリングがもたらす驚異的な変化は、自然治癒や慢性的な病の回復から生じています。医学になす術《すべ》がなく、それらが「不治」であると宣告されるそのときにです。

ピーター・バイスは彼の著書『ストレス病――ひろがる疫病』のなかで、彼はこのように述べています。「医学年報は癌の自然寛解の報告であふれている。患者が癌と診断され、『不治』であると見なされたが、死を迎えるかわりに完全なる回復を遂げ、さらなる調査のもとに、患者は悪性腫瘍から解放されたことを告げられる。これらの症例（実際にこのような症例は多くある）は、体そのものが癌を滅ぼす力を持っていることを**証明しており**、それらはそうしたいという欲求であるはずなのだ。どのようなものが患者に健康な状態に戻りたいという**欲求**を与えているのか、それは今まさに研究されているのである」

その自然治癒にヒーラーが直接関わっていないとき、そこには決まって、患者や親戚、友人、聖職者による、癌が取り除かれることへの祈りのとりなしが存在しています。ヒーリングは、神から与えられた自然界のスピリチュアルな贈り物であり、とりなしを行なう友人（経験あるヒーラーのような）は、患者やスピリット源泉のヒーリングとに調和状態を築きあげ、このことによって作用する過程がはじまったのです。

なぜ、医学的調査が、科学的解釈と自然ヒーリングを関係づけることができていないのかを理解することは簡単です。なぜなら、このようなヒーリングは物理的領域から生じるものではなく、その発端を物理的でないスピリット領域に持つからです。

以下は論理的に結論づけられるものです。腫瘍の自然な分散は計画された行ないであり、哀れみ深い、調律《チューニング》された思考のとりなしから生まれるものであると。これは、有害な物質の状態を変化させるために必要なヒーリング・エナジーの正確な性質を導きだす知識を所有している、高級知性体が実行するものです。こうして分散は起こっています。

これらは、病院で起こる類似した過程について考えるとき、よく理解できるのではないでしょうか。患者は、より簡単に分散させられるだろうとの希望のもと、腫瘍の構造を分解させるという同一の目的のもとに放射線治療を受けます。ところが、その目的に反して、その放射線療法は患者を弱化させ、さらには健康やその病気に必要な組織をも害するかもしれないのです。スピリチュアル・ヒーリングにおいては、そのような弊害は一切ないのです。

ヒーラーに関して言うと、自然治癒をもたらす技法など、どこにもありません。ただヒーラーたちには、ヒーリング・ガイドが腫瘍の分散を引き起こしてくれるという確証があります。これが、患者やガイドとの調律《チューニング》を通して、自分たちがヒーリング過程に参加することの重要性に対する理解を深めてくれるはずなのです。患者の元気や生命力の維持のみならず、癌に対する分散のエナジーを届ける媒介として機能し、患者の展望に変化をもたらし、恐れや落ち込みを克服させるのです。

癌は完全に除去されます。そして、これはスピリット・ヒーリングの計画なのです。これは事実に基づく知識なのです。このような回復は、自然法則に基づいた、専門的な過程から生じるものです。**このことが導く結論はこうです。腫瘍を分散させるための未来のメソッドは、スピリット・ヒーリングを通した有害物質の自然分散を引き起こすそれらと結びついている過程に基づいたものである必要があると。**

ゴサード・ブース医学博士は、一九七二年四月二九日、マンチェスターのフリー・トレード・ホールでの英国スピリチュアルヒーラーズ連盟の講義にて、「癌の予防と治癒」のテーマで以下のように述べています。

「ほとんどの人々は、身体的な病気のときには、たいてい物理霊媒だけに反応するようにできています。そしてそこには、十分な癌の自然治癒の症例が存在し、これらは心理的過程だけが効力のあるものであることを裏付けているのです。私が医学的療法と関連させて説明しているスピリチュアルな側面からのあらゆる癌治癒は、身体的な介入なしで起こる治癒のなかに表われてくるものなのです。

ある症例においては、**治療を受け入れよう**という大事な決定をすることだけで十分な場合もあります。患者は内科医のもとへ行き、診断を受けます。しかし一、二週間後に手術台に上がったときには、腫瘍が消え失せているのです。他の回復した例で言うと、開けてはみたものの、腫瘍は手術を行なうことが不可能であると判明したケースです。

私が知った、もしくは読んだ、あらゆる自然寛解の症例においては、そこに幸運な好ましい状況が存在していたのです。フランシス・クリストファー卿は、彼の自叙伝のなかで、彼の妻がいかに元気に、自分の回復のため、単独帆走の計画のために励ましてくれたかを説明しています。またハンガリーの理想主義者であり国外在住者である作曲家のベラ・バルトーク（アメリカでは認められていない）は、白血病の末期状態にありました。著名な指揮者であるクーセヴィツキーが、彼の亡妻との思い出に捧げる作品を作曲するよう、彼に依頼したときのことです。バルトークはみるみる回復し、彼のキャリアの最後を飾る栄光の協奏曲を書き上げたのです。一方、三人の娘たちの仲たがいについてひどく思い悩んでいた女性に関しては、一番下の娘が態度を改め、仲直りできたときに、手術不可能な膵臓癌から回復したのです。ドイツの自然主義者は、ナチ政権下の絶望のもとに、下垂体腫瘍を発達させていました。彼の腫瘍は、彼がドイツを去り、人里離れたオーストリアのアルプス谷の旅行者避難所の管理人としての仕事をはじめてからは、退化していく一方だったのです。

これらの心理的な回復は、正統な身体療法による治癒となんら変わりありません。これらすべての症例において私が見てきたものは、患者たちは心理的要求を満たす新しい生き方を見つけたということです。

癌の治癒は、内科医が身体的所見の報告を行なうことでは十分なものとならず、社会における心理的立ち位置を把握することで成功が可能なのです。この重大な要素が、現在の医学的実践において、そして、多くの科学的癌研究において、一貫して軽視されてきたのです。ここ数十年、心身相関な癌研究の承認は増えてきてはいるものの、私の同僚たちの大多数は、やはり完全に病気の物質主義的観点にその身を委ねます。エヴァーソンとコールによる癌の自然寛解の研究論文は、七〇〇以上の報告から選ばれた一七六の身体的所見を事細かに説明していますが、考慮に値する心身相関な研究の存在には言及さえしていません。患者の心理的状態が、身体的所見と同様に考慮されるようになったとしても、それでもまだ私たちは、明らかに、未来のために望まれているものからは遠くかけ離れたところにいるのです」

腫瘍の自然分散についてのさらなる言及は、本書の第2部第4章にあります。

悪性腫瘍の原因そしてその分散、この両方についての医学的説明がない現在の状況のなかでは、多くの場合において私たちが、そのヒーラーの実際の症例を支えていることになります。それはつまり、この**両方が**スピリットの次元から生じるものであり、癌の予防と治癒もこれと同じ次元内で起こるということです。

この章の目的は、癌の症状の前兆について、そしてそれを回避するためには、どのような助言が与えられるべきかを研究することにあります。つまりいつ腫瘍が形づくられるのか、いつスピリットと体の防御システムからの直接的な作用により、腫瘍を分散させるための好ましい状態が引き起こされるのかです。この研究において、癌は人間のスピリットの病気であるという原理からはずれてはなりません――知性に対しても同様に。したがって、これはスピリチュアルレベル、知性レベルで扱われる必要があるのです。

まずはこの過程の考察により、予備的に全体像をつかみましょう。バイエルンのイッセルズ医師のもとに一六％の末期癌患者の回復が提出されています。この重要なパーセンテージは医学的調査により裏付けられたものです。医学的には、一％の回復も見込まれていなかったのです。

イッセルズ医師は彼の患者たちに、医学的に許可されている薬剤などは与えましたが、それ以上のことはしていません。ただし彼は患者たちに、生きるための新たな希望を与えたのです。患者は診療所に到着してすぐ、自分が見慣れていたものとはまったく異なった雰囲気のなかにいることに気がつきました。そこには「内密に」といった厳粛さや沈黙、憂慮などの抑制された空気はありませんでした。癌について、患者の個人的な問題も含め、まるでニュースの一つであるかのように、オープンに議論されていたのです。そこには自信に満ちた空気があり、憂鬱さはなく、何をするのも自由であり、同伴の人々もいます。ゲーム、テニス、また他のスポーツをして、散歩に出かけ、気楽であり、希望者がいれば、「登山に行く」ことすらも奨励されていたのです。

この方法で、患者は患者自身で癌を発症する傾向にある生活から抜け出したのです。新しい人生を新しい仲間と楽しみ、似通った問題を共有し話し合い、以前にはなかった経験をしたのです。**新しい環境での、新しい人々との、新しい人生です。**これは、患者を癌の犠牲者にする可能性を持った以前の生き方とは根本的に異なったもので、人生における目的の実現を阻む抑圧、恐れ、抑鬱性のフラストレーション、あるいは失望を、打ち破るものだったのです。

ヒーラーと患者の間のコミュニケーションを、一定期間を越えて継続することは難しいため、また、現在の医業によるヒーラーとの連帯拒絶のため、スピリチュアル・ヒーリングに直接起因する癌治癒の正確なパーセンテージを出すことは不可能です。私たちの唯一の情報源は、患者と彼らからの手紙です。ヒーラーたちが病歴や、X線のレントゲン写真を見ることはめったにありません。そこには腫瘍が悪性であるか良性であるかについての有力な情報はないのです。私たちは独自の直感的な観察を行なうことができますが、医師が言ったことに関しての患者側の見解を受け止めなければなりません。私の癌のヒーリングに関する知識と、英国スピリチュアルヒーラーズ連盟にファイルされている記録によると、うちうちの見積もりでは、二〇%を超える**末期症例**の回復が見られます。末期でない症例のパーセンテージはさらに高く、これは他の種類の癌性の病気も含んでいます。

オレゴン大学、トラビス空軍、デビットグラントU・S・A・A・F医学センターの放射線療法主任であるカール・シモントン医師・医学博士は、めずらしい成功例を報告しています。医学的に承認された癌患者治療と、瞑想・グループ療法を結びつけたものです。彼はこのように述べています。**「癌を治癒する上では、前向きな心構えが決定的な要素となりうる」**

こう考えるのは妥当です。患者が切に乱されて不幸な状態にあり、そして一つの正常な細胞が規律を失った正気でない細胞へと変化し、腫瘍を形づくりはじめるとき、おそらくさらなる細胞も同じような状態となり、同じ行動をとります。――このようにして、体の防御システムがそれらをはね返す以上に、悪性細胞の成長率が高まるのです。

医療に携わる多くの人々からはこのように言われています。誰もがみな、もともと同じ癌細胞を持っているが、体の防御システムがその病的な細胞を殺しているのだと。電子顕微鏡によって、リンパ球を食い荒らしている癌細胞を引き裂いていくのが観察されることからもわかります。シモントン医師のスライドは多くの症例を記録しています。**癌細胞の生育パターンは変化しており、それは抑制と減弱を示しています。いくつかの症例においては、悪性細胞が完全にその姿を消しています。**これが示すのは、もしも心が作用を受けて、抑鬱的なフラストレーションからその展望をより適した方向へと変化させることができるのなら、それはより満ち足りたものとなるということです。癌の影響がある箇所においては小康状態となり、これ以上の癌細胞が作られることはないでしょう。そして、現存する悪性細胞は、白血球、リンパ球、食細胞などの餌食となっていくのです。破壊率が再生率を上まわれば、ヒーリングが起こるのです。

本書の第4部では、いかにして身体知能がスピリット・マインドを経由して指示を受け取るかを示しました。スピリット・マインドは、身体知能に感染症と戦うための防御メカニズムの強化方法を教示します。こうして、同じ趣旨の計画されたヒーリングの努力を通して、そこに病的細胞を滅ぼすある種の有機体が生まれるのです。

癌になりやすい傾向にあっても病気を発症させない人々は、その傾向を克服する変化が、彼らのなかに引き起こされたにちがいありません。そして、もしもこの傾向が心の苦悩から生じたものであったのなら、より穏やかな展望を得られることが、病弊自体が屈して去っていく直接的なきっかけとなっていたのです。これは明らかなことであるように思われます。これは間違いなく、スピリチュアル・ヒーリングの本質に含まれるものです。証明されうるものではありませんが、多くの人々がスピリット・ヒーリングを通して癌になることから救済されてきたと推測するのは論理的なことです。患者のスピリットそのもののなかに起こった幸福な変化に、患者自身もヒーラーたちも気がついていないとしてもです。

スピリチュアル・ヒーラーは心のうちに、癌に関係する二つの主要な目的を持っています。付録2のはじめで言及したように、悪性でない種類のものにおいては、ヒーリングはより普遍的なものとなりました。医学が顕著な進歩であると記録されていくのを見るのは嬉しいものです。

はじめの目的は、心のフラストレーションの性質、特性を調査し、それらを癌が出はじめる器官と関連させることです。これらの情報から、初期の心身相関な症状は認識され、新しい人生の方向性について助言されるのです。

二番目の目的は、スピリット・ヒーリングが形づくられた腫瘍の分散を引き起こすための手段を調査することです。これについては、第3部で取り上げています。

今日、ますます多くの癌専門の科学者たちはこの方法に向いているのですが、医学がこれらの見識を「医学的根拠が薄弱」であると見なすのを私は知っています。英国スピリチュアルヒーラーズ連盟は、エヒア・リーフ（理学修士、文学修士、D・I・C、博士）に、過去から現在までの、心身相関な観点での癌研究*に有効な文献調査を委任しました。

この歴史的研究においては、人種間にある生き方の違いが、癌の罹患率の多様性を示していま

＊ Essex (50p.), Loughton, Church Hill, Shortacres. 英国スピリチュアルヒーラーズ連盟より入手可能。

す。これは、生活習慣に大きく影響している心のストレスの状態によるのです。

ここでは、ルシャン医師による、癌と関連する感情的な生活歴のパターンの観察が引き合いに出され、以下のように要約されています。

「パターンは三つの主な要素を示している。一つ目は、幼年期と青年期に心にきざまれた希望のない絶望的感覚をともなった孤独感である。二つ目は、有意義な人間関係が存在した時期である。三つ目は、核となる人間関係の喪失、完全なる絶望的感覚、そして、人生にこれ以上の意味がないと思い至ること、これらに端を発するものだ。そこには、人生における意味や喜びという真の感情を得ることに対する荒涼たる絶望感が存在する。熱意や意気込み、他者とに感じる一体感ある有意義な人間関係や役割を見つけ出すため大いに努力することが、人の定めであると感じている者が、これらの努力も結局は失敗に終わるのだと悟ってしまうのである」

また、ゴサード・ブース医師・医学博士もこのように述べています。

「かつて私たちは、癌は、切除すること、もしくは『狂った』細胞を滅ぼすことによって治癒されうる、このことだけしか知らなかった。今日私たちは、病気を引き起こしていた絶望感を克服させることで、これらの患者を救うことができると知っている。つまり、正統な身体的療法で治癒されない人々をも援助することができるのだ。こうなったのは、病気の過程を引き起こす特定の状況や、患者のゆきづまった人生の展望を変化させる特定の機会における人の心理状態に対する、私たちの理解が深まってきたためである。

その最も明白な例は、生殖器官の癌である。女性が子どもを持つことができない際の子宮癌は、よくある例だ。子宮頸癌や前立腺癌においては、気の合うパートナーが見つかる希望がまったくもてなくなったときにである。私たちは、体の器官は身体的な意義だけでなく、象徴的、『スピリット』的意義をも持っていることを知るべきである。例えば胸は、この言葉の広義において、育児の必要性を表わしている。したがって乳癌は、自立した子どもを持つ母親や、尼のように子どもを持ったことのない女性、フラストレーションを経験しながらも、若者に対する教育の必要性を悟っている教師などのなかに発達する可能性がある」

悪性腫瘍を患っている患者のうち、スピリチュアル・ヒーラー、または、スピリット・ドクターやガイドとの調和技術を持っている者からの、哀れみや思いやりを欲している患者の症例について考察してみましょう。これにより、ヒーラー、スピリット、患者の間に親密性が築かれ、そして患者の展望をよりよきものにするために、新しい指令を出し、患者の心を新しい概念へと導くために、ヒーリング計画は実行されます。

治療に関する以下の提案を適応する前に、ヒーラー、もしくは患者の親族はそれらを活用する前に、考えられる患者の反応について注意深く考慮すべきです。これは、癌であるという事実を患者に隠す、一般的な方法です。これは「死を宣告」するよりはましであると思われているものであり、患者の意気を消沈させ、感情的絶望の淵へと落としがちなものです。ときおり、裏の裏をかくような行為が持続されることがありますが、それは患者が愛すべき人たちに感情的な重荷や困惑を背負わせないため、自分が病気であることを知らせない場合です。

自分に癌症状があることを自覚していない患者は、今日では稀です。それに対する恐れは広がっており、小さな内部疾患や呼吸の問題が生じたときには、多くの人々はただちに自分は癌ではないかと疑い、口に出すことなく恐怖を抱え込むのです。

患者が深く落ち込みがちな癌の症例において、ヒーラーがその援助を与えるよう求められたとき、当然、患者は自分の状態について知らされるべきではありません。熟練のヒーラーは、よい心理士となり、患者自身や彼の親族がヒーラーの前でオープンに言及してこないかぎり、「癌」という言葉を出さないよういつも注意深く接します。

また、この章で提案されている治療形態について患者の親族と話し合い、彼らの同意を得るのもよい案ではないでしょうか。

ヒーラーは、患者が受けているいかなる形態の医学的治療に対しても反対すべきではありません。同様に、いかなる形態の薬品や生薬治療なども、提案したり処方すべきではありません。医学的な治療が施されているところに、ヒーラーはこうした権限を持っていないのです。反対に、ヒーラーはとりなしやコンタクト・ヒーリングにより自分の努力を重ね、医学的治療から生じる弊害や病弊を防ぐ、もしくは克服するための探求を行なうのです。

ヒーラーは患者を担当する医師の同意を得て、スピリチュアル・ヒーリングを与えるべきです。これが最も有益なのです。内科医が悪性腫瘍の症例で、患者のストレスをやわらげ、その回復を援助するための正当な提案を否定することは稀です。実際、今日では、多くの医師がスピリチュアル・ヒーラーの訪問と癌患者へのヒーリングを快く承諾しています。

自分が癌であると知っている患者に関しては、状況と真っ向から向き合うこと、そして事実をすべて明かされることが認められるべきです。と同時に、患者が癌であるということだけでなく、その回復は大いに自身の心構え、とりわけ新しいスタートを切るためには、患者の努力にかかっているという事実を受け入れることも必要です。もしも半分だけの事実を伝えてごまかすことが患者の心を曇らせているのなら、未来に向けた建設的な一歩を期待することはできないでしょう。

患者の家族や親しい友人がその未来の構図のなかに含まれているのならよりよいでしょう。そうしたことが、新しい生き方、人生の目的を探求する上で、患者に勇気を与えてくれるのです。他人からの援助を得て、自信を持つのです。患者の癌克服が、みなにとって重要であることを示してあげましょう——それからみなが、患者の健康の回復をケアしていることも。

癌患者は、ほかの誰よりも、大いなるパーソナルケアを必要としています。彼らは見えない絶望感とともに生きてきたのです、それが悪性腫瘍となって現われるまで。癌が知性の病気であることを今一度思い出してみましょう。患者が、自分は家族の愛に包まれていること、自分には元気をもたらしてくれる仲間がいることを知れば、彼らは意識のなかに「新たな眼差し」をつくりあげていくことができます。そしてこれが、ヒーリングの目的の最大の味方となるのです。

もしも患者を、休暇でも訪問でもよいので、親しい友人同伴で日常の環境から連れだすことが可能であれば、過去の不幸な記憶から救い出すことになるでしょう。

患者が芸術、趣味、旅行、スポーツや音楽などへの興味があるならば、友人たちがそうしたことに参加できるよう、能力や環境に応じて促してあげればよいでしょう。

より深い人生の意味を耕し育てていくことが促進されるべきであり、それはことによると犬やほかのペットとの付き合いのなかにあるかもしれません。また休暇が、よりよい自分自身を発現させるための視野を与えてくれるかもしれません。あるいは、他人への奉仕のなかに見つかるかもしれません。例えば、新しいプロジェクトや聖歌隊、赤十字社、ボーイズクラブ、W・V・S（王立女性ボランティアサービス）、「給食宅配」サービス、または、人間が背負っている心の重荷を解放してあげるための、よき行ないに参加することなどです。

例えば、シモントン医師は、彼の癌患者に（可能な場合は彼らの家族も一緒に）メディテーションを行なわせ、静けさのなかで、彼らを美と人生の人道的かつ信仰的概念へと導いています。そこにはもちろん、患者のための指標があり、それを受け入れる患者の愛すべき人たちがいるのですが、彼らは自分自身の力によって、メディテーションによって何を得られるかがわかるでしょう。

「特徴づけられた呼吸」の多大な価値については何度か扱ってきましたが、この重要性は癌患者を援助する上において、決して過大評価ではありません。患者は、神からの澄んだきれいな空気を吸い込んでいるのだと**感じられるよう**サポートを受けるべきなのです。これは、患者が自分自身に命と健康を与えてくれる特性を取り入れているということです。取り入れるものとは、血液が細胞に栄養を与えるための酸素、癌を滅ぼし分散させる防御力を増進するための体への刺激、生命力と心の力などです。そして息を吐き出すときには、患者は体の老廃物や癌そのものを外に吐き出しているのだと**感じましょう**。

これはある一つの方向からの――人間の側からの――構図です。ヒーラーは、すでによく知られている数々の指示を患者、もしくは患者の家族や友人に出します。

スピリットの側では、ほかの力が働きます。そこにはよい想念の流れができる可能性があり、それが、患者の心が物事を適切な見解へと導いていくのをサポートし、患者に人生の目的を果たすための新しい思考を与え、新たな努力や想念によってフラストレーションを取り除くのです。

そこには身体知能へ、癌細胞を死滅させる有機体の蓄えを増やすよう、敵を打ちのめすための通常の働きを指揮するよう、命令も出されています。また、患者のスピリットそのものを通したスピリットによる命令の存在があるのかもしれません。

そこには、患者の「心霊」腺によるエナジーの蓄えの充填、心臓のリズムの強化、不足している不可欠な栄養素の補充などが行なわれているかもしれません。

そこで健康法が適用されるべきです。患者は身体的な健康を維持するために必要な栄養と、それに加えて、ヒーリング活動を支えるいくつかの付加的な栄養を摂らなければなりません。患者は自分が食している食べ物の価値を「特徴づける」ようにするとよいでしょう。「特徴づけられた呼吸」のそれと同じようにです。例えば患者は、体が必要とするタンパク質を増進するためにビタミンを摂っています。食べ物は、ゆっくりとよく噛んで摂取されるべきで、そうすることによって、患者はそこから喜びと徳を得られるのです。

時が経つにつれて、病気という悪を克服するために、私たちはいかにスピリットと協働していけるのかをよりいっそう学んでいきます。そして私たちは、その能力のために、スピリット・ガイドからさらなる教示を受けることを期待し、一歩ずつ、スピリチュアルな進歩を経ていくなかで、私たち自身の家族でもある世界中の人々の救済を願うことができます。私は、本書の編集において、自身のスピリット・マインドからインスピレーションを受け取った事実を認め、感謝します。とりわけ、癌の原因調査における、その予防策、首尾よき治療法に関して。

スピリチュアル・ヒーリングの効用を承認する医師個人からのサポートは増えてきているものの、公の見解はいまだ病気の物質主義的な観点が主流です。しかしながらことによると本書は、医学側の同志たちに、スピリットの次元でのヒーリングを提示する一つの手段となるかもしれません。また本書は、病気に対する果てしない論争のなかにおいて、彼らにこの二つの療法は互いに補い合うものであることを示す、きっかけとなるかもしれないでしょう。

解説　ハリー・エドワーズは今も生きているのか

江原啓之

二〇世紀最大のヒーラーと称される〝ハリー・エドワーズ〟は、その類稀なるスピリチュアル・ヒーリングの才能により、数多くの人々を癒し、当時の医学では回復の見込みがないと診断された人たちの病をも癒してきました。

その奇跡のようなおこないは、〝イエス・キリスト以上の霊的治癒能力〟とも称されましたが、霊的世界の存在を証明しようとしてきた先人たちと同様にハリー・エドワーズ本人も世間から多くの批判にさらされてきました。

本書のようにハリー・エドワーズが事細かにヒーリングについての理論をまとめている理由はスピリチュアル・ヒーリングの普及により、霊的世界は本当に存在し、〝人はたましいの存在である〟ということを、この世界に示すためでした。

そのためにスピリチュアル・ヒーラーは現代医療を否定してはいけないと考え、医師でもないヒーラーが薬についての処方や病についての診断をすることは禁止とするなど、ヒーラー自身は霊界の道具として働きながらも、社会の成員として、社会性を身につけることを重要視して、スピリチュアル・ヒーリングとは決していかがわしいものではないのだと強く訴えてきたのです。

またハリー・エドワーズは、ロンドンのロイヤル・アルバート・ホールやトラファルガー広場などで、スピリチュアル・ヒーリングの公開デモンストレーションをおこない、多くの観衆のなかで、その実演を通して病を癒すことで霊的世界の存在を示してきました。

その一つの具体例となるのが、ヒーリングを受ける前までは杖を突いて歩いていた人も、壇上でハリー・エドワーズのヒーリングを受けることで自分自身の力で歩けるようになり、帰りには杖を置いて去って行く姿を多くの人が目撃していることです。

このような天才的とも言える偉大なヒーラーは特別な能力を持った人であって、不世出な才能の持ち主でもあるハリー・エドワーズを今でも目指そうという人は相当難しいのではないかと思います。

今後も素晴らしい才能を持ったヒーラーが現われることもあるかも知れませんが、霊的世界の関与が欠かせないスピリチュアル・ヒーリング同様に、一八四八年に起きたハイズヴィル事件をきっかけとしてはじまった近代スピリチュアリズムの歴史を振り返ってみると、その時代によって隆盛となる心霊現象には移り変わりがあるというのがわかります。

まず第一期となる近代スピリチュアリズムの勃興期には、〝物理的心霊現象の時代〟があり、ラップ音やテーブルターニング等、第三者から見てもわかる心霊現象が主流となり、主にモールス信号のような通信を通して霊的世界の関与を証明してきました。

次に第二期には、〝精神的心霊現象の時代〟という、霊媒自身の主観を通した霊視や霊聴等の心霊現象が主流となります。自動書記などにより、死後の様子や霊界からのメッセージなどを伝えてきました。

そして第三期はハリー・エドワーズやモーリス・H・テスター等、多くのヒーラーが活躍した〝スピリチュアル・ヒーリングを主流とした時代〟です。ハリー・エドワーズが設立して、最初の会長となった英国スピリチュアルヒーラーズ連盟（National Federation of Spiritual Healers）では、サイキックアーティストとして有名なコラル・ポルジの夫でもある、トム・ヨハンソンもヒーラーとして働き、ハリー・エドワーズとともにトラファルガー広場での公開デモンストレーションにも参加していました。多くのヒーラーが活躍していたこの時代はスピリチュアル・ヒーリングを通して病が癒えることで〝人はたましいの存在である〟ということを証明してきました。

その後、第四期となる〝霊訓の時代〟が主流となり、霊媒を通して伝えられる霊界からのメッセージは霊訓となって世界中に普及され、〝人はなぜ生まれ、いかに生きるのか〟という霊的真理がスピリチュアリズムの核心となりました。

こうした心霊現象の変遷はスピリチュアリズムを伝えるために霊界が仕組んだデモンストレーションだと思えてなりません。あらゆる方法で〝人はたましいの存在である〟ということを霊界が私たちに見せつけているのでしょう。

そして、これからの時代はハリー・エドワーズのような特別な才能を持った人間ばかりではなくて、ひとりひとりがスピリチュアリズムを活用していく〝実践の時代〟であるというのが私の核心です。

ハリー・エドワーズは、その時代にいるべくしていた輝くスターのような存在であり、それこそ霊界の道具として使われていたのだと思いますが、これからは特別な才能を持った人間を頼るのではなく、自分自身が霊的真理を生かして自分自身を救っていく時代であると思います。

そのような意味でもハリー・エドワーズの時代とは違った方法で、新たなスピリチュアリズムや新たなスピリチュアル・ヒーリングを構築していかなければなりません。

スピリチュアリズムに関心のある日本のみなさんは、今もイギリスは心霊大国として輝きを放っているように思うかもしれませんが、心霊現象の変遷と同じようにスピリチュアリズムの世界も時を経るごとに変わっていきました。過去のイギリスのスピリチュアリズムはすでに化石となってしまったというのが、私が実際に渡英して調査したときの印象です。

私がスピリチュアリズムの学びを深めるためにイギリスへ行ったのは、平成二年一月のことです。当時のイギリスはスピリチュアリズムの先進国でもあり、アカデミックな心霊研究の国でもありました。

私のスピリチュアリズムの師匠は日本に二人います。それは寺坂多枝子先生と佐藤永郎先生です。

佐藤永郎先生は、イギリスにてハリー・エドワーズから直接手ほどきを受け、スピリチュアル・ヒーラーの道に就くように勧められたことにより霊的真理の道を歩むこととなりました。また日本におけるスピリチュアリズムの祖でもある浅野和三郎先生の奥様で『小桜姫物語』で有名な霊媒の浅野多慶子夫人に可愛がられ、多慶子夫人より「葬儀はあなたにまかせました」との遺言通りに、葬儀を執りおこなった人でもあります。

寺坂多枝子先生は、公益財団法人日本心霊科学協会の霊能者でもあり、私をスピリチュアリズムの道へと導いてくれた恩師でもあります。

寺坂先生は心霊教育にも熱心であり、とても厳しく、とても愛情深い先生でした。寺坂先生自身も常に学びを深めておりましたので、心霊研究の視察として、サリー州のバロース・リーにある「ハリー・エドワーズ・スピリチュアル・ヒーリング・サンクチュアリ」に訪問して、ハリー・エドワーズの後継者であるブランチ夫妻からヒーリングを受けています。

また当時イギリスで活躍をしていたヒーラーのモーリス・H・テスターから直接ヒーリングのレクチャーも受けております。

そんなこともあり私は二人の先生から「これからは心霊もアカデミックに研究しなくてはいけない。あなたもイギリスへ行きなさい」と同じことを言われました。

私がイギリスへと渡ったときには、すでにハリー・エドワーズは亡くなってはいましたが、私も寺坂先生と同様に「ハリー・エドワーズ・スピリチュアル・ヒーリング・サンクチュアリ」にて、レイ・ブランチによるヒーリングに立ち会わせてもらうことができました。

その時代はまだハリー・エドワーズが生きていたときの面影が残っていて、彼らのヒーリングもハリー・エドワーズと同じ方法をとっていました。

私が立ち会わせてもらったときにヒーリングを受けていた方は、耳が聴こえていなかったのですが、レイ・ブランチによるヒーリングによって、その場で聴力がだいぶ戻ってきたのをまのあたりにしました。

ですからハリー・エドワーズとともに働いていたブランチ夫妻のヒーリング能力は、それなりに長けていたのではないかと思います。

今、振り返ってみても当時のイギリスにはスピリチュアリズムの黄金期とも言えるほどに偉大なミーディアム（霊媒）やヒーラーが活躍していたのです。

イギリスには『サイキック・ニューズ』紙というスピリチュアリズムを専門に取り扱う新聞があります。

創刊時の編集者の一人には、シルバーバーチの霊媒として有名なモーリス・バーバネルがおり、スピリチュアリズムに関心のある方々からは、世界中で読まれている新聞です。

私もイギリスへ行った際に『サイキック・ニューズ』紙から取材を受けたことがありました。当時の編集長であるトニー・オーツセンから、「日本人の若者が、イギリスへスピリチュアリズムを勉強しに来ている」と珍しがられ取材を受けたのです。

トニー・オーツセンからは心霊捜査で有名な〝ネラ・ジョーンズ〟を紹介されました。

当時のイギリスには、私が直接お会いしたなかだけでも、サイキックアーティストとして有名な〝コラル・ポルジ〟がいて、〝ネラ・ジョーンズ〟がいて、私の活動の指針となる偉大な霊媒〝ドリス・コリンズ〟がいました。

ほかにも多くのミーディアムやヒーラーが活躍していて、そしてイギリスでは、スピリチュアリズムを学ぶ機関としての団体も栄えていたのです。

代表的なものでは「SAGB（英国スピリチュアリズム協会）」です。多くの偉大なスピリチュアリストを輩出し、当時はヴィクトリア駅に近い、大高級地ベルグレーヴィアという地域で、大使館などが立ち並ぶ場所に建物を構えていました。当時は五〇人以上入るホールが二つ、シッティングルームも五つ以上あったように記憶しています。

図書館など、その他の施設もあり、地下には食事や休憩するキャンティーンもあったほどです。また上階にはヒーリング専門のフロアーもあり一〇床ほどのベッドが設置されていました。

そして毎日のように、たくさんのヒーラーやミーディアムがさまざまな催しをしていました。ホールでは霊媒によるレクチャーや霊視のデモンストレーション。また霊界通信のクラスもありました。そして育成にも力を入れていて、学ぶ人も多々ありました。多くの人が、だれでもSAGBを利用でき、霊的真理の明かりが灯《とも》っていたのです。このような時代だからこそドリス・コリンズをはじめとする横綱級の霊媒の黄金期が育ったのだと思います。

今は別の場所へと移ってしまったＳＡＧＢですが、当時の場所は個人の私財を提供されて、先に見た大使館の並ぶロンドンの一等地にありました。

その他には「アーサー・フィンドレー・カレッジ」という、かつての富豪アーサー・フィンドレーがスピリチュアリズムに救われ感謝することにより、広大で豪華な私邸を贈与したスピリチュアリズムを学ぶ機関があります。

また「カレッジ・オブ・サイキック・スタディーズ」という、サウスケンジントンにあるハロッズという世界的に有名なデパートに近いロンドンの高級地に学校があり、こちらは入口を入るとレセプションとオープン図書館。そして各階には教室があって、最上階には一〇〇名ほど入る講堂もあります。そこにはＤ・Ｄ・ヒュームという、空中浮揚などができたことで有名な歴史的な物理的霊媒の大きな肖像画が飾られていて歴史と伝統が感じられます。

初級のクラスは誰でも入学できますが、昇級するのは大変なようです。上級クラスとなるには才能が必要で最速で卒業して六年と聞きました。一方さまざまなコース、シッティング、ヒーリングは、誰でも参加利用することができます。

カレッジ・オブ・サイキック・スタディーズは、昔から経済的に困っている噂もなく、経営も安定していると聞きます。

しかし、その他の団体は、時が経つに連れて、当時の勢いは陰り、経営もうまくいかなくなり、財政難に陥りました。

それはハリー・エドワーズの「ヒーリング・サンクチュアリ」も同様です。「ヒーリング・サンクチュアリ」は、ハリー・エドワーズの豪華な私邸を贈与され財団となったものです。スピリチュアル・ヒーリングの普及のために財団として残されたのだと思います。

しかし現在は財政的には苦しく、経営のために結婚式場として貸出したり、ホテルとして利用されたりしています。

そしてもともとは「ハリー・エドワーズ・スピリチュアル・ヒーリング・サンクチュアリ」が正式名だったのですが、今では「スピリチュアル」が抜けてしまい、「ハリー・エドワーズ・ヒーリング・サンクチュアリ」となってしまいました。

世界最大のスピリチュアル・ヒーリング協会であり、ハリー・エドワーズが設立に関わったことは触れましたが、「英国スピリチュアルヒーラーズ連盟」も、いつのまにやら「ヒーリング・トラスト」と名称を変更しています。両方に共通しているのが「スピリチュアル」という言葉の削除です。

私は改めて、ハリー・エドワーズ・ヒーリング・サンクチュアリを訪ねた際に、光栄にも財団の会長さんと談話することができました。その際に何度も繰り返し「ハリーの遺志を守るために」と話す会長さんに対して、私は「そんなにハリーの遺志を守ろうとするなら、なぜ名称から『スピリチュアル』を外したのですか?」と、無礼にも詰問したことがあります。

スピリチュアリズムやスピリチュアル・ヒーリングから「スピリチュアル」を外したら、いつたい何が残るのでしょうか？

財団を存続させるためとはいえ、核心となる「スピリチュアル」を外すことが本当にハリーの遺志なのでしょうか？

ハリーの遺志を継ぐはずのスピリチュアリストたちが、自ら霊界と繫がっていた手を放してしまいました。

それはイギリスだけの問題ではありません。日本も同様に「スピリチュアル」を語ることが難しくなってきているのが実情です。

そこには宗教団体や科学盲信の弾圧もあります。科学とて万能ではないにもかかわらず科学的に証明されないものと弾圧されるのです。

過去イギリスや日本のスピリチュアリズムは、スピリチュアリストたちによる利他愛ならぬスピリチュアリズム愛という大我の愛の集結により成り立ってきました。

スピリチュアリズムの普及と啓蒙のためにスピリチュアリストたちからの大きなドネーション（寄付）などにより団体が存続してきたのです。

しかし現在ではイギリスも日本も現世利益や欲得を満たすための魔法ばかりを求め、自分のためという小我の愛によって「スピリチュアル」を利用しています。

霊的真理を大切にして生きるという大我の愛は影を潜めてしまいました。

私は、イギリスにもヒーリングの師匠と言える人がいます。その人は当時ＳＡＧＢの役員をしていたヒーラーのテリー・ゴードンです。彼はハリー・エドワーズから直接教えを受けた人でもあります。

また私をとても可愛がってくださり、ハリー・エドワーズのサンクチュアリでのセミナーなどにも連れていってくださったり、彼のご自宅でもレッスンをしてくださいました。

そして彼の遺言で「江原に大切なハリー・エドワーズのブロンズ像を渡しなさい。そして日本にヒーリングを正しく伝えるように」と言われ、奥様のフランシスさんより、世界に三つしかないハリー・エドワーズのブロンズ像を戴きました。

テリー・ゴードンより託された、世界に３つだけのハリー・エドワーズのブロンズ像。

私はその遺志が忘れられません。私もかつてイギリスをスピリチュアリズム先進国と謳っていた責任上、変わり果てた実情を伝える責務があります。

かつて先人たちが灯した霊的真理の明かりは消えかかってしまいましたが、これからは、ひとりひとりが依存心を持たず、自らの手でスピリチュアリズムの土台を作らなければならない〝実践の時代〟です。

私にスピリチュアル・ヒーリングの真髄を教えてくれたテリー・ゴードンは、今頃霊界で嘆いているかもしれません。

いや、もしかしたらこのような未来が訪れることを予測していたのかもしれません。だからこそ「日本でスピリチュアリズムを普及しなさい」と言って、私にハリー・エドワーズのブロンズ像を、形見分けされたのだと思います。

すでにシルバーバーチを含めた「霊訓」などを尊重しているのは日本だけで、イギリスではお目にかかる機会はなくなりました。

日本のスピリチュアリズム信奉者が固守している「霊訓」も、イギリスにおいては、その影もありません。

過去の偉大な「霊訓」が素晴らしいのは真実ではありますが、次々と新しいメッセージを中心に普及されています。

日本のスピリチュアリストたちは、今でもイギリスでは黄金期の「霊訓」が尊重されていると思い込んでいるところがありますが、ヒーリングやミーディアムの活動も過去の時代とはほど遠いものとなっているのが実情です。

またスピリチュアリズムやスピリチュアル・ヒーリングに関しても世間では間違った知識が蔓延しています。

ヒーリングとは、病気などを〝治す〟ことと思われていますが、それが第一義ではありません。

「本当の幸せとは」＝「何も恐れることがないこと」


このことを理解することこそが本当の癒しとなるのです。

なぜなら人はかならず死を迎えます。ですからいたずらに死を遠ざけたり、不老不死を願うのは真理ではないのです。病でさえ意味がある。すべては人生の賜物です。

そのことを受け止めて、人生に輝きを得たとき、必要であれば病は「治る」のであり、そうでなくても人は癒されるべきなのです。

テリー・ゴードンは私に教えてくれました。

「前向きに最期の自分の葬式の支度ができるほどに、人生を理解することが大切」と。それこそがスピリチュアル・ヒーリングの真髄であると。

ハリー・エドワーズの書籍は、どうしても「治癒」を目的に書かれていますが、それは当時、ヒーリングを広く伝えるための彼の役目であったのです。

しかし、大切なのはその先です。ひとりひとりが人生の意味を理解して、スピリチュアリズムを理解して、新たなる〝実践の時代〟を生きること。スピリチュアリズムを学ぶみなさまが霊的真理の明かりを灯し続けることができますように。本書がその一助となることを願っております。

ハリー・エドワーズがヒーリングの際に、いつもの微笑みをたたえ、手を差しのべている姿を思い浮かべながら。

（一般財団法人日本スピリチュアリズム協会　代表理事）

【初出】一般財団法人日本スピリチュアリズム協会図書館（江原啓之携帯文庫）、二〇一三年

Harry Edwards, *A Guide to the Understanding and Practice of Spiritual Healing*, The Healer Publishing Company Limited, 1982 の全訳である。初版は一九七四年であるが、一九八二年版を底本にした。図版に関しては二〇一〇年版を使用した。

ハリー・エドワーズ
Harry Edwards　1893-1976

ロンドン生まれ。キリスト以来最大のスピリチュアル・ヒーラーと称される。10代は印刷工見習いをしつつ政治活動にも参画。第一次世界大戦中はロイヤル・サセックス連隊に属し大尉に任命される。1936年頃からスピリチュアリズムに興味をもち、たちまちスピリチュアル・ヒーリングの能力を発揮。1946年英国サリー州シェアに「ハリー・エドワーズ・スピリチュアル・ヒーリング・サンクチュアリ」を開設。世界各地から週に1万通の手紙が届き、医学では手の施しようのない人びとを治癒した。その奇跡的なヒーリング能力は、英王室や英国国教会からも認められた。英国スピリチュアルヒーラーズ連盟の会長を初代から亡くなるまで務めた。著書に『霊的治療の解明』『ジャック・ウェバーの霊現象』など。

一般財団法人
日本スピリチュアリズム協会

1989年発足のスピリチュアリズム研究所を前身に、スピリチュアリズムの研究、正しい普及、教育機関の提供、実践、スピリチュアリストの育成を目的として2011年より本格的な活動を開始。スピリチュアリズム講座、年間学習制度「学舎生」、スピリチュアリズム関連の電子書籍刊行などを展開し、スピリチュアリズムの普及活動を推し進める。代表理事は江原啓之。

スピリチュアル・ヒーリング

理解と実践のためのガイド

二〇二三年一一月二五日　初版第一刷発行
二〇二四年一一月二〇日　初版第二刷発行

著者　ハリー・エドワーズ
訳者　一般財団法人日本スピリチュアリズム協会
発行者　佐藤丈夫
発行所　株式会社国書刊行会
〒一七四-〇〇五六 東京都板橋区志村一-一三-一五
電話〇三-五九七〇-七四二一
ファクス〇三-五九七〇-七四二七
https://www.kokusho.co.jp
印刷・製本　中央精版印刷株式会社
装幀　コバヤシタケシ
ISBN978-4-336-07580-2
落丁・乱丁本はお取り替えいたします。